LA COUTURIÈRE
La vengeance de la veuve noire

L'auteure remercie les membres du jury ainsi que le Conseil des arts du Canada pour la bourse qu'ils lui ont octroyée afin qu'elle puisse écrire le deuxième tome de cette trilogie.

Francine Allard

LA COUTURIÈRE

Tome 2

La vengeance de la veuve noire

ÉDITIONS TROIS-PISTOLES

Éditions Trois-Pistoles
31, route Nationale Est
Paroisse Notre-Dame-des-Neiges (Québec)
G0L 4K0
Téléphone : 418-851-8888
Télécopieur : 418-851-8888
C. élect. : vlb2000@bellnet.ca

Saisie : Francine Allard
Montage : Roger Des Roches
Révision : André Morin et Victor-Lévy Beaulieu
Couverture : Olivier Lasser

Les Éditions Trois-Pistoles bénéficient des programmes d'aide
à la publication du Conseil des Arts du Canada, du ministère
du Patrimoine (PADIÉ), de la Société de développement des
entreprises culturelles du Québec (SODEC) et du programme
de crédit d'impôt pour l'édition de livres du gouvernement du
Québec (gestion Sodec).

EN EUROPE (COMPTOIR DE VENTES)
Librairie du Québec
30, rue Gay-Lussac
75005 Paris, France
Téléphone :   43 54 49 02
Télécopieur :   43 54 39 15

ISBN 978-2-89583-201-0
Dépôt légal :
Bibliothèque et Archives nationales du Québec, 2009
Bibliothèque et Archives Canada, 2009
© Éditions Trois-Pistoles, 2009

À mes filles pour qu'elles se battent,
À mon fils pour qu'il ne batte jamais personne.

*Qu'est-ce que la fiction sinon ce retour sur soi et,
par conséquent, cette nouvelle histoire des rapports
avec les autres tels que le récit les découvre.
Ainsi gagne sur la vie, la littérature.*

JEAN ROYER, *La main cachée,*
L'Hexagone, 1991

Chapitre premier

Pour qu'on se souvienne

Il y a des jours où Émilia remerciait le Ciel pour toutes les belles choses qui lui arrivaient, tellement, que même sa chambre d'hôpital lui paraissait illuminée d'une clarté indéfinissable. Après que la camionnette de la nouvelle Plomberie Trudel eut percuté un tramway de Lachine qui venait en sens inverse, après que son frère Victor eut été plongé dans un coma profond, juste au moment où il avait parlé d'épouser la belle Dolorès, Émilia ne vivait que pour son amour naissant. Entre le chauffeur, Louis Turgeon et elle, venait de naître un commencement d'amour parmi les plus étranges et les plus forts qui soient.

Comme sorti d'un geyser, Victor s'accrochait à la vie.

Loin de là, dans le petit village d'Oka, un drame venait de secouer la famille de Donatienne Crevier, celle qui avait été la si douce matante d'Émilia et de son petit frère Victor.

Un trop-plein de générosité avait fait de Donatienne une prisonnière de son altruisme en même temps que du gouvernement fédéral. Emmêlée dans ses accès de naïveté toute chrétienne, elle avait mis sur ses épaules la charge entière de la fabrication du calvados illégal qui avait pour but d'assurer à la petite communauté qu'elle avait formée, avec les Fréchette et quelques fidèles amis, un avenir sans tourments. Le sort en avait décidé autrement.

Elle fut arrêtée, condamnée et amenée à la prison des femmes de Kingston, en Ontario. Là où elle ne reverrait plus ses champs, la petite route graveleuse, son fils Joseph, et Michel, l'amoureux qu'elle avait arraché à Dieu et à son abbaye d'Oka.

C'est ainsi que les choses s'étaient passées.

• • •

Au frisquet de l'aurore, un jeune oiseau du printemps pépiait sur le rebord de la fenêtre alors que le soleil, comme il le faisait depuis deux ans, se fondait derrière une effilochure nuageuse et opalescente. Kingston était sous l'emprise de la brume printanière. Donatienne avait peine à endurer la lumière naissante tellement elle avait mal à la tête. L'humidité et le froid de cette installation temporaire n'attiraient aucune pitié de la part des hommes du gouvernement, malgré les plaintes répétées des gardiennes. « Ces femmes sont des condamnées, qu'elles gèlent ! » avait répondu le ministre de la Sécurité publique du Canada, l'Honorable John E. Smith.

Sœur Saint-Étienne, la responsable de l'atelier de couture de l'aile des *Girls,* comme les geôliers avaient surnommé cette section pour femmes de la prison, frappa dans ses mains. Des dizaines de petits coups secs pour dire à ses pensionnaires de revenir s'asseoir derrière leur machine à coudre ou sur leur chaise droite pour celles qui ourlaient les taies d'oreillers et les draps. Les prisonnières se levaient à l'aube, déjeunaient vers sept heures, se mettaient au travail dès huit heures.

Soudain, sœur Jane-Mary, qui tolérait qu'on l'appelât sœur Jane, entra en coup de vent, ses jupes noires soulevant un rouleau de poussière sorti de sous la table, les nombreux objets attachés à sa taille – ciseaux, trousseau de clés, menottes pour les en-cas – émettant un cliquetis insistant. Elle traînait derrière elle une jeune femme apeurée, la tête cerclée d'un bandeau noir, ses yeux soulignés d'une teinte de bistre comme ceux des malades, les mains posées sur le méplat de son ventre. Toutes les femmes posèrent sur la nouvelle détenue un regard curieux. Quelques-unes lui souriaient avec une certaine méfiance, voire du mépris, tandis que quelques autres éprouvaient pour elle une forme de pitié. Donatienne reçut, quant à elle, des bleus à l'âme: elle reconnut cette jeune femme avant même que sœur Jane ne lance:

– *Here is Mary Eagan. Twenty three months for prostitution. Be nice with her.* Elle... elle est du Québec.

– Une autre, ajouta sœur Saint-Étienne en soupirant.

Cette religieuse était née à Montréal et, entrée au noviciat à quatorze ans, elle avait fini – après trente ans consacrés à l'éducation des jeunes filles – par être

envoyée en Ontario pour s'occuper surtout des détenues francophones. Directrice d'un couvent pour filles,
elle avait été assignée à la prison de Kingston jusqu'à
ce qu'un établissement pénitentiaire pour femmes soit
construit au Québec. Elle avait, en fait, été rétrogradée
parce qu'au Couvent Sainte-Anne qu'elle dirigeait, la fille
cadette d'un riche propriétaire montréalais avait été
enlevée par un homme qui se disait son oncle, au beau
milieu de l'après-midi, avec l'assentiment naïf de la
sœur directrice qui n'y avait vu que du feu.

Les journaux en firent grand état, et sœur Saint-
Étienne-de-la-Passion fut soulagée de ses occupations
d'éducatrice et envoyée à la prison de Kingston malgré
sa mauvaise réputation dans la rééducation des femmes.
Trop molle.

– Le Québec se dévergonde! lança-t-elle encore.

Chaque fois qu'une détenue du Québec se joignait
au groupe de prisonnières, sœur Saint-Étienne ressentait une grande tristesse. Elle avait l'impression qu'elles
étaient de plus en plus nombreuses et décida que c'était
la religion qui prenait le bord et que la pauvreté faisait
faire aux femmes des actions condamnables. Elle se
signa, puis accueillit la jeune femme avec une certaine
réserve.

– *Indian?* demanda sœur Jane avec un certain
dédain.

– *No, White,* une vraie Blanche du Québec, s'em-
pressa de répondre sœur Saint-Étienne, le cœur chaviré.

Donatienne se leva et alla à la rencontre de sa com-
patriote en lui offrant de s'installer à sa table de travail.

Mary Eagan ne put la reconnaître puisqu'elle ne l'avait jamais aperçue, mais apprécia la gentillesse de cette femme qui semblait ouverte à la conversation.

– Tu sais ourler, au moins ?

– Non, pas du tout, répondit Mary en étouffant un rire nerveux.

– Alors, ne le dis pas. Je vais te le montrer. Il se pourrait que sœur Saint-Étienne t'envoie laver les latrines si elle apprend que tu ne sais pas coudre. En ce moment, c'est une Anglaise qui s'en occupe. Toi, tu as les mains trop blanches pour laver de la... enfin... je vais te montrer à ourler. Assieds-toi ici, auprès de moi. Prends cette aiguille, elle est déjà enfilée.

Mary Eagan prit place, même si elle venait de passer tout le voyage de Montréal jusqu'à Kingston assise dans un fourgon totalement inconfortable. Pour créer un lien rapide, Donatienne s'approcha de Mary Eagan et chuchota :

– Tu... tu as encore tes bottes rouges ?

Mary fixa Donatienne dans les yeux. Elle ne comprenait pas comment cette femme pouvait seulement savoir qu'elle avait des bottes rouges alors qu'elles provenaient des États-Unis et qu'elle ne les avait pas mises souvent.

– Tu viens d'où ? demanda Mary à Donatienne qui lui souriait.

– Oka.

En entendant ce mot, Mary blêmit légèrement. Se pouvait-il que cette femme l'ait déjà remarquée lorsqu'elle se rendait chez des clients de la région ? Elle n'en avait aucun à Oka – elle disait qu'il y avait trop de prêtres dans ce coin perdu pour espérer se constituer une bonne clientèle – mais sûr qu'elle se rendait souvent à Saint-Benoît, à Saint-Hermas ou à Saint-Philippe quand Rick Kingsley la conduisait dans son automobile. Rick n'était pas son amoureux, mais un associé, comme il le disait avec insistance, à qui elle remettait la moitié de ses gages.

– Moi, je viens de Lachute. On a dû se voir quelque part. Ou c'est une autre qui me ressemble. Je ne suis pas la seule à porter des bottes rouges. Tu es ici pourquoi?

– Fabrication et vente illégale d'alcool. Mais il ne me reste que deux mois.

– Ah, bon. C'est drôle, ton visage ne me dit rien du tout.

Sœur Saint-Étienne s'impatienta en entendant les deux femmes chuchoter.

– Parlez plus fort pour que je vous entende, ou taisez-vous. Pas de messes basses ici-dedans! C'est le règlement.

Donatienne fit signe à Mary d'observer le mouvement de sa main: piquer dans le tissu rêche, plier l'ourlet avec les doigts de la main gauche, puis tirer l'aiguille.

– Essaie. C'est pas difficile, mais tu dois bien plier le bord au moins deux fois si tu ne veux pas que l'ourlet se défasse.

– C'est pour qui, toutes ces taies d'oreiller? demanda Mary.

– Pour les hommes d'à côté.

– En-dedans comme en dehors, on est au service des hommes, ajouta Mary en soupirant.

Mary ne quittait pas Donatienne des yeux. Cette femme avait quelque chose d'étrange. Une sorte de sorcière comme la vieille Carmen de Lachute qui parlait avec les morts et qui avait des visions.

Donatienne porta la main à sa tête en exerçant une pression comme pour immobiliser la douleur. Sœur Saint-Étienne la remarqua et vint se poster devant elle tout en gardant le silence. La religieuse aimait cette femme qui, selon elle, n'avait pas mérité son châtiment ni l'abandon forcé de sa famille durant cette trop longue période. Cependant, elle trouvait que toutes ces filles, comme Mary Eagan, qui couchaient avec tout ce qui portait pantalon, devaient être mises sous les verrous et y demeurer pour le reste de leur vie. Sœur Saint-Étienne détestait les prostituées, alors que ces dernières formaient, avec les Indiennes, la plus grande partie des pensionnaires de l'aile des femmes. Elle savait aussi que les surveillants de la prison de Kingston reluquaient de ce côté de la bâtisse et que nombreux étaient ceux qui auraient été enchantés d'accueillir bon nombre de ces jeunes filles faciles. On racontait même qu'avant l'arrivée des religieuses, les surveillants des détenus avaient également la garde des condamnées et qu'il y avait eu quantité de viols.

– Tu as encore mal à la tête, Crevier? demanda-t-elle sèchement.

– Ça va passer.

– Tu veux que je t'apporte de l'huile de menthe? J'en ai dans mon armoire blanche.

Sœur Saint-Étienne savait que Donatienne connaissait la guérison par les plantes et que la menthe, appliquée par tapotement sur les tempes, soulageait les maux de tête les plus lancinants.

– J'aimerais bien. Je ne vois plus mon fil et je n'arrive plus à enfiler mon aiguille... s'il vous plaît, ma sœur.

La directrice des surveillantes se rendit à son armoire blanche, dégota la clé parmi tout un trousseau qu'elle portait suspendu à la taille, puis ouvrit la petite porte. Elle en sortit une fiole bleue et la tendit à Donatienne.

Une autre sœur, la tourière de l'établissement, entra avec le courrier. Les enveloppes de toutes les teintes de pastel avaient été ouvertes, probablement lues, puis remises à leurs destinataires. Les détenues se levèrent de leur chaise, mais une voix tonitruante s'éleva aussitôt:

– Assises! On va vous distribuer le courrier. Vous le savez, pourtant. Et vous savez aussi que si vous n'obéissez pas, votre lettre sera brûlée, cria sœur Jane-Mary en tenant la première lettre entre ses mains fanées.

La sœur postière scrutait l'inscription de la lettre de ses yeux bleus posés au-dessus de son bec d'aigle, la humait, prenait son temps pour faire durer l'attente, puis faisait semblant de ne pas savoir lire et hésitait, bredouillait, chuintait jusqu'à ce que le nom d'une des contrevenantes soit prononcé correctement et jusqu'à ce que la lettre se retrouve sur la table de sa destinataire à condition que celle-ci baissât les yeux. Parfois, sœur Jane serrait la lettre si étroitement que la détenue devait attendre durant d'interminables secondes pour s'approprier enfin la missive qu'elle attendait depuis des semaines. La religieuse riait alors avec cruauté. Elle n'aimait pas les prisonnières et ces dernières le lui rendaient bien.

Gertrüd Wilson – sœur Jane-Mary – avait été éduquée à la dure dans une famille allemande de fondamentalistes catholiques, du sud de l'Ontario. Aînée de douze enfants, elle était maltraitée régulièrement par son père, qui battait ses enfants tous les vendredis à trois heures – heure de la mort du Christ – dans le salon qui, pourtant, était interdit aux enfants. À quinze ans, lorsque le prêtre vint faire sa visite paroissiale, Gertrüd Wilson voulut quitter sa famille, et la perspective d'aller dans un couvent pour devenir religieuse lui parut la seule issue. Elle fit sa valise ce même jour et suivit le prêtre catholique jusqu'à Montréal, en priant la Vierge Marie de lui accorder la foi nécessaire pour devenir une vraie enfant de la communauté des Sœurs Grises. Elle ne dit même pas adieu à ses parents. Envoyée à la prison de Kingston, sœur Jane-Mary secondait sœur Saint-Étienne dans l'aile des femmes avec autant de doigté que son père, c'est-à-dire avec la force de ses bras et la puissance de sa voix.

• • •

Elles étaient quarante-sept dans cette partie de l'aile des femmes. Les autres, plus âgées et moins productives, étaient placées dans l'aile ouest. Et celles qui étaient accusées de meurtre demeuraient sous les verrous dans des cellules glaciales, sombres et humides. Certaines finissaient par se laisser mourir. Les Indiennes, qui étaient en majorité, mouraient, elles, de malnutrition puisqu'elles avaient été élevées dans les forêts, sur le bord des lacs où le poisson faisait partie de leur alimentation quotidienne. Donatienne avait toujours cru que les Sulpiciens s'étaient trompés : ce n'est pas en transformant les noms indiens en Simon ou en Montour que l'on en faisait des Canadiens-français. Faire d'eux des agriculteurs avait été leur plus grande erreur. Elle avait vécu avec Bill Tiwasha assez longtemps pour savoir que la chasse et la forêt étaient ses seules véritables maîtresses et que, dans les veines de l'Indien, coulait de la sève d'érable. Pour les femmes, ce fut une catastrophe. Abandonnées, trahies par leurs maris, elles avaient été obligées de contrevenir aux lois des Blancs et plusieurs croupissaient dans la prison pour femmes de Kingston. Certaines accouchaient dans les cellules froides et pouilleuses, et leur bébé était envoyé à l'orphelinat comme on expédie un paquet par la poste.

. . .

Sous le regard de sœur Saint-Étienne, sœur Jane distribua les lettres avec l'ennui qui se lisait sur son visage. On aurait entendu voler une mouche tant les femmes se tenaient coites. Elles étaient toutes dépendantes de ce courrier qui les tenait liées à leurs proches et il ne fallait pas embêter la religieuse si on ne voulait pas voir sa lettre être brûlée dans le poêle. Les mains étaient sagement posées sur les tables, comme celles des petites filles à l'école primaire. Il y avait une lettre pour celle que ses codétenues appelaient La Grosse, puis une autre fut remise à La Grande Slaque. Une autre pour La Carotte ainsi nommée à cause de la couleur rousse de sa chevelure, une autre encore pour La Grive, surnom rappelant les nombreuses rousselures éparpillées sur son visage. La dernière lettre – sœur Jane aimait faire languir celle qui était la préférée de sa collègue – fut déposée sur la table de Donatienne qui la prit, et la porta à ses narines. Elle la huma respectueusement. Michel lui avait écrit. Elle la plia et l'enfonça dans le haut de son uniforme, près de son cœur.

– Tu la lis pas de suite ? lui demanda Mary Eagan.

– Pas le droit. Je pourrais la lire pendant la récréation, mais j'aime mieux la lire à soir, dans mon lit. Y'a personne qui me dérange. Après, je peux rêver.

– Tutututut ! pépia la surveillante. On travaille. On a cent cinquante taies d'oreiller à remettre à mister James à la fin de la semaine. Au travail !

•••

Donatienne avait décidé de tenir Mary Eagan en dehors de l'histoire d'Ubald Lachance. La fille aux bottes rouges avait, selon ses convictions, assassiné l'homme, après qu'elle-même l'eut empoisonné. Et Mary avait dû agir très peu de temps après parce que, nul doute,

Ubald était presque mort à cause des effets du poison. Elle se rappela avoir vu ses yeux révulsés, sa bouche tordue émettant des sons rauques mêlés à la bave qu'il excrétait, sa main posée sur sa poitrine d'où un souffle à peine perceptible filtrait entre ses lèvres blêmes. Il était moribond, elle en était certaine. Mary Eagan – les petites voisines avaient vu une femme *vêtue* de rouge – avait dû revenir et tirer sur Ubald dans la nuque.

Ne pas en discuter avec Mary Eagan était la meilleure chose à faire. De toute façon, étrangement, ni l'une ni l'autre n'étaient en prison pour avoir tué un homme. Donatienne se mit à rire.

– Qu'est-ce que t'as? demanda Mary, en piquant l'aiguille dans le tissu.

– Rien. Je pensais à une chose que mon garçon m'a racontée. C'est tout. Tire, tire plus fort, sinon, ça ne va pas résister.

• • •

Le soir venu, après ses ablutions quotidiennes, Donatienne s'allongea sur son lit et ouvrit la lettre qui fleurait la sauge médicinale, de ça elle était sûre.

Oka, le 22 septembre 1937

Chère amour,

Je compte les jours jusqu'à ta libération et je prépare la maison pour l'hiver qui se montrera très bientôt, si j'en juge du givre qui se colle aux fenêtres durant les nuits froides. Joseph et Rosalie ont appris qu'ils auront un

petit dans sept mois. Adrien est très heureux de cette
perspective. Il dit, du haut de ses quatre ans et demi, qu'il
sera le grand frère. As-tu seulement reçu leur lettre ? Ici,
bien des gens racontent que les lettres ne parviennent
pas toujours à leur destinataire car la poste est incer-
taine par les temps qui courent.

Les pommiers sont lourds de fruits comme jamais.
Une bonne année pour ce que tu sais. Joseph et moi, ainsi
qu'Albert et Cécile, avons remis sur pied l'Herboristerie et
avons conclu de lui donner le nom de Donatoka. Je sais
que ce n'est pas ta décision, mais tout le monde ici était
d'accord pour que l'on puisse repartir en neuf. Nous avons
reçu les papiers officiels de Québec au nom de Joseph
Crevier (qui a signé pour toi) justement hier après deux
longs mois d'attente. Mes connaissances en botanique nous
sont très utiles. Nous avons ainsi concocté une mixture,
pour guérir les chancres de la bouche chez les chiqueux
de tabac, à base de plantain, de sauge et de savoyane qui
est très prisée, c'est le cas de le dire, par les riches de
Montréal et les Mohawks de chez nous. Nous sommes en
train de remonter la pente qui s'est avérée assez glissante
après ton départ, disons-le ainsi.

Chaque matin, je bois mon thé dans ta tasse en espé-
rant boire tes pensées et m'unir à toi. Pas besoin de te
*dire à quel point je m'ennuie (*les deux lignes suivantes
avaient été rayées au plomb par la sœur tourière qui
avait lu la lettre, ce qui fit rire Donatienne, imaginant
la scène suivante, décrite par son amoureux*)*.

Tout le monde a hâte à ton retour. Nos collaborateurs
du côté des Indiens ont quitté la région pour se rendre

plutôt à Akwasasne où il est plus facile de trouver du tra-
vail. Sauf Percy K. J'ai fait toute une découverte la se-
maine dernière à l'embouchure de la Rivière-aux-Serpents.
Il s'agit d'une variété nouvelle de valériane officinale. Nous
pourrons, vu les propriétés soporifiques de cette plante,
endormir toute la population des Basses-Laurentides.
Joseph a bien ri quand je lui ai conté cela. Dom Léonide
est venu me parler pour connaître mes projets d'avenir
concernant mon manuel de botanique. Je me suis méfié
de la véritable raison de sa visite et je lui ai dit que nous
allions nous fiancer à la fête de la Nativité et nous marier
dès les beaux jours du printemps.

Ici, Donatienne mit la lettre sur sa bouche et se laissa gagner par les larmes. Michel voulait se marier. Elle passerait le plus beau Noël de sa vie, après toutes ces années dans le péché selon les instructions religieuses remâchées par sa mère durant sa jeunesse. Se marier avec Michel, jamais n'avait-elle pu croire à pareille bonne nouvelle.

Elle s'arrêta soudain en fixant la lettre. Comment se faisait-il que la sœur tourière n'avait pas barbouillé cette partie du texte qui parlait de mariage entre Michel et elle? Quand même, l'entretien avait eu lieu entre un moine et le directeur d'une abbaye! La sœur était anglophone et devait comprendre certains mots et en ignorer d'autres. Ou encore était-elle aussi pâmée devant pareille demande comme certaines personnes le sont devant un roman illustré? Elle respira profondément puis continua à lire.

...

Le petit Adrien parle comme un livre, tu seras surprise de l'entendre. Bien qu'il ne te connaisse pas vraiment, puisque voilà presque deux ans que tu es partie, je lui parle abondamment de toi, et Rosalie fait de même. Joseph a entendu dire que bientôt, on pourra écouter la radio parce qu'ils viennent de fonder un poste de radio canadienne-française. Il a promis d'acheter un appareil dès que le magasin général en aura en sa possession.

Avec l'aide d'Albert, j'ai retapé la boutique, refait quelques tablettes et Cécile a créé une nouvelle étiquette, comme de raison. Mon amour, la maison est bien froide sans toi. Tout le monde ici te remercie pour la responsabilité que tu as prise de toutes les accusations qui pesaient contre nous tous. Ton sacrifice n'aura pas été vain. Avec ce qui me reste d'attachement au bon Dieu, je me permets de te bénir et de t'embrasser.

Ton Michel qui t'adore.

...

Une voix douce et feutrée sortit Donatienne de sa rêverie.

– Tu as reçu des nouvelles de ta famille ?

– Elles t'ont installée dans ma cellule ? C'est la meilleure ! Elles auraient pu te placer avec les Anglaises. Tu parles l'anglais. Elle est bonne celle-là ! Toi et moi, dans la même cellule ! Tu ne pourras pas dire que nos destins ne sont pas liés.

– Je comprends pas ce que tu essaies de me dire, répliqua Mary.

Donatienne ne répondit pas tout de suite. Elle gardait ses explications pour plus tard, lorsqu'elle serait sûre de la fidélité de la jeune femme. Elle fixa le plafond gris et sale qui, dans la pénombre, pouvait susciter quelque inquiétude. Elle dit :

– Tu as des enfants, Mary ?

• • •

Mary Eagan n'était pas charpentée pour mettre au monde des enfants. Grande – plus grande que la plupart des femmes que connaissait Donatienne –, le ventre aussi plat que la surface d'une vitre, des jambes longues comme des foins de marais, des seins juchés aussi haut que possible, de longs bras gesticuleux qui, à eux seuls, arrivaient à raconter de longues anecdotes, et le dos d'une droiture de couventine, elle possédait une franchise au fond du regard qui donna confiance à celle qui partageait sa cellule. La couleur rouge tenait ces deux femmes reliées l'une à l'autre comme la chair et le sang. Ni Mary ni Donatienne n'étaient détenues pour la mort d'Ubald Lachance, mais Donatienne était désormais convaincue que Mary était revenue pour le tuer. Une balle logée dans la nuque qui avait, du même coup, mis fin aux souffrances causées par le poison administré par Donatienne.

– Que faisais-tu à Lachute ?

– Des affaires pas très catholiques, si tu veux savoir. J'ai une petite fille de dix ans, mais je ne connais pas le père. Elle s'appelle Margaret, mais je l'appelle Melting Pot, si tu vois ce que je veux dire. Je brassais *(elle se mit à rire)* quand même des affaires de grande classe : des notaires, des gérants de banque, même des médecins. Quand ils m'ont arrêtée, j'étais avec un chef de police que ses hommes détestaient. Ça n'a pas aidé sa cause et la mienne non plus. J'ai placé Margaret chez ma sœur. Et toi ?

– J'ai fait du trafic illégal d'alcool. De l'excellent calvados. Les Indiens s'en sont mêlés, et la police m'a arrêtée. Je me suis portée comme unique coupable. Mon fils venait de fonder une famille, pis mon chum était un moine.

– De la Trappe ?

– Oui, de la Trappe. On aurait pu nous arrêter pour pire que le calvados. La première année, on volait les pommes des Trappistes.

La voix de sœur Saint-Étienne-de-la-Passion se manifesta, accompagnée d'une cacophonie de bruits de bassines de fer. Deux détenues se battaient dans leur cellule pour une affaire de cigarettes. De toute manière, la religieuse n'aurait pas accepté que deux détenues tiennent une aussi longue conversation, mais elle avait laissé Mary partager la cellule de Donatienne en qui elle avait particulièrement confiance. Ses deux années d'expiation avaient prouvé à la religieuse que la petite Québécoise n'allait jamais trahir sa geôlière à quelques semaines seulement de sa libération. Sœur Saint-Étienne avait connu des prisonnières qui avaient tramé d'étonnantes méthodes pour ne pas quitter la prison de

Kingston, soit parce qu'elles s'étaient attachées à une compagne qui n'avait pas terminé son temps, soit parce qu'elles seraient obligées de retourner hanter les venelles sales et sombres des grandes villes et recommencer leur vie de misère. Elles préféraient demeurer incarcérées.

. . .

Donatienne avait brodé et ourlé durant tous ces longs mois, avait gelé dans sa cellule humide, avait obéi au doigt et à l'œil, et avait même accepté d'être nourrie au pain et à l'eau durant des jours pour échapper à la dénonciation ou à l'ire de sœur Jane ou de Mrs Birch que les filles avaient surnommée La Branche.

Donatienne avait été témoin de pratiques perverses: en cachette de sœur Saint-Étienne, La Branche et sœur Olympia, une des surveillantes qui s'occupaient des Anglaises, faisaient traverser certaines de leurs détenues afin qu'elles servent de compagnes sexuelles aux surveillants des hommes. Ce n'était pas sans rappeler l'affaire Maria Monk dont les journaux avaient beaucoup parlé à une certaine époque. À Kingston, pas de passages souterrains, pas de porte secrète pour aller retrouver les Sulpiciens dans la chambre des amours. Donatienne voyait les filles sortir des douches rudimentaires et traverser la cour jusqu'à l'aile des surveillants en congé, avec un sourire prolixe.

Donatienne fermait les yeux sur ce qu'elle voyait tandis que Germaine Landry, et sans aucun doute Mary Eagan, n'allaient pas laisser passer pareille conduite de pécheresses sans y être elles-mêmes conviées, vu leur métier de péripatéticiennes. Donatienne allait avoir 51 ans, mais l'amour lui avait conservé son beau visage *aux joues couleur de saumon*, comme lui disait Josaphat lorsqu'il la prenait les soirs d'hiver sur la peau d'ours.

– Écoute. Tu m'as parlé, quand je suis arrivée ici, de mes bottes rouges. Ça me traîne dans la tête. Pourquoi tu m'as parlé de ça ?

Donatienne ne savait pas comment aborder ce sujet qui représentait le comble de la complicité entre elle et Mary Eagan. Il fallait qu'elle plonge.

– Ubald Lachance, laissa-t-elle glisser comme on lance un appât à une carpe de rivière affamée.

Mary avala péniblement, mais elle avait confiance en Donatienne. Elle décida donc de ne pas s'esquiver. Les bottes rouges et le nom d'Ubald Lachance étaient des éléments de preuves tellement solides qu'il n'aurait servi à rien de tenter de nier quoi que ce soit.

– Un type tellement pervers ! Un maudit voleur, en plus. Il est mort pour une somme de cent piasses qu'il me devait. Il se servait, pis après, il disait qu'il allait me payer la prochaine fois. Pis de prochaine fois en prochaine fois, il n'a jamais voulu me payer. C'est lui qui a fini par payer. J'ai pu obtenir ce qu'il me devait. J'ai pris les cent piasses dans sa boîte de fer blanc. Je suis quand même honnête. J'ai juste pris cent piasses. J'aurais pu prendre le reste. Il y avait une couple de cents dans sa boîte, expliqua Mary avec un immense regret dans la voix, regret de ne pas avoir tout pris, ce qui lui aurait peut-être évité cette condamnation fort regrettable.

Donatienne, les yeux ensommeillés, fixant toujours la pâle lueur en provenance de la cellule de sœur Saint-Étienne-de-la-Passion, replaça les scènes dans sa tête et poursuivit elle-même la suite des événements.

– Tu t'es amenée chez lui un jeudi après-midi à Saint-Benoît. Derrière chez Ubald, des petites filles se balançaient sur de longues escarpolettes sous les arbres. L'une d'elles a dit : *Regarde, il y a une dame en rouge chez le voisin.* Puis tu es partie. Je me tenais cachée derrière les buissons et j'ai attendu que tu partes en criant à Ubald qu'il aurait de tes nouvelles. Je suis entrée et je lui ai fait mâcher du poison. Il était mort quand je suis partie, avec l'impression d'avoir réussi ma vengeance.

– Je suis revenue avec le fusil de Rick Kingsley. Et je suis entrée. Ubald était couché par terre et se tordait de douleur. Il m'a juste regardée et a eu le temps de faire un geste obscène en bavant comme un gros crapaud. J'ai tiré. La première fois, je l'ai manqué, mais la deuxième fois, je l'ai tiré derrière la tête. Il a eu une secousse, pis il a arrêté de grouiller. Là, il était bien mort. Je l'ai poussé du bout de ma botte rouge. Il avait cessé d'écoeurer le peuple.

– Les journaux ont parlé d'une femme en rouge, comme les petites filles l'ont raconté à la police. Ils sont venus chez moi et ils ont remarqué mon châle rouge sur la patère. Un des agents de police a pensé que si j'avais été coupable, j'aurais caché toutes les preuves. Il m'a crue. Et pendant toutes ces années, j'ai eu peur. J'ai même pensé qu'ils m'avaient arrêtée pour le meurtre d'Ubald, mais c'était pour la vente illégale de calvados.

– Pis moi, ils m'ont arrêtée pour prostitution, jamais pour le meurtre d'Ubald non plus.

Les deux femmes furent saisies d'un grand rire réparateur. Elles eurent beau étouffer leur rire dans leur oreiller, elles reçurent un avertissement sévère de leur geôlière qui frappa sur sa bassine de granit pour leur signifier que le silence était obligatoire. Quand elles cessèrent de rire, la nuit était bel et bien descendue sur la prison de Kingston. Cette nuit-là, Donatienne Crevier et Mary Eagan avaient expié leurs fautes pour de bon. Et de belle façon.

Chapitre deuxième

J eanne se leva de fort belle humeur ce matin-là. Estelle avait participé à la représentation d'une pièce de théâtre relatant la vie de sainte Thérèse d'Avila en compagnie de ses camarades de classe. Jean-Lou, pour l'encourager, lui avait offert une gerbe de roses jaunes car elle tenait le rôle de sainte Thérèse elle-même. Leur maîtresse, madame Cormier, avait insisté auprès de sa mère : Estelle possédait un réel talent de comédienne. Les religieuses qui tenaient le Couvent Marie-Rose ne prônaient pas l'expression artistique de leurs élèves, mais elles avaient tout de même embauché Laurentine Cormier pour apprendre aux jeunes filles à s'exprimer avec aisance en se servant du théâtre et à exercer leur mémoire en apprenant des textes par cœur. Estelle connaissait une douzaine de fables de mémoire sans oublier toutes les prières inimaginables, les adresses et les compliments pour la fête des Mères et des Pères, les odes, et les poèmes chrétiens. Elle avait aimé incarner sainte Thérèse d'Avila et s'apprêtait à tenir le rôle de l'ange Gabriel dans la pièce de Noël de 1937.

Les séances, comme les religieuses nommaient ces pièces de théâtre, étaient de véritables exutoires pour Estelle qui acceptait mal la présence de plus en plus forte de son père dans sa vie. Jean-Lou aimait beaucoup les filles de son deuxième lit, comme il se plaisait à le dire en blague. Il avait présenté les filles que lui avait données sa femme, aux filles qu'il avait eues avec Jeanne, lors d'un souper au cours duquel toutes ses invitées se sentaient fort mal à l'aise. Estelle étant la cadette de toute la trâlée, elle avait pu s'accorder une crise de nerfs qui fit rire ses aînées et Jeanne elle-même. Madame Cormier, son enseignante, avait été mise au courant de cette singulière situation matrimoniale et elle faisait en sorte de venir en aide à Estelle du mieux qu'elle pouvait.

• • •

Émilia avait fermé l'atelier de couture plus tôt pour assister à la pièce. Quand elle avait été présentée à la nouvelle famille étendue de Jeanne, elle s'était mise en tête de quitter sa maison et de s'installer dans une chambre en attendant d'épouser enfin son Louis. Ce dernier avait réussi à se faire pardonner, à la suite de l'accident qui avait failli coûter la vie à son futur beau-frère. L'amour qu'il éprouvait pour Émilia était remarquable, et la date de leur mariage fut arrêtée au 10 juin 1937. Une date assez rapprochée pour qu'elle commence à penser à sa robe de mariage qu'elle voulait confectionner elle-même. Elle allait demander à Rosette une journée de congé pour aller chez McIntire & Glackson choisir les étoffes et les perles qu'elle allait patiemment enfiler autour du col. Émilia avait feuilleté plusieurs magazines de mode féminine à l'atelier de haute couture et avait dégoté plusieurs modèles en provenance de Paris qu'elle avait l'intention de mixer pour obtenir une robe originale. Emprunter n'est pas voler, se dit-elle.

– Tu dois avoir hâte de te marier, Émilia. En tout cas, moi j'ai hâte d'y aller. Tu sais, t'es comme ma petite sœur depuis le temps qu'on se connaît. Je me suis fait une idée sur toi le jour où t'es entrée ici, et je n'ai jamais été déçue. Jamais. Ton Louis est chanceux de t'avoir rencontrée, même si ça s'est fait de manière assez houleuse, dit Jeanne avant de se mettre à rire.

– Je commence à avoir hâte en titi. Mais d'ici là, on a de l'ouvrage à l'atelier de couture. J'ai assez de clientes qui me veulent. C'est Miss Émilia d'un côté, Miss Émilia de l'autre. Je suis comme une abeille qui a les pattes trop chargées pour voler drette.

– Droit, ma chérie.

– Oui, droit. Toi, tu m'en as appris des mots, Jeanne. Je parais bien quand j'ai affaire à des clientes riches. Justement, je dois être rendue pour neuf heures.

– Jean-Lou va travailler à l'hôpital Notre-Dame pour quelques mois. Donner un coup de main au docteur Fleury. Il veut prendre sa retraite dans cinq ans.

– Le docteur Fleury ? Celui qui est venu manger le mois passé ? Mais il n'a pas trente ans.

– Je parle de Jean-Lou. Il se donne encore quatre ou cinq ans et après, on va voyager. On va visiter le Canada, ma chère. Tout le Canada d'est en ouest.

Il n'en fallait pas plus pour qu'Émilia se laisse glisser dans ses rêveries.

– Louis et moi, on veut aller en Europe. Il en rêve depuis qu'il est petit.

– Il a commencé par voyager de Lachine à Montréal en tramway. C'est un commencement.

Les deux amies se mirent à rire. La sonnerie du téléphone retentit. Jeanne se dirigea vers la cuisine et Émilia vers sa chambre. Un jour, songea-t-elle, elle aurait son propre numéro de téléphone.

Jeanne revint vers le couloir et appela Émilia, car l'appel était pour elle.

– C'est une personne nerveuse. Je pense que c'est Rosette, chuchota-elle, la main sur le microphone.

Elle ne s'éloigna pas quand Émilia attrapa le combiné pour répondre d'une voix toute fébrile.

Après avoir écouté attentivement, et coupé son interlocutrice avec quelques *oui-oui* intéressés, elle posa le combiné avec délicatesse et une certaine nervosité qui fit dire à Jeanne :

– Elle a des problèmes, ta copine ?

– Le mari de Rosette a été victime de bandits qui en veulent aux Juifs. Ils ont tout saccagé et mis le feu dans les belles étoffes, ils ont cassé les vitrines et... le pire... c'est que monsieur Wildman était dans la boutique pour faire ses comptes. Il était à peu près minuit. Ils l'ont battu. Rosette dit qu'il est arrivé chez elle tout en sang. Paraît que ce groupe-là déteste tellement les Juifs qu'il passe son temps à battre ceux qui réussissent comme son mari. Les journaux en parlent souvent. Les Chemises grises ou brunes...

– Les Chemises Bleues. Ils entretiennent l'antisémitisme au Québec.

– L'antiquoi ?

– Ah, un mot compliqué pour dire la haine des Juifs. Y'en a qui les haïssent tellement qu'ils en voient pas clair. Ils sont sous le joug d'Adrien Arcand. Une espèce d'adorateur d'Hitler et de Mussolini. Il veut retirer tous leurs droits aux Juifs.

– J'en ai connu, des Juifs, tu sais. De Bernstein à Wildman en passant par tous leurs compatriotes, je sais de quoi ils sont capables. Ce sont des batailleurs, pis ils réussissent en affaires parce qu'ils se tiennent les uns les autres. Ils baragouinent le français, c'est leur plus gros problème. Je me dépêche. Rosette a besoin de moi.

– Va, va ! Les amies, c'est important.

. . .

Tout en remontant la rue Sherbrooke, Émilia se posait tout un éventail de questions. Comment ces bandits avaient-ils su que Wildman était dans l'atelier de couture au début de la nuit alors qu'il ne s'y rendait presque jamais ? Qu'allait-elle faire si Wildman décidait de vendre la bâtisse ? Comment allait-elle pouvoir gagner sa vie et qu'allait faire Rosette ? Elle avait remarqué que sa bonne amie n'était pas très en forme ces derniers jours et, elle-même, était prête à s'occuper entièrement du commerce si cela devenait indispensable.

La boutique de Rosette était entourée de badauds, d'une voiture de police et de quelques ouvriers dont un vitrier qui avait garé sa camionnette devant la porte, à l'encontre du trafic. Un policier étendit le bras comme barricade lorsqu'Émilia atteignit la dernière marche.

– C'est fermé, ma petite dame! lança-t-il avec autorité.

– Je travaille ici. Je suis une amie de madame Dalpé. Elle m'attend, mentit Émilia.

– Entrez. Mais ne partez pas sans avoir rencontré le lieutenant Paquette. Il questionne tout le monde. Vous n'y échapperez pas, madame.

– Mademoiselle, corrigea-t-elle.

Elle pénétra dans la boutique. Rosette était assise au pupitre même qu'avait dû occuper son mari lorsqu'il fut attaqué. Elle ne pleurait plus – elle avait pleuré puisqu'elle avait les yeux bouffis – mais tortillait son fichu de soie, motivée par la nervosité. Quand elle aperçut Émilia, elle se leva et la serra contre elle avec affection.

– Te voilà! Merci d'être venue si vite. J'ai tellement de choses à te dire.

Elle se tourna vers l'homme qui devait être le lieutenant Paquette annoncé par son collègue, et celui-ci affirma qu'il en avait terminé avec Rosette. Il fixait maintenant Émilia avec curiosité.

– C'est Émilia Trudel, monsieur l'agent. C'est mon bras droit et ma meilleure amie. Elle n'est pas plus violente qu'un petit chaton. On peut s'en aller?

Le lieutenant Paquette sourit. Il n'avait aucun doute sur l'intégrité des deux jeunes femmes. Elles n'étaient au courant de rien.

– Tu viens? On va aller sur Sainte-Catherine manger un petit sandwich toasté. Pis parler de tout ça, proposa Rosette.

– J'aimerais être un petit oiseau pour entendre vos discussions, lança maladroitement le lieutenant Paquette, ce qui lui valut d'être visé par deux regards d'aigle.

• • •

Attablées dans un petit casse-croûte, Rosette et Émilia s'étaient assises côte à côte sur la banquette pour que personne ne puisse les entendre. Rosette en avait tellement à raconter qu'elle en tremblait. La serveuse leur apporta un café et, tels des coureurs à la ligne de départ, elles attendirent que la dame s'éloigne pour se lancer dans la discussion.

– Je suis allée chez le docteur Gauthier hier soir. Émilia, je suis enceinte. C'est pas un bon moment pour ça. Après ce qui est arrivé cette nuit, je ne veux pas d'un fils juif. Je ne veux pas d'un petit gars qui va passer sa vie à se faire violenter, à faire rire de lui, à…

– Tu vas faire quoi? s'inquiéta Émilia tout en connaissant la réponse.

– M'en débarrasser.

– Ça se fait pas, ça, Rosette! Y a personne dans tout le Canada qui va accepter une décision pareille!

– Je peux pas... je veux pas le garder.

– Tu me caches autre chose, Rosette. Depuis le temps que je te connais. Tu oublies de me dire quelque chose, c'est certain !

Rosette prit une gorgée de café, se moucha, puis fixa l'horloge – un chat noir qui battait les secondes de sa queue –, avec la certitude que personne ne lui ferait changer d'idée.

– Je ne veux pas de cet enfant, Émilia. Un point c'est toutte ! Je vais aller voir une ancienne infirmière de la rue Duquette. Elle fait des avortements. Il faut que je sois accompagnée de quelqu'un pour me ramener.

– Tu vas pas croire que je...

– T'es ma seule vraie amie, Émilia. Tu ne peux pas me laisser aller là toute seule. Je veux que tu m'accompagnes. Je ne veux pas que Samuel le sache. C'est important.

Émilia fut tout à coup convaincue qu'il était péremptoire que la grossesse de Rosette demeure secrète. Elle n'arrivait pas à s'y faire.

– C'est pas Samuel le père, murmura Émilia comme si c'était davantage une question qu'une affirmation.

Rosette posa ses lèvres sur le bord de sa tasse, et son regard tout au fond. Elle but encore une gorgée et fixa les yeux sur sa bonne amie avec un sourire de guingois.

– Comment t'as deviné ?

– Ben alors, si c'est pas Samuel le père, ton bébé ne sera pas un Juif. Pourquoi tu veux te faire avorter, en ce cas-là, ma petite Rosette ?

– Il sera juif de toute manière. Il est l'enfant de Darius Finkel, laissa-t-elle tomber comme si elle avouait être une Martienne.

– Finkel, le chapelier?

– Oui. Un jour, il m'a essayé un petit bibi et m'a fait un bébé par la même occasion, ajouta Rosette en éclatant de rire.

– Mon doux! Je vais perdre connaissance! Ma pauvre Rosette, imagines-tu? Tu vas te faire excommunier, tu... tu...

– Je vais me faire avorter. Et je ne serai pas la première.

– Mais, c'est tuer un bébé, ça, Rosette. C'est saper dans la création divine. C'est briser la loi de l'Église. Tu ne peux pas...

– Je ne peux pas élever l'enfant d'un autre que mon mari.

– Me semble que t'aurais pu y penser avant, non? Mais je ne te juge pas, comprends-moi bien. Je cherche seulement à trouver un moyen de digérer une nouvelle pareille.

Émilia songea à Jeanne qui avait eu trois filles de son amant marié. Elle songea à Bernard Gauthier qui l'avait initiée à l'acte sexuel dans la serre au fond du jardin et se rappela à quel point elle avait aimé cela. Cette fois-là, il n'était pas question de péché et s'il lui était arrivé de tomber enceinte, elle n'aurait pas voulu garder l'enfant de ce maudit menteur qu'était Bernard. Elle pensa aussi à Délima, sa belle-mère, qui aimait faire l'amour avec son beau Josaphat, mais qui avait un jambon dans le tiroir plus souvent qu'à son tour. Elle songea surtout à Adélina, sa mère, et aux hurlements qu'elle poussait quand Victor était en train de la faire mourir.

La Rosette qu'elle avait maintenant devant elle éprouvait plus de souffrance qu'elle-même ne pourrait jamais en endurer. Son mari, Samuel Wildman, était encore sous le choc d'avoir été battu par les ennemis des Juifs, les ateliers Rosette Dalpé devaient fermer temporairement malgré une liste de commandes assez impressionnante, et elle allait se faire avorter pour éviter l'hécatombe. Bien sûr, Rosette pouvait garder l'enfant et arriver à croire toute sa vie qu'il était le fils ou la fille de Samuel, mais il était vrai aussi que son enfant allait, dans les circonstances, être victime d'une foule de préjugés de la part des Montréalais encouragés par les Chemises Bleues ! Rosette avait toujours dit qu'elle ne voulait pas d'enfants.

Émilia appela la serveuse et lui commanda une frite et un Coke qui étaient des consolations indiscutables pour toute jeune femme qui avait des problèmes de conscience.

• • •

Madame Fleurette Gratton, ancienne infirmière en obstétrique de l'hôpital Saint-Luc, les reçut dans une atmosphère de silence et de noirceur. La maison était en briques sombres et assiégée par une lierre persistante qui montait jusqu'au deuxième, venait chatouiller les fenêtres sales et la porte du 1265, percée de verre en demi-lune. *Sonnez et entrez* donnait l'impression d'une bienvenue franche.

Rosette ouvrit la porte après avoir appuyé sur la sonnette. L'entrée, toute blanche, était chargée : un porte-parapluie, un siège de bois et un coffre rempli d'une douzaine de paires de pantoufles de toutes les grandeurs. Madame Gratton vint à leur rencontre et ouvrit la porte intérieure en leur souriant. Un lustre dépoli éclairait chichement le couloir de bois frais ciré. Madame Gratton sourit à Émilia en lui serrant les deux mains entre les siennes. Celle-ci sursauta.

– C'est pas pour moi, c'est pour elle, établit tout de suite Émilia en se tassant pour lui présenter Rosette.

– Vous êtes certaine d'être en famille? demanda madame Gratton à sa cliente.

Devant le mouvement sec de sa tête, madame Gratton ajouta :

– Vous savez que c'est 35 $ cash ?

– Oui, je les ai, répondit Rosette en trifouillant dans son sac à main. Voici.

Elle lui tendit une enveloppe de paye comme celle qu'elle offrait à ses employés. Madame Gratton compta les billets et entraîna les deux amies dans une pièce obscure.

– C'est ici que vous allez récupérer, ma petite dame. C'est ici que vous allez l'attendre, mademoiselle… ?

– Émilia. Elle, c'est… c'est Rose, mentit-elle puisque Rosette voulait conserver l'anonymat.

Madame Gratton demanda à Rosette de se dévêtir.

– Juste le bas, ça va être correct. Pendez votre linge dans la salle de toilette, ici. Puis enfilez la jaquette bleue. Je vous attends derrière la porte rouge.

–Prie pour moi, glissa Rosette en tenant la main de sa bonne amie. Prie pour que tout se passe bien. Madame Gratton est ben bonne, y paraît. C'est Monique Aubin, ma perleuse, qui me l'a recommandée. Elle est venue quatre fois depuis qu'elle travaille pour moi. Quatre avortements réussis sur quatre. Ça m'encourage.

– Moi, je trouve ça pas mal décourageant. Faut pas avoir la foi, conclut Émilia.

Rosette prit une longue inspiration, fit son signe de la croix et s'enferma dans la salle de toilette. Émilia s'assit dans la petite salle d'attente sur une chaise inconfortable, posa son sac à mains et celui de Rosette sur ses genoux puis, la tête renversée, se mit à prier. Elle ne priait presque jamais, pas plus qu'elle ne se rendait à confesse ou aux offices dominicaux. Elle demeurait cependant attachée aux rites, aux commandements, aux qu'en-dira-t-on de ceux qui pratiquaient cette religion qui, selon Émilia, se mêlait trop de politique. Selon ce que lui avait raconté Victor, l'autre jour au téléphone, le curé de la paroisse des Saints-Anges avait bâti son sermon sur la haine des communistes, des Juifs et des femmes qui se dévêtent de plus en plus au grand dam *des hommes normaux qui ne peuvent retirer leur regard de ces femmes communes.* Les robes raccourcissaient dans les magazines de mode, les shorts ourlés devenaient très populaires chez la femme sexy, les chapeaux devenaient plus des ornements que des

protecteurs contre le froid, et les accroche-cœurs invitaient les hommes à renforcer leurs avances. Les
femmes invitaient davantage les hommes à les séduire
et celles qui tombaient enceintes étaient de plus en
plus nombreuses, selon un article de *La Presse* que madame Gratton avait collé sur le mur de la salle d'attente. Sur la petite table de frêne, un plateau en argent
contenait de jolis cartons indiquant le numéro de téléphone de l'intervenante. On indiquait *infirmière* au bas
de la carte et cette phrase étonnante: « Si le bon Dieu
avait eu des enfants, Il pardonnerait plus facilement. »

Cela fit rire Émilia qui était d'avis que si le curé était
marié, il changerait son fusil d'épaule. *Au lieu de le garder caché dans sa housse*, aurait dit Victor sachant que
ce genre de blague n'était pas accepté chez les Trudel.
Elle pensa aussi à sa future belle-sœur Dolorès qui, elle,
pieuse comme une punaise de sacristie, ne ferait jamais
appel à ces faiseuses d'anges, comme on appelait dans
les familles les avorteuses clandestines.

Tout se calma dans sa tête, posée de guingois sur la
cimaise de bois qui cerclait la pièce minuscule. Émilia
espérait s'assoupir. Au bout d'une heure, la porte s'ouvrit. Madame Gratton soutenait Rosette qui pleurait
comme une enfant souffrante. Émilia se leva d'un bond
et entoura affectueusement Rosette en lui donnant du:
là, là, ça va aller maintenant, et en bécotant son front
moite et ses cheveux regroupés en épis.

Au même moment, une jeune fille d'au plus quatorze ans entrait avec une femme au regard cruel qui
devait être sa mère. Elle poussait sa fille devant elle

comme on pousse une condamnée à mort jusqu'à l'écha-faud sous les cris et les applaudissements de la foule. La petite fille était mortifiée et elle pleurait doucement, mais sourit faiblement quand elle comprit qu'elle n'était pas seule dans sa situation. La mère et la fille obtem-pérèrent quand madame Gratton leur ordonna de s'as-seoir sur les deux seules autres chaises de la salle. Puis s'adressant à Rosette, elle lui dit :

– Il y a des Modess pour les saignements abon-dants, vous pouvez les utiliser. Ça va saigner encore quelques jours, vous inquiétez pas. Ça va vous tirailler encore pour un temps. Prenez deux pilules du flacon que je vous ai remis. Si vous devez voir un docteur, vous ne vous souvenez pas de mon nom. C'est compris ? Pas plus que je me rappellerai que vous vous appelez Rose. Vous pouvez rester ici une heure si vous voulez. Après, vous prendrez un taxi, c'est plus prudent. Dans une couple de semaines, vous y penserez même pus. Pis, y vendent des capotes dans les pharmacies, n'oubliez pas.

Puis Fleurette Gratton entra dans son bureau, en-traînant la petite fille qui attendait, les yeux effarés, poussée comme une ordure par sa mère.

Restées seules dans la salle d'attente, Rosette es-sayait de se reposer et Émilia n'osait pas poser les questions qui se bousculaient dans sa tête. Comment avait procédé l'avorteuse ? Est-ce que ça faisait mal ? Le bébé était un garçon ou une fille ? Comment se sen-tait Rosette après ce... cette... Elle ne savait pas com-ment appeler cette visite douloureuse. Elle ne dit que :

– Comment tu vas ?

– C'est pas reposant. J'espère que tu ne seras jamais obligée de venir ici. Tu ne peux pas t'empêcher de penser que tu assassines ton enfant. J'aurais aimé être avec le père de mon bébé. C'est un type formidable, ce Darius Finkel. Mais les Juifs n'ont pas tellement bonne réputation par les temps qui courent. Pas plus ici qu'en Europe. Je n'aurais pas dû coucher avec lui. Mais les regrets sont inutiles. On va pouvoir s'en aller. Va dehors pour crier un taxi, tu veux?

– Tout de suite? Mais tu es bien trop faible. T'as de la misère à te tenir debout!

– Émilia, je ne veux pas rester une minute de plus dans cette maison. Tu me comprends?

– J'y vais, conclut Émilia avant de sortir.

• • •

C'était un bel après-midi et les gens déambulaient plus qu'à l'accoutumée et des dizaines de voitures taxi circulaient à basse vitesse. Émilia n'eut aucun mal à se faire remarquer par un chauffeur de taxi. Il immobilisa sa voiture et apercevant Rosette qui tentait de refermer la porte de la maison de madame Gratton dont il semblait bien connaître les activités, le chauffeur courut lui prendre le bras et la conduisit à son taxi, lui ouvrit la portière et l'aida à s'y installer avec toute la délicatesse du monde.

– Je sais ce que c'est. J'y ai conduit bien des clientes. Vous êtes certaine que ça va, parce que cette femme est une sorcière. C'est ce que disent les femmes. Elle utilise les aiguilles à tricoter pis elle ne libère pas complètement l'espace de sorte que...

Émilia n'allait pas croire cet homme qui écoutait les commérages de ses clientes. Madame Gratton avait été infirmière et devait certainement faire les choses comme il faut. Quant à Rosette, elle n'adhérait pas aux qu'en-dira-t-on exprimés par ce chauffeur qui avait accroché un rameau béni au-dessus de son permis de taxi.

– Ça va, monsieur. Conduisez-nous plutôt à Outremont, rue Lajoie.

– Ouais, je sais, le quartier des Juifs! dit-il quand Émilia referma la portière. On y va!

Rosette trouva ce chauffeur assez impertinent, mais il ne savait rien de sa vie conjugale. Quant à elle, Émilia craignait les conséquences de cette *tricoteuse* malhonnête et se promit de ne pas lâcher Rosette du regard tant que tout ne serait pas parfaitement entré dans l'ordre.

Elle pénétra avec elle dans la maison et se demanda ce qu'elle dirait à Samuel Wildman quand il demanderait ce qui était arrivé à sa femme. Il ne risquait pas d'entrer au beau milieu de l'après-midi puisque depuis la nuit, il donnait des entrevues aux journalistes anglophones qui désiraient plus d'informations sur cette attaque nocturne attribuée aux Chemises Bleues ayant la réputation d'être favorables à Adolf Hitler. Les Montréalais craignaient les Juifs qui déambulaient dans les rues de la métropole comme s'ils étaient seuls au monde. Toutes sortes de légendes naquirent, mettant en vedette un vieux Juif qui mangeait les enfants, ou un enfant juif qui volait dans les cuisines en passant par la porte de derrière.

...

Jeanne attendait Émilia en sirotant un thé Orange Pekoe. Elle avait vu une robe splendide dans le catalogue d'Eaton et voulait demander à Émilia si elle accepterait de la lui confectionner. Quand elle entra, Émilia semblait fatiguée, mais sereine. Elle pensa à son mariage et à la liste de ses invités.

— Mon Dieu, t'as dû passer une journée difficile. T'as les yeux dans le même trou. À moins que t'aies trop bu.

— C'est bien mon genre de boire comme un trou, répondit Émilia en lissant ses cheveux.

Elle allait raconter à Jeanne ce qu'elle avait vécu dans la journée, mais Estelle sortit de sa chambre, tenant Moustache comme un sac de patates. La vieille chatte sauta, non sans s'être démenée au point de griffer l'avant-bras de sa maîtresse.

— Aïe, Maman! Moustache m'a griffée. Regarde, ça saigne.

— Tu as juste à ne pas la garder prisonnière comme tu fais. On ne peut pas étouffer la liberté de qui que ce soit sans qu'il n'y ait des conséquences, je te l'ai dit souvent, expliqua Jeanne, mi-figue, mi-raisin.

Émilia attrapa Estelle à bras-le-corps jusqu'à ce qu'elle crie au meurtre en riant et en faisant tous les efforts pour se dégager.

– Tiens, ma petite Moustache ! Essaie de t'enfuir ! Allez, défais-toi ! criait Émilia en riant aux éclats sous le regard amusé de Jeanne qui appréciait l'attachement de sa fille pour Émilia. Tu vois, c'est pas drôle de ne pas pouvoir s'échapper. Défends-toi, maintenant. Défends-toi, je te dis !

À ces mots, Estelle décida de se libérer de sa tortionnaire et, pliant l'avant-bras gauche, elle utilisa sa paume droite pour asséner un coup ferme qui aurait dû forcer Émilia à lâcher sa prise. Au lieu de cela, Émilia libéra Estelle en hurlant de douleur. Une de ses incisives tomba sur un carreau noir du prélart de la cuisine. Émilia gémit et un long filet de salive teintée de sang coulait le long de son menton. En l'apercevant, édentée sur le devant de la bouche, Jeanne se mit à s'époumoner et Estelle, à glapir tout en observant la scène.

– J'ai perdu ma dent ! Je me marie bientôt ! Qu'est-ce que je vais faire ? hurlait Émilia.

– Estelle, qu'est-ce que t'as fait là ? la sermonnait sa mère, les yeux exorbités.

– Elle... elle... m'a dit de me défendre, je l'ai fait. Pardon, oh, pardon Émilia ! Tu le sais que j'ai pas voulu te faire mal.

Quand Jean-Lou entra, après une grosse journée à l'hôpital, il trouva ses trois femmes préférées en train de s'étreindre, de pleurer et de rire tout à la fois au beau milieu de la cuisine.

– Qu'est-ce que vous avez ? Quelqu'un est mort ? demanda-t-il, craignant la réponse.

Estelle sauta dans ses bras en l'appelant papa, ce qui toucha beaucoup Jean-Lou.

– J'ai pas fait exprès. J'ai voulu sortir des bras d'Émilia qui me disait de me défendre et bien, je me suis défendue. Émilia, montre ta dent à papa.

Émilia ouvrit la main et la bouche, exhibant sa mâchoire supérieure dans un rictus troublant. Avec ce trou béant, elle ressemblait à une sorcière.

– J'ai l'air fine, je me marie bientôt, pis je ressemble déjà à une mégère.

– Montre-moi ta dent.

Jean-Lou examina l'incisive qui avait heureusement conservé sa racine.

– Je vais pouvoir t'arranger ça, si on se dépêche. Tu vas venir avec moi à l'hôpital. En attendant, place-la dans un verre de lait.

– Quoi ?

– Oui, elle va se conserver jusqu'à ce que je te la replante.

• • •

Émilia était consolée, Estelle, épatée, et Jeanne tellement amoureuse de ce médecin qui pouvait tout guérir et tout rafistoler. Elle courut à la cuisine pour chercher un pot de cornichons vide et y versa du lait pour y plonger la dent d'Émilia.

Cette dernière était affolée, mais rien de comparable avec l'anxiété d'Estelle qui n'en finissait pas de s'excuser. Émilia la prit contre elle et lui embrassa les cheveux.

– Quand Jean-Lou aura fini avec ma dent, plus rien ne paraîtra. Alors, il ne faut pas que toi, tu te sentes coupable jusqu'à la fin de tes jours, mon poussin. Je sais que tu n'as pas fait exprès. Ma dent, elle était trop avancée de toute façon. Peut-être que ton... ton papa pourra me la rafistoler droite, cette fois-ci !

Jean-Lou et Émilia quittèrent donc pour l'hôpital Notre-Dame. Ils entrèrent dans un petit cabinet tout blanc meublé d'une table d'examen, d'un petit tabouret, d'armoires vitrées contenant des fioles bleues et des instruments de métal, des pinces de diverses grosseurs, des pots de ouate, des gazes, des petits plats en forme de haricots. Émilia tremblait de peur. Son séjour à l'hôpital après l'accident de Victor lui rappelait, quand elle fermait les yeux, que c'est dans un tel contexte qu'elle avait fait la connaissance de Louis Turgeon. Elle n'aurait pas voulu, cependant, qu'il voit sa dentition soustraite d'un élément aussi important, quelques mois seulement avant leur mariage. Jean-Lou l'invita à s'allonger sur la table d'examen. Elle se mit alors à pleurer.

– Qu'est-ce que tu as ? lui demanda Jean-Lou.

– Je... j'ai peur... de... ces...

– Ce sont des étriers pour examiner les femmes. T'auras pas besoin de ça aujourd'hui, ma pauvre fille. Assieds-toi plutôt sur la chaise si ça t'énerve tant que ça. Regarde bien en haut. Y'aura pas de douleur. Peut-être un petit brin. Je vais te mettre du liquide anesthésiant sur la gencive parce que je vais faire des points de suture pour que ta dent reste bien en place.

Il sortit le pot de lait de sa poche et retira la dent avec une pince. Il nettoya la gencive avec une solution iodée et attendit que l'orifice s'assèche. Quand il fut certain qu'Émilia ne ressentait aucune douleur, il poussa la racine de l'incisive dans la gencive, puis demanda à sa patiente de la maintenir en place en la tenant avec une gaze. Il enfila une aiguille de suture et demanda à Émilia de fermer les yeux et de prendre une grande inspiration. Elle poussa un cri aigu quand il enfonça la pointe de l'aiguille.

– J'en ai juste trois à faire. Y'en reste deux. Je vais remettre de l'anesthésiant. Le palais, ça gèle pas gros. Respire profondément. Tu vas être belle après ça.

Émilia ferma les yeux. La lumière lui prodiguait une source de chaleur bénéfique. Elle se mit à penser à madame Gratton, la faiseuse d'anges, et à sa chère Rosette qui avait perdu beaucoup plus qu'une dent.

Au bout d'une trentaine de minutes, la dent d'Émilia était à sa place dans la gencive, bien fixée à l'aide de trois points de suture et d'une chevillette de bois pour qu'elle ne se déplace pas vers l'avant.

– Tu vas la laisser là pour dix jours. Tu ne dois rien manger de dur ou de sucré. Juste des compotes, de la soupe aux nouilles, des patates pilées, des œufs brouillés, du pouding au riz, des aliments mous tout le temps. Ça va aller, mademoiselle ?

Jean-Lou prit sa patiente qui tremblait encore et la serra contre lui pour lui procurer un peu de réconfort. Il eut la surprise de sa vie : Émilia se décolla de lui très énergiquement comme d'un homme qui eut voulu abuser de son innocence. Le geste fut si inopiné que Jean-Lou ne sut trop comment l'interpréter.

– Qu'est-ce que tu as ?

– J'ai cru que tu voulais m'embrasser. Comme monsieur Bernstein à ma première job.

– Je ne suis pas ce genre-là, voyons donc ! T'es comme ma fille. Je voulais juste te consoler. Rien d'autre.

– Tu as essayé de me toucher, je l'ai bien senti.

Jean-Lou était interloqué. Il sentait la rage monter en lui. Qu'est-ce qui arrivait à Émilia qui ne pouvait pas s'expliquer ? Il n'avait rien fait pour qu'il puisse être comparé à ce monsieur Bernstein. Il avait vu Émilia passer dans le salon vêtue d'une simple nuisette, l'avait rencontrée une fois ou deux dans le couloir alors qu'elle sortait de la baignoire, son peignoir entrouvert, et jamais n'avait-il ressenti le moindre émoi. Alors qu'il avait fait une entorse à l'éthique de sa profession en utilisant indûment une petite salle de l'urgence de l'hôpital, pourquoi Émilia allait-elle croire qu'il avait voulu lui faire des avances ? Il ignorait si elle allait en faire tout un plat alors qu'aucun témoin ne pouvait l'innocenter résolument.

– Émilia, voyons, qu'est-ce qui te prend ? Je n'ai rien dit ni fait quoi que ce soit pour te troubler. J'ai voulu te réconforter, c'est tout.

– Je sais bien, Jean-Lou.

– Écoute, Émilia, tous les hommes ne sont pas monsieur Bernstein. Je sais que tu as été marquée par ce vieux maudit, mais tu dois voir ça comme une exception. Il y a beaucoup plus d'hommes corrects qu'il y a de malades comme lui. Tu dois reprendre confiance. Confiance en toi, surtout. Tu avais confiance en Estelle, non?

– Oui, bien sûr.

– Pourtant, un accident, un coup de coude et elle a fait tomber ta dent. Moi, je te l'ai replantée et dans quelques jours, plus rien ne paraîtra. On appelle ça un accident. C'est pareil pour ton boss. Le vieux verrat a abusé de son pouvoir de boss sur toi. Alors, faut pas que tu penses que j'ai essayé de te tripoter.

– Je m'excuse, Jean-Lou! Je m'excuse! dit-elle en pleurnichant et en se jetant dans ses bras.

Jean-Lou la pressa de nouveau contre sa poitrine tout en saisissant un papier-mouchoir pour le lui tendre. Au même moment, le docteur Morin entra dans la petite salle de l'urgence et en observant la scène qui se présentait à lui, il referma la porte en s'excusant à son collègue comme s'il venait de le surprendre en flagrant délit. Jean-Lou soupira en se demandant pourquoi il n'était simplement pas resté couché ce matin-là.

Depuis quelques années, on commençait à entendre des histoires de médecins qui entretenaient avec leur infirmière, voire avec une patiente, des relations plutôt critiquables. Parfois étaient-ils célibataires, mais souvent, ils étaient mariés. Et ces situations finissaient par se savoir et entachaient leur réputation.

Jean-Lou, qui était de nature affable, avait toujours craint qu'un pareil imbroglio vienne le surprendre au cours de sa pratique alors qu'il était si près de la retraite.

– Bon, une autre affaire! Attends-moi ici. Je vais aller voir le docteur Morin. J'ai un cas à discuter avec lui.

...

Émilia n'en revenait pas. L'atelier de Rosette fermait ses portes. Après les attaques contre Samuel Wildman, l'inspecteur embauché par Rosette décréta que les dommages étaient assez importants pour justifier la fermeture de l'entreprise pour plusieurs semaines, le temps de refaire les portes, de réparer les boiseries et de commander les étoffes et de nouveaux mannequins de confection. Il fallait aussi remplacer les vitres, arracher les tapis et en réinstaller d'autres. Rosette, quant à elle, se sentait très mal et dut se faire conduire chez son médecin. Elle saignait abondamment et faiblissait au point de perdre connaissance plusieurs fois par jour.

– Émilia, trouve-toi autre chose pour un mois ou deux. Je ne pourrai pas ouvrir avant le mois de juillet. Je pense que madame Gratton n'a pas tout enlevé. Va peut-être falloir que j'aille à l'hôpital.

– Tu... vas pas mourir?

– Voyons donc. Je ne suis pas la première à avoir des problèmes avec les avorteuses. C'est juste que Samuel n'a pas vraiment besoin de ça, en ce moment.

– Tu me demandes ce que tu veux, je vais tout faire pour toi.

– En attendant, pense à ton Louis et à toi. Vous allez vous marier dans quelques semaines.

– Faut que tu sois là, oublie pas!

– Je ne pourrais pas manquer tes noces pour tout l'or du monde, tu sais bien!

– Tu veux que j'aille avec toi chez le docteur?

– Non, j'aime mieux y aller toute seule. J'ai appelé un taxi. Je te tiendrai au courant de tout.

●●●

Le docteur Grenier fut contraint d'hospitaliser Rosette, même si elle ne le souhaitait pas vraiment. En effet, le médecin diagnostiqua une endométrite aiguë. Il avait décrété que Rosette était victime d'une infection grave qui pouvait infecter son sang et causer un choc septique. Et Rosette pouvait en mourir. Le médecin décida de lui injecter un nouvel antibiotique pour la sortir de là. Samuel s'était rué à l'hôpital et, à la demande d'Émilia, Jean-Lou discuta avec le médecin de Rosette pour qu'il ne dise pas toute la vérité à son mari même si Samuel devait signer pour que sa femme puisse recevoir les soins appropriés. Rosette lui expliqua qu'elle était affligée de problèmes de femme qu'il ne pouvait pas comprendre, ce qui n'était pas loin de la vérité. Le docteur Grenier avait accepté d'être discret le plus possible.

●●●

Quand Émilia entra, Jeanne accourut vers elle.

– Il y a une Anglaise qui t'a appelée. Ça adonne bien, elle a besoin d'une couturière pour les noces de sa fille qui se marie en juillet. Une grosse noce de trois cents invités, qu'elle m'a dit. Elle cassait le français, mais au moins, elle a essayé. Elle veut que tu la rappelles. Je lui ai dit que tu te mariais le 10 juin. Elle va te donner deux semaines si tu veux.

– Louis a trouvé un beau logement sur Van Horne. Je vais aller le visiter à soir. J'ai tellement hâte de... ben... je veux pas te faire de la peine, mais j'ai hâte d'avoir ma maison à moi. Il va venir me chercher après sa dernière route. Je vais appeler la madame tout de suite. Ça adonne bien parce que Rosette ferme la boutique. J'ai tellement de choses à acheter pour le logement. J'ai mon trousseau dans le coffre en bois dans ma chambre, mais il manque tellement d'affaires. J'ai commencé à perler le corsage de ma robe. Une chance que je ne l'avais pas amenée à l'atelier de couture. J'aurais été obligée de toute la recommencer. Imagines-tu, une robe de peau de soie!

– Tiens, j'ai pris le numéro de la dame. Madame Pamela Lévis.

Jeanne prit une pause et respira un bon coup avant de poursuivre:

– Ça va mieux, ta dent? Elle ne branle plus, j'espère. Jean-Lou m'a tout raconté...

– Quoi ça? s'énerva Émilia.

– Bien, ta dent, pis tout le reste.

– Quoi, tout le reste?

– Que le docteur Morin vous a vus ensemble et qu'il pensait que tu étais moi.

– T'as l'air jeune, mais quand même! dit, amusée, Émilia. Il nous a surpris pendant que Jean-Lou me serrait dans ses bras.

– Ah oui?

– Il voulait me consoler. Tu as confiance en lui? Après avoir eu une femme et une maîtresse pendant plus de 25 ans? Tu n'as pas peur qu'il recommence? Moi, je sais pas si je serais capable de lui faire confiance.

– Qu'est-ce que tu essaies de me dire, Émilia Trudel?

– Juste te demander de le surveiller comme il faut, c'est tout.

Jeanne porta la main à sa poitrine pour endiguer ses énervements. Elle devint totalement angoissée par cette perspective de voir Jean-Lou s'exiler vers une autre femme alors qu'elle l'avait attendu durant toutes ces années. Elle se mit à craindre Émilia qui, malgré ses trente ans passés, fleurait la pivoine et avait le corps ferme et fougueux de sa jeunesse.

– Va, va rappeler ta cliente, insista Jeanne. Je vais m'arranger avec tout le ménage. Estelle va m'aider, tu peux partir tranquille. Au moins, tu auras un salaire jusqu'au début juillet, pis deux semaines de vacances pour te marier. Il n'est pas jaloux, ton Louis?

– Pas une miette. Même s'il avait quelques raisons de l'être, conclut Émilia en tournant le coin dans un grand coup de vent pour aller dans le couloir appeler sa cliente. Elle avait l'air d'entretenir plein de pensées équivoques, ce qui inquiéta davantage Jeanne.

Chapitre troisième

La grande porte s'ouvrit dans un grincement de métal et se referma en aspirant l'air de l'extérieur. Donatienne sortit la tête haute, souriant à cette liberté à laquelle elle aspirait depuis le début de son incarcération. Sœur Saint-Étienne-de-la-Passion lui avait souhaité de bien bonnes choses, et surtout, de ne jamais la revoir en ces lieux. Donatienne la remercia malgré les sévices et les injustices qui faisaient la mauvaise réputation de la prison pour femmes de Kingston. Sœur Saint-Étienne aimait Donatienne et détestait la plupart des autres détenues. Un chauffeur gouvernemental attendait Donatienne avec trois détenus qui patientaient dans le fourgon qu'elle avait vu passer et repasser tant de fois par la fenêtre de sa cellule, transportant des prisonniers ou, au contraire, les conduisant vers la liberté.

– *Get in!* lui cria le chauffeur avec énergie.

Donatienne s'assit sur une banquette dure et si peu profonde que lorsque le véhicule tourna de bord, elle faillit glisser sur le parquet, ses jupes contribuant à la précipiter en bas. Un des gars vint s'asseoir près d'elle.

Plus jeune d'au moins quinze ans, il la salua brièvement et lui dit :

– Tu parles français ?

– J'suis du Québec, répondit-elle avec enthousiasme.

– T'as fait combien de temps ?

– Deux ans moins trois jours.

– T'habites où ?

– À deux heures de Montréal. À Oka, plus précisément. J'espère que mon... mari et mon fils viendront m'attendre à la gare, poursuivit-elle pour mettre fin aux espoirs de l'homme. J'ai une compagnie, une bien petite compagnie qui fabrique des remèdes à partir de la pharmacopée amérindienne. Mon mari est un grand botaniste.

– C'est-y le frère Marie-Victorin qui a défroqué ? suggéra-t-il en riant.

– Non, c'est son principal compétiteur, ajouta-t-elle. Comment tu connais Conrad Kirouac, toi ?

– Moi, j'habite une réserve entre icitte et Cornwall.

– Et on connaît le Frère Marie-Victorin dans les réserves ? Tu es Mohawk ?

– Je suis marié avec une Peau-Rouge. Je suis devenu un Attikamek. Mes enfants sont nés sur la réserve. J'ai fait cinq ans pour avoir tué un Blanc qui essayait de me voler ma femme. La plus belle squaw au pays. Il voulait la violer. Elle criait, elle appelait mon nom, le petit dernier braillait dans son hamac, j'arrivais de la chasse, j'ai pris ma carabine pis je l'ai tiré. Avant même qu'il soit rendu à l'hôpital, la police m'avait enfermé dans ce fourgon icitte, pis on partait pour Kingston. Pas de jugement, pas de procès. J'ai fait mes cinq ans. Je retourne chez nous. J'espère que Sathuna va m'avoir attendu.

– J'espère aussi.

– Pis toi?

– J'ai fait deux ans pour avoir mené une affaire de vente d'alcool avec les Mohawks de mon village. Vu que mon mari pis mon fils en faisaient partie, je me suis donnée aux policiers pour pas briser leur vie. J'ai tellement hâte d'arriver que j'en ai mal au ventre.

– Ils t'ont pas maganée, du bord des femmes?

– Oui. Il y a eu des bains glacés, des journées au pain et à l'eau, des poux pis des morsures de rats, des Anglaises qui refusaient de me considérer parce que j'étais *a French Canadian*.

– Moi itou. Fallait que je parle anglais. C'est comme au Québec : c'est toi qui domines en nombre, mais c'est les Blokes qui tiennent le gros bout du bâton.

– Je vais repartir mon herboristerie. Mon mari a trouvé une nouvelle variété de plantes. Pis mon fils et sa femme attendent un autre enfant. Tu t'appelles comment, au fait?

– Gabriel Tanguay. Tout le monde me connaît par chez nous.

Tant qu'ils ne furent pas rendus à la gare du sud-est de l'Ontario, Gabriel et Donatienne continuèrent à fraterniser pendant que les deux autres gars, justement des Blokes, dormaient, secoués par les secousses du fourgon.

Ils fraternisaient, ne sachant pas ce que la vie ferait d'eux. Ils étaient absous de leurs péchés, convaincus qu'ils n'avaient fait que ce que la justice de Dieu leur avait dicté, heureux d'être libres désormais.

· · ·

Lorsque le train s'immobilisa à la gare de la petite Fresnière, après six heures d'attente, de transfert, de grincements sur les chemins de fer canadiens, Donatienne descendit les marches de métal. Elle avait rêvé toutes les nuits de ce moment où elle reverrait une figure attachante, et même dans ses rêves les plus fous, une armée de figures aimantes : ses amis, son fils, sa bru, les enfants, et son cher Michel. Elle les avait imaginés cent fois souriants, la prenant dans leurs bras, lui bécotant les cheveux, tenant même la nouvelle affiche de l'Herboristerie Donatoka. Le cœur battant à deux cents coups à la minute, elle fixa d'abord devant elle, puis son regard traversa la petite gare de bois où à peine une demi-douzaine de personnes attendaient un de leurs proches.

Deux mouches aux ailes mordorées se disputaient un rayon de soleil dans la fenêtre sale. Un enfant se mit à chialer. Personne n'attendait Donatienne la généreuse, la charitable, la femme libre. Elle allait se mettre à pleurer quand elle tomba sur son Joseph qui terminait de griller une cigarette, appuyé à un poteau.

Lorsqu'il aperçut sa mère, il prit un faux air de joie que Donatienne dépista immédiatement, se disant que ce ne sont pas deux petites années d'éloignement qui allaient lui avoir fait oublier le caractère de son cher

Joseph. Ils s'étreignirent durant de longues minutes, en silence. Donatienne pleurait. Puis elle chercha Michel du regard.

– Il est où ? Joseph, est-ce qu'il est arrivé quelque chose à Michel ?

Joseph tentait de cacher son angoisse, ne sachant pas comment annoncer ce qui le torturait depuis des semaines.

– Michel... commença-t-il.

– Qu'est-ce qu'il a ? criait Donatienne en tenant les deux mains de son fils qui essayait de demeurer calme.

– Michel, il est retourné chez les moines, maman.

Donatienne ne pouvait pas croire ce qu'elle venait d'entendre. Dans la dernière lettre qu'il lui avait envoyée, Michel parlait de mariage. C'est cette nouvelle qui avait permis à Donatienne d'endurer le froid, l'humidité, le pain et l'eau, les Anglaises et leur indépendance, les barreaux et l'ourlage des taies d'oreillers. C'est le visage de Michel qu'elle voyait dans les flammes du poêle, dans les plis de ses couvertures, dans les nuages qu'elle fixait parfois. C'est lui qu'elle entendait dans la voix des détenues et dans celle de sœur Saint-Étienne. C'est à lui qu'elle rêvait sans relâche, refaisant dans sa tête le scénario de leur prochaine rencontre à la gare de la petite Fresnière.

Elle s'éloigna de Joseph et se rendit aux abords de la route en titubant. Une femme et son enfant la regardaient avec curiosité, la croyant probablement saoule, n'imaginant pas que cette pauvre femme venait d'apprendre que la fin de son monde était arrivée. Joseph ne savait pas quoi faire.

Rosalie allait accoucher d'une journée à l'autre, ses beaux-parents étaient terriblement grippés malgré les tisanes de sapin et d'écorce de framboisier. Les Simon avaient pris le bord des États-Unis pour joindre une autre communauté Mohawk, et les autres n'avaient pas été informés de l'arrivée de Donatienne par le train. Joseph laissa sa mère vomir dans les foins de fossé, puis se remettre de ses émotions, avant de s'approcher d'elle.

· · ·

Joseph avait tenté d'aller rencontrer Michel à l'Abbaye mais on ne l'avait pas laissé entrer. Il y avait longtemps que Michel travaillait à un herbier de la flore des Basses-Laurentides, qu'il amassait des informations, qu'il reluquait du côté du Frère Marie-Victorin qui était, lui, le maître d'œuvre d'un jardin botanique à Montréal. Le nom du célèbre frère des Écoles chrétiennes paraissait au moins une fois par semaine dans les quotidiens. De dix ans son aîné, le frère Marie-Victorin avait publié sa *Flore Laurentienne* en 1935, et Michel s'était procuré la brique de 917 pages après son lancement à l'hôtel Viger de Montréal, lancement dont les journaux avaient parlé abondamment. C'est en la feuilletant avec une curiosité presque malsaine que l'année suivante, Michel éprouva l'urgence de publier son manuel.

Quand Donatienne quitta Oka, Michel fut pressenti par son ancien directeur spirituel pour reprendre l'écriture de sa *Flore des Basses-Laurentides* qui allait enfin mettre les moines cisterciens sur la carte québécoise. Au début, il refusa de retourner à l'Abbaye, mais plus le temps passait, plus il lisait des articles sur le frère Marie-Victorin vantant son esprit scientifique et son écriture poétique, narrant ses voyages à travers le Canada, étalant ses médailles et célébrant sa popularité, plus Michel sentait pressant l'appel de Dom Léonide. Depuis qu'il avait pris la gérance de l'Herboristerie Donatoka, qu'il travaillait jour et nuit à l'extraction des huiles végétales, qu'il faisait la cueillette des plantes rares, il négligeait résolument ses recherches, mais lorsqu'il découvrit une nouvelle variété de *nartutium aquaticum* dans le marais de la pointe du Serpent, il se mit à fortiller, désireux de se replonger dans son manuel. Quel adon ce fut quand Dom Léonide vint frapper à sa porte. Les deux hommes discutèrent longuement de la vie maritale, des amours humaines, de la force de Dieu dans une vie de recherche, de la vie moniale et de l'insouciance que permettait la vie communautaire. Le directeur lui offrit un poste d'enseignant à l'École d'agriculture qui avait très bonne réputation au pays. Et Dom Léonide sema dans la tête de Michel l'idée qu'il pourrait même tenir un poste important au Jardin botanique de Marie-Victorin, ou à l'Institut botanique de l'Université de Montréal que vénérait Michel.

Michel mit une semaine pour prendre sa décision. Il se rendit chez Joseph pour lui en expliquer les tenants et les aboutissants. Le jeune homme ne trouva rien à dire qui put faire changer Michel d'idée. Ce dernier avait fourbi ses armes, peaufiné son argumentation, et pas plus tard que le samedi suivant, il écrivit une lettre que Joseph devait remettre à sa mère dès son retour, prit son sac de toile, puis marcha jusqu'au bout des terres des Sulpiciens, traversa la grande porte de métal de la Trappe et s'y engouffra pour de bon.

Voilà ce que Joseph raconta à sa mère pendant leur retour vers Oka.

Donatienne n'arrivait pas à y croire. Elle demeura silencieuse et prostrée. Et elle sourit, crut-elle, pour la dernière fois. Joseph voulut lui remettre la lettre de Michel. Elle lui demanda de la brûler dans le poêle.

– Tout ce qu'il va me dire dorénavant sera considéré comme une grosse menterie.

Elle avança en titubant, replaça son chignon, toussa deux fois, ouvrit la portière du camion de Joseph, redressa la tête, puis monta s'asseoir sur la banquette. Joseph prit place aux côtés de sa mère.

–M'man! Eh, que je t'aime!

• • •

Donatienne dormit durant trois jours après avoir bu de la valériane que Michel avait transformée en tisane. Elle comprit qu'il avait fait une découverte qui allait certes faire la réputation de l'Herboristerie Donatoka. Quand enfin elle s'extirpa de sa léthargie, elle se rendit auprès de Joseph, de Rosalie et du petit Adrien.

Rosalie commençait à avoir des contractions et elle accepta qu'une fois encore, Donatienne la délivrât de son deuxième enfant.

Cela se fit une semaine jour pour jour après la mise en liberté de Donatienne.

Après la délivrance d'une petite fille minuscule, Rosalie ressentit une vague de contractions anormales. Rosalie fit venir sa mère qui veillait dans le salon avec Albert, un peu moins inquiets grâce à la présence rassurante de Donatienne qui aimait se transformer en sage-femme quand il s'agissait de son propre clan. Cette fois, Joseph craignait un malheur. Sa mère ne semblait pas aussi efficace que la première fois et il ne savait pas comment lui venir en aide ou la motiver davantage. Il mit la faute sur la tisane de valériane et sur la peine immense que lui avait causée Michel. Joseph ne pourrait pas pardonner au moine, jamais. Une grande contraction vint le tirer de ses réflexions alors que Cécile Fréchette braillait comme une madeleine en voyant souffrir sa fille.

– Qu'est-ce qui se passe, m'man? Pauvre Rosalie, on dirait qu'elle a encore plus de contractions qu'avant. Comme si le bébé n'était pas encore sorti.

– Justement, c'est en plein ça, lança joyeusement Donatienne. Pousse encore, ma chouette!

Rosalie poussa sous l'effet de la déferlante et aussitôt, une autre petite tête mouillée apparut sur le drap souillé. Joseph s'émerveilla et embrassa Rosalie sur le front.

– Nous en avons un autre, ma Rosette! Un... une petite poche! On a des jumeaux, mon amour! J'ai scoré gros cette fois-citte! ajouta Joseph en riant.

Cécile appela Albert en ne laissant planer aucune équivoque. Albert monta deux marches à la fois, et vint se placer au pied du lit dans une excitation comique mêlée d'une gêne irrépressible devant sa fille presque nue. Il entoura les épaules de Cécile qui pleurait de joie.

– P'pa. Tu vas avoir trois bâtons de vieillesse, astheure. On a eu des jumeaux, glissa Rosalie en reprenant son souffle.

– Ma chère fille, ma chère fille, arrivait-il à répéter en posant la tête sur l'épaule de sa fille aînée.

Joseph reçut son fils emmailloté des bras de Donatienne, tandis que Cécile lavait la petite fille qui s'égosillait, ce qui fit dire à Albert que les femmes criaient plus fort que les hommes. Et tout le monde de rire.

La scène se produisait de plus en plus parmi les jeunes couples d'Oka. Le curé avait baptisé plus d'une cinquantaine d'enfants durant l'année 1937, ce qui constituait une bonne cuvée étant donné la taille de la communauté de ce coin des Basses-Laurentides.

Quand Rosalie fut lavée, les bébés douillettement posés dans le ber près du lit de leurs parents, Joseph installa Donatienne et ses beaux-parents autour de la table de la cuisine, leur offrit un petit verre de caribou et se mit à leur parler comme un curé à ses ouailles.

– Après le départ de ma mère pour vous-savez-où, j'ai longtemps cherché à connaître le ou la coupable de l'incendie dans l'entrepôt de calvados. J'ai pensé d'abord, comme tout le monde icitte, à la femme de Percy Kohesakhe qui allait chercher le linge à rapiécer chez les moines. Quand le feu a pris, sa femme était partie à Sept-Îles chez de la parenté. C'est un vétérinaire de l'École d'agriculture qui l'a reconduite au train de Montréal. Après, j'ai pensé que c'était Steve ou Mike Simon qui ne voulaient pus qu'on soit en compétition, mais pas longtemps après, ils sont venus me demander si j'allais continuer la fabrication du calvados. En attendant, ils étaient prêts à exporter *La Cuvée du givre d'automne* dès qu'on en aurait. C'est quand même la preuve de leur bonne foi, non ?

– Je suis pas sûr, tenta Albert, en allumant sa pipe.

– Mike et Steve sont pas trop catholiques, tu le sais, Joseph, affirma Cécile.

– C'est pas des mauvais gars. Ils ont une qualité : ils sont fidèles à la face du roi George VI sur les billets de banque. Pis à ceux qui leur en font gagner, trancha Joseph. C'est pas d'eux autres que je veux parler. Rappelez-vous que j'ai passé le lighter Zippo de Bill Tiwasha à Michel pis que je l'ai oublié là-bas. On l'a retrouvé par terre dans la shed du calvados.

– C'est qui, Joseph ? Parle, s'impatienta Donatienne.

Un des bébés se mit à pleurer et Rosalie, à se plaindre doucement. Joseph monta en haut, conscient qu'il allait laisser ses beaux-parents, mais surtout sa mère sur une révélation inachevée. Les deux femmes lui demandèrent si Rosalie avait besoin d'elles. Ils entendirent que le bébé se calmait, et que Joseph murmurait des choses d'amour auxquelles Rosalie répondait en ricanant. Tout allait bien, donc.

Joseph redescendit et vint s'asseoir auprès de sa mère, l'embrassant affectueusement dans les cheveux. Aussitôt, Donatienne s'alluma et, les yeux apeurés, cria:

– Joseph, dis-moi que c'est pas Michel!

– Pire.

– Comment ça pourrait être pire?

– Le gars qui a mis le feu dans le hangar, m'man, c'est Dom Léonide lui-même.

Les deux bras lui tombèrent et les mots se bousculant dans sa tête, Donatienne ne pouvait pas y croire. En même temps, elle trouva que tous les éléments du scénario s'imbriquaient les uns dans les autres: le Zippo oublié, le rôle de Dom Léonide de veiller sur la vie spirituelle de ses confrères, les révélations des commères, peut-être même que le frère Fabien avait trahi Michel.

– J'aurais pu croire que ça aurait pu être Blaise ou un des frères Husereau, ou même Taniata ou la femme de Percy Kohesakhe, mais jamais je n'aurais cru que ce soit le patron de la Trappe. Quand j'ai vu tes yeux, Joseph, j'étais rendue à penser que c'était Michel. Ça aurait pu expliquer qu'il soit retourné chez les moines, mais que ce soit Dom Léonide, je n'en reviens pas.

– Donatienne, commença Cécile, c'est mieux de même. Aux États-Unis, y'a des Mohawks qui ont été tués par des bandes ennemies pour avoir trafiqué avec leurs clients.

– Ça joue dur parmi les trafiquants, ajouta Albert de sa voix douce. On a échappé au pire. Un d'entre nous aurait pu être tué. Percy avait des cousins qui fabriquaient du calva à Montréal. Les frères Simon ont travaillé pour eux autres avant qu'on commence ici. Ils ont disparu, on les a jamais revus.

– J'aurais bien voulu que Percy nous fasse du trouble, lui qui nous a embarqués dans sa chaloupe! rétorqua Donatienne.

Cécile se leva, mit les mains sur ses hanches et plissa le nez comme chaque fois qu'elle s'apprêtait à prononcer un sermon.

– C'est passé, tout ça. Notre famille s'égrandit, nous sommes heureux, on a de quoi vivre. Le boss de Michel a voulu nous dire que c'était pas correct qu'on fasse de la boisson pour la vendre illégalement. Toi, Donatienne, tu as expié pour tous nous autres, ça fait que pas besoin de revenir sur ce passé-là. On va continuer l'herboristerie pis *La Cuvée du givre d'automne*, on va embrasser nos trois petits enfants pis on va être heureux. Qu'est-ce que vous en dites?

– Bravo, maman! cria Rosalie le plus fort qu'elle put.

Aussitôt, Donatienne, Albert, Cécile et Joseph se retrouvèrent dans la chambre d'en haut, et entouraient Rosalie et ses petits jumeaux de toute leur chaleur. On se serait cru dans la crèche de Bethléem. On s'embrassait, on se réconfortait.

– Je suggère de les appeler Marguerite et Achillée, deux de mes fleurs préférées.

– Bravo, m'man! Marguerite, Rose, Achillée et évidemment, saint Joseph. On reste dans les fleurs.

– Vive Donatoka!

– Vive *La Cuvée du givre d'automne*!

– Vive Donatienne! conclut Albert en soulevant sa pipe vers le plafond.

Chapitre quatrième

P amela Goldfinch Fraser était une très belle dame, raffinée, parlant un français teinté d'accent européen, et qui reçut Émilia avec générosité. La maison dans laquelle elle accueillit la couturière hautement recommandée par leurs amis Gauthier, était très différente de celles des autres clients d'Émilia. Pensée par son cousin, l'architecte John M. Fraser, bien connu à Montréal pour ses projets muséologiques et hospitaliers, la maison ressemblait à une boîte de béton armé, sertie de grandes fenêtres plus larges que hautes, bardée de briques blanches et cerclée d'une pelouse propre et de quelques arbres encore adolescents. L'entrée ne comportait pas un lustre somptuaire, mais des lampes rectangulaires très modernes accrochées aux murs. Pas de tapis moelleux qui faisaient presque disparaître les chaussures, mais des surfaces de céramique ocre, lisse et éclatante, reflétant les rayons du soleil qui pénétraient par une grande fenêtre au plafond. Jamais Émilia n'aurait imaginé une maison aussi moderne.

Les meubles étaient froids, conjuguant le métal et le bois foncé. De grandes bibliothèques vitrées entouraient un piano demi-queue Steinway – c'est madame Fraser qui s'en était vantée deux fois plutôt qu'une – sur la table duquel, clavier ouvert, reposaient des feuilles de musique prêtes à être interprétées. Émilia put lire Mozart en lettrines.

– Vous jouez du piano? demanda Émilia, impressionnée.

– Je l'enseigne aussi. J'ai joué avec plusieurs orchestres de chambre. J'ai même accompagné de grands chanteurs. Vous connaissez Emma Stinton Baloïski? Elle a chanté une seule fois à Montréal il y a une dizaine d'années. C'est moi qui l'ai accompagnée, mon chou. Venez maintenant que je vous montre votre chambre et votre atelier.

Madame Fraser entraîna Émilia vers l'arrière de la maison, et lui présenta au passage un certain Robuchon (avait-elle prononcé Robouchon?) qui astiquait allègrement, en chantonnant, un chandelier à plusieurs branches en argent.

La chambre, qui avait été prévue pour Émilia, avait été autrefois celle de la mère de monsieur Fraser. Elle était morte quelques semaines avant le choix de la date du mariage d'Anna Fraser qui avait, avec sa mère, remeublé la pièce avant d'embaucher une couturière. L'atelier de couture, quant à lui, avait été équipé d'une grande table de coupe, d'une armoire pour l'entreposage des étoffes, des tiroirs pour les fils et tout l'équipement de couture, des perles, des ciseaux professionnels, et un mannequin à la taille d'Anna. Jamais, même dans ses rêves, Émilia n'aurait imaginé un studio aussi bien aménagé. La lumière venant du dehors allait lui permettre de ne pas s'abîmer les yeux, et l'éclairage du soir – le plafond étant armé de lampes couvrant tous les angles – lui permettrait de poser des perles minuscules sans se fatiguer.

Sa chambre était sobre et propre. Un lit d'une largeur respectable avait été recouvert d'un couvre-lit un peu trop clinquant, avec ses pompons dorés et ses lignes modernes. Un fauteuil de velours, bleu bouteille de lait de magnésie, trônait devant une tablette de métal sur laquelle madame Fraser avait posé quelques livres en anglais, mais aussi quelques-uns en français, ainsi que des magazines pour dames. Rien d'intéressant, songea Émilia. Une bouilloire et une jolie tasse de porcelaine anglaise étaient disponibles pour les thés d'après-midi. Un autre candélabre en argent attendait d'être allumé, et à sa vue, Émilia pensa à tous les Bernstein et à tous les Bernard Gauthier qui auraient l'idée de lui sauter dessus. Un coup de ce chandelier saurait les tenir à leur place. Elle sourit.

– Vous aimez? demanda madame Fraser.

– Oui beaucoup, mentit-elle légèrement. Quand votre fille Anna se marie-t-elle?

– Mi-juillet. Son futur *husband*... euh... mari est un manufacturier et il ferme son entreprise pour les deux dernières semaines de juillet. Martin a une cinquantaine d'employés. Il est très occupé.

– Il a quel âge? osa Émilia.

– Martin a 23 ans. Il a pris la succession de son oncle Walter C'est une entreprise d'import-export. Il vit en Israël.

– Ah! laissa platement tomber Émilia.

Elle se demanda si elle ne devait pas prétexter travailler pour une autre famille, inventer une maladie ou une raison soudaine pour refuser cet emploi. Elle pensa aussi à Louis et à leur beau logement sur Van Horne qui allait coûter au moins 30 $ par mois et à tous ces achats qu'il fallait faire pour leur ménage. Elle espérait que le gouvernement puisse empêcher les regroupements antisémites de Montréal de régler leurs comptes avec ces Juifs qu'ils détestaient tout comme les détestait un certain Hitler dont on parlait souvent à la une des journaux. Émilia ne posa aucune autre question. Fraser, c'était incontestablement anglais.

– Je suis ravie, Émilia. Alors, qu'est-ce que vous décidez? Vous allez venir passer un bout de temps avec la famille Fraser?

– Oui. Je viens vivre chez vous. Quand voulez-vous que je commence?

– Aujourd'hui même, si vous acceptez. Robuchon ira chercher vos bagages et vous ramènera ici, mettons, vers sept heures ce soir?

– J'ai oublié de vous dire...

– Vous vous mariez aussi, je le sais. Votre maman m'en a avertie quand j'ai appelé chez vous.

– Jeanne n'est pas ma mère, mais une cliente comme vous. Elle m'a tellement appréciée qu'elle m'a gardée chez elle comme pensionnaire. Elle est devenue ma meilleure amie.

– *Good girl!* Vous devez être une personne très comme il faut, Émilia. Je vous attends ce soir.

• • •

Émilia s'adapta assez rapidement à la vie des Fraser, et les préalables pour la confection des robes – sept au total – furent vite exécutés : prises des mensurations, découpage des patrons, taille des étoffes, et faufilage qui précédait l'essayage.

La première était Anna. Une superbe jeune femme, étudiante en droit à l'Université McGill, les cheveux aussi noirs que le sont les corbeaux, nez aquilin, aussi charmante que possible. Elle était rarement à la maison de ses parents, de sorte qu'Émilia ne put s'en faire une amie comme ce fut le cas avec Camille Gauthier, Jeanne Daoust et aussi les filles de Jeanne. Mais Émilia pouvait recevoir son Louis chaque soir, si elle le désirait. Monsieur Fraser aimait beaucoup le jeune homme qu'il trouvait tout de même étrange quand il entrait dans la maison.

Quand le jour de son mariage arriva, les Fraser insistèrent pour conduire eux-mêmes Émilia chez son père à Lachine afin qu'elle puisse se préparer pour se rendre à l'église des Saints-Anges. C'est une Émilia chargée de sa robe, de son costume de voyage, de ses chaussures et de sa grosse valise brune qui entra chez son père, après avoir remercié les Fraser.

Vers trois heures, l'église des Saints-Anges était pleine à craquer, la moitié des invités faisant partie de la famille et l'autre moitié, composée de curieux qui désiraient voir la robe de la mariée, les tenues des dames, les gerbes de fleurs et entendre les chants qui étaient exécutés par la vieille madame Beaulne, chanteuse d'église depuis plus de trente ans.

Quand Émilia entra au bras de Josaphat, Délima pleurait des larmes grosses comme des noyaux d'olive. Victor, au bras de Dolorès Tournier, devait sans doute songer à ses propres épousailles tandis que Gertude, accrochée à ses béquilles de bois, devait, elle, rêver au prince charmant. Les autres demi-frères et sœurs d'Émilia, dans leurs beaux habits du dimanche, espionnaient les invités tout en se moquant de leurs moindres défauts. Jeanne et Jean-Lou se tenaient côte à côte dans un banc latéral et derrière eux, Estelle, ses sœurs et leur mari respectif lui envoyèrent discrètement la main quand Émilia leur sourit. Rosette Dalpé était également présente, chancelante, enveloppée dans un manteau de satin gris souris. Samuel ne l'accompagnait pas. Juste devant la sainte table, aux côtés de Josaphat et de sa femme, Émilia put saluer son grand-père Landry et eut alors une pensée pour sa mère à qui elle demanda de l'aider à connaître le bonheur. Ses oncles Landry, ses deux tantes Trudel, quelques employés de la Ville de Montréal qui partageaient l'amitié de Josaphat, quelques amies de Délima et quelques dames patronnesses emplissaient les bancs jusqu'au centre.

La famille Turgeon, quant à elle, ne comptait qu'une dizaine de représentants, la plupart habitant la région de la Beauce. Louis avait un père, une mère aussi grosse que possible, trois frères et trois sœurs, deux oncles et trois tantes dont l'une était veuve depuis à peine un mois. Elle pleurait elle aussi, et le prêtre suggéra que le temps était plutôt aux réjouissances, ramenant de la joie dans la cérémonie. Il fit une homélie empreinte de philosophie et prit bien soin d'insister, lors des promesses des mariés, sur l'obéissance de la femme envers son mari, ce qui fit rire Émilia. Les nouveaux mariés s'embrassèrent pieusement quand le célébrant les invita à le faire, puis ils furent déclarés mari et femme. Un nouveau ménage venait de naître : Louis et Émilia Turgeon de la rue Van Horne.

• • •

Émilia n'avait pas peur, malgré les assauts qui avaient constitué ses seules expériences avec les hommes. Elle ne voulait cependant pas d'enfants et lors des cours de préparation au mariage qu'elle avait suivis avec Louis, une infirmière leur avait suggéré de suivre la courbe de température vaginale d'Émilia pour éviter la grossesse. Trouvant ces choses très intimidantes, Émilia avait quand même beaucoup discuté avec Jeanne des choses sexuelles afin d'être capable d'en parler ensuite avec Louis. Jamais ne révéla-t-elle qu'elle ne désirait pas d'enfants, mais elle lui *jouait habilement du calendrier*, comme le disait Jeanne.

Louis Turgeon n'avait pas d'expérience, étant toujours sur les rails, expliqua-t-il en riant. Il avait connu deux jeunes filles, avant de rencontrer Émilia à l'hôpital, à la suite de l'accident qui l'impliqua lui-même et le camion de son beau-frère Victor. Louis avait pris bien soin de Victor et lui avait, dès lors, accordé son amitié. Il avait passé toute une soirée d'enterrement de vie de garçon, à deux, pour que Victor lui parle de sa sœur, de sa générosité, de ses craintes, de ses envies et de la blancheur de son âme.

Émilia, quant à elle, ne discuta jamais avec son mari des assauts de monsieur Bernstein et surtout pas de sa première fois avec Bernard Gauthier. Ainsi, Louis croyait-il sa femme vierge.

Quand il s'aperçut que le passage n'offrait aucune résistance à son membre brandi, il n'eut pas le courage de le lui signaler. Parmi les questions qu'il avait posées au médecin, lors de son examen physique d'avant les noces, ce dernier lui avait répondu de ne pas trop insister sur cette virginité qui pouvait se perdre pour toutes autres différentes raisons que la pénétration. Le docteur avait dit : *si vous êtes vierge vous-même* (ce qui était impossible, selon lui), *vous pourrez vous attendre à ce que votre femme le soit également.* Le passé ne préoccupait pas Louis. Il avait confiance en Émilia qu'il appelait, dans les moments tendres, sa petite cousette.

Émilia se laissa mener par Louis et l'expérience fut foudroyante. Jeanne lui avait bien parlé de bonheur, d'extase et de jouissance, mais jamais n'avait-elle approfondi. Elle lui disait : *tu vas voir, Émilia.* Une chose qu'elle savait cependant, c'est qu'il fallait que l'amour soit présent. Et la première nuit qu'ils connurent, l'amour était plein, fort et intense malgré certaines maladresses. Souvent, Émilia étouffait un rire dans son oreiller, mais quand la vague monta du fond de son ventre, elle gémit assez fort pour que Louis lui mit la main sur la bouche et se mette à rire à son tour. C'est ainsi qu'ils tombèrent, fourbus, vaincus, et qu'ils s'endormirent.

Le lendemain, ils recommencèrent avant le petit-déjeuner puis, assis à la petite table offerte par les parents de Louis, devant leur premier café matinal, ils furent pris d'un grand fou rire.

– J'ai pensé que tu m'arracherais ma dent! Regarde, j'ai toutes les lèvres gercées, Louis!

– Je te parlerai pas de mon... mon petit kiki.

– Je vais te faire des œufs, okay? Paraît que ça donne de la mine dans le crayon.

– Mais, ma petite cousette, t'es une vraie cochonne, toi!

Puis, il l'embrassa encore et encore, pendant que le café refroidissait.

Ils avaient annoncé à tous les invités qu'ils allaient partir en voyage de noces du côté de Rivière-du-Loup, mais conclurent qu'ils resteraient plutôt enfermés dans leur beau logement de la rue Van Horne. Les gens de leur famille respective les croyaient en train de se balader sur le bord du fleuve, de lancer des cailloux et de marcher sur le sable en se tenant la main. Ceux qui les voyaient faire l'amour dans une belle chambre d'hôtel du Bas-du-Fleuve ne se trompaient pas tant que ça.

Émilia prit une semaine pour s'adapter à la vie d'épouse et de maîtresse. Elle sut que son amour pour Louis était grand. Cependant, il y avait une ombre au tableau qui fit croire à Émilia que Louis lui faisait des cachotteries. Deux soirs par semaine, il comptait assister à une réunion de son groupe, sans toutefois accepter de le nommer. De plus, dans la chambre bleue, ainsi qu'ils avaient surnommé cette pièce qui lui servait de bureau, Louis avait verrouillé la porte d'une grosse armoire et avait dit :

– Ce serait mieux que tu ne fouilles pas dans cette chambre, ma petite cousette.

– Pourquoi donc ?

– Parce que ce sont des affaires d'homme. J'aimerais mieux que tu touches à rien.

Émilia se souvint de l'histoire de Barbe-Bleue que lui avait racontée Roberte Dugas, lorsque les deux fillettes avaient gardé les petites sœurs Dugas un soir d'orage et de noirceur. Émilia avait frémi quand la petite sœur d'Anne avait découvert les épouses mortes de Barbe-Bleue, pendues à des crochets de boucherie dans la fameuse chambre secrète. Ainsi, Louis avait-il sa chambre secrète.

– Est-ce que ça a rapport avec tes réunions ? demanda-t-elle.

– Laisse faire, Milia ! Un homme a le droit d'avoir ses affaires privées. Je vais pas, moi, chez tes clients... les...

– Les Fraser. Faut que je finisse le travail. J'ai rien qu'un mois pour préparer le cortège.

– Ils se marient à quelle paroisse ?

–Ah, ils se marient dans la sani... la synag... je me rappelle pas.

Louis devint aussi blême qu'un cierge de Pâques. Il se leva, et son visage enfla sous une rage qui allait bientôt éclater.

– Qu'est-ce que t'as, Louis ?

– Tu vas appeler cette madame Fraser et tu vas lui dire que tu n'y retourneras pas.

– Quoi ? Mais t'es fou, Louis ! Faut que je finisse mon ouvrage. Tu y penses pas, Anna se marie dans trois semaines ! Faut que...

– Émilia, je... je te défends d'y retourner. Tu dois faire ça pour ton mari. Si tu m'aimes, tu vas arrêter de travailler pour ces... gens. Ça va nous faire bien du tort si tu y retournes. Promets-moi... mon amour.

Émilia savait que son bonheur dépendait de sa décision, ce jour-là. Elle aimait profondément Louis. Il était un chauffeur de tramway très apprécié, il gagnait honorablement sa vie, il était si généreux au lit, et elle lui devait obéissance, avait insisté le prêtre.

– Même si je ne comprends pas, Louis, je vais appeler madame Fraser et lui dire que mon mari ne m'autorise pas à retourner chez eux.

– Insignifiante ! Tu vas lui annoncer que le docteur a dit que tu vas perdre la vue si tu continues.

Insignifiante, avait persiflé Louis. Émilia se mit à pleurer comme jamais il ne lui était arrivé de le faire, à profonds sanglots, sans cris ni éclats. Humiliée, elle n'aurait jamais cru que son Louis pût être aussi méprisant. Il se leva et vint la prendre dans ses bras en s'excusant comme après une confession d'une gravité sans égale.

– Je ne voulais pas te faire de la peine, ma petite cousette...

– Appelle-moi pus de même si tu veux pas que je couse! cria-t-elle entre deux hoquets.

– Je veux bien que tu couses pour toi, pour notre maison, pour nos enfants. Mais pas... mais pas pour des... des étrangers. Je peux te faire vivre, t'as pas à être inquiète, Émilia.

– Je ne suis pas inquiète. Je veux bien ne pas retourner chez les Fraser, mais quand Rosette va ouvrir sa boutique, par exemple... J'avais une carrière avant de te rencontrer, Louis Turgeon, tu sauras!

– Une carrière, coudre pour les femmes riches? Eille, me fais pas brailler. Il faut que j'y aille. Tu appelles ta cliente? Okay?

– Je vais l'appeler. Mais c'est bien parce que je t'aime. Y'a pas personne qui est encore venu à bout de moi comme toi, Louis Turgeon.

• • •

Madame Fraser reçut la nouvelle comme une déflagration. Jamais personne ne l'avait laissée tomber ainsi.

– Mais Émilia, je vais vous donner dix piasses de plus.

– Je ne peux pas, madame Fraser. Je ne vois presque plus. Mes yeux sont atteints, que m'a dit le docteur.

– Je vais engager une dame pour perler, si c'est ça qui vous dérange.

– Non, vraiment, non, madame Fraser.

– Mais Anna se marie dans trois semaines. Au moins, trouvez-moi quelqu'un pour vous remplacer, dit-elle en pleurnichant au bout du fil.

– Je vais essayer. Laissez-moi appeler mon amie Rosette. On ne sait jamais.

– Merci, Émilia. J'attends de vos nouvelles. Anna va être tellement triste, si vous saviez.

– Je le sais, madame. Je n'y peux rien.

. . .

Louis avait une réunion ce soir-là. Il était presque minuit quand il vint se glisser entre les draps, auprès de sa jeune épouse. Le *groupe* avait décidé d'agir et Louis avait obtenu une grosse responsabilité, la plus grosse de sa vie. Il se coucha et murmura dans l'oreille d'Émilia :

– T'as appelé ?

– Oui.

– Parfait, t'es une bonne fille !

Puis il s'endormit en songeant à quel point il était chanceux d'avoir épousé une femme qui lui obéisse.

Chapitre cinquième

Donatienne souriait en essuyant les baquetures autour des bouteilles. La mise en bouteille de *La Cuvée du givre d'automne* battait son plein et tous les membres de la petite communauté y participaient, jeunes et plus vieux. Même Martha, la grosse chienne qui avait remplacé Bennie, louvoyait entre les barriques et léchait les gouttes qui s'en échappaient, heureuse de faire partie de la famille.

Le cidre d'Oka était très populaire à Montréal et à Saint-Jérôme tout comme à Saint-Eustache. Les Indiens, eux, préféraient l'alcool blanc et la bière. La défiance qu'ils entretenaient envers les Blancs d'Oka commençait à nuire à la vente des remèdes naturels que fabriquait Donatienne à l'Herboristerie Donatoka. Percy prétendait que Donatienne devrait lui consentir une part de ses profits sous prétexte que plusieurs de ses recettes avaient été empruntées à la pharmacopée autochtone. Il se mit à harceler Donatienne et Joseph jusqu'à les empêcher de farfouiller dans les boisés qui jouxtaient leur territoire. Un soir, juste avant la tombée du jour, Donatienne fut attaquée par deux jeunes Indiens ivres qui détruisirent le contenu de son panier à cueillette et l'un d'eux lui cria de ne plus venir dans ce coin d'Oka. Un autre garçon arriva et parla en mohawk et Donatienne comprit le nom de Tiwasha et les trois détalèrent comme des lièvres du côté de la pinède.

Le lendemain, Donatienne conclut une entente avec Percy Kohesakhe. Elle lui offrit une somme de cent dollars, et elle ajouta une affiche dans sa boutique pour que tous les clients puissent connaître la paternité de certains remèdes indiens, et elle lui promit cinquante bouteilles de *La Cuvée du givre d'automne*.

– J'ai fait de la prison à cause de toi, Percy. J'ai été la squaw de ton ami Bill qui t'a toujours fourni ton lièvre et les peaux de castors pour faire vivre ta famille. Rappelle-toi. Nous travaillons fort pour cette entreprise. On n'a pas besoin de tes menaces en plus. Laisse-nous tranquilles.

Percy s'éloigna en silence lui, qui d'habitude, répliquait à coup de jurons et de menaces à peine voilées.

. . .

Ce soir-là, alors qu'elle berçait les jumeaux de Joseph et Rosalie et qu'Adrien, leur grand frère, jouait avec son camion sur le plancher, madame Bemmans frappa à la porte. Invitée à entrer, la voisine tenait un journal et s'égosillait :

– Regardez, mâme Crevier ! Y'a le père Michel qui a publié son manuel de la flore des Basses-Laurentides ! Y'a sa photo juste ici !

Visiblement, madame Bemmans ne jugeait pas comme une réalité tous ces cancans sur les relations amoureuses du moine et de Donatienne, mais savait qu'ils se fréquentaient par amour de la botanique appliquée. La pauvre femme ne savait pas ce que son annonce allait provoquer sur *mâme Crevier*. Elle lui brassait la page du journal sous le nez et ne comprenait pas pourquoi l'autre ne couinait pas de superbe en apercevant la photo du père Michel qui était un gars de chez elles, un moine d'Oka, un spécialiste aussi crédible que le frère Marie-Victorin.

– Le père Michel et le frère Marie-Victorin, deux personnages d'Église, c'est drôle, hein ? C'est vrai qu'ils n'ont pas grand-chose d'autre à faire que d'avoir le nez dans les fleurs. Ils n'ont aucune responsabilité personnelle : pas de femme, pas d'enfants, rien que leur tonsure à garder propre. Pis encore là, ils doivent avoir un barbier qui leur polit ça avec du saint chrême ou quelque chose comme ça. Moi, je connais les plantes, mâme Crevier, pis j'ai élevé huit enfants. Pis j'ai fondé les Filles d'Isabelle à la paroisse avec monseigneur Poitras.

Donatienne fixait son interlocutrice en inclinant doucement la tête. Pas une seconde, elle ne posa les yeux sur le fameux journal agité par madame Bemmans. Elle prétexta une demande de l'un des jumeaux, reposa le camion sur ses quatre roues, offrit même un verre de lait à Adrien pour éviter de s'attarder au sujet du manuel de botanique du père Michel. Les gestes quotidiens venaient à sa rescousse au moment où elle aurait préféré être ailleurs.

– Je suis bien contente pour lui, déclara-t-elle à sa voisine pour qu'elle cesse son harcèlement.

– Y'est-tu assez beau !

– Oui, il ressemble à son père.

– Pas votre petit-fils, je parle du père Michel.

– Eh bien, vous allez m'excuser, madame Bemmans. Faut que je donne la bouteille d'eau aux petits. Leur laitier personnel va passer dans deux heures, ça fait qu'entre les boires, je leur donne de l'eau sucrée avec du sirop d'érable.

– Je vous comprends. J'en ai eu huit, vous savez.

– Je le sais, je vous trouve bien généreuse. Mais en ce moment, je suis très occupée.

– Vous voudriez pas rentrer dans les Filles d'Isa…

– J'ai pas le temps, pis la religion, ça ne m'intéresse plus beaucoup, lança Donatienne en mettant la bouilloire sur le poêle avec une étonnante détermination.

Marguerite se mit à pleurer.

– Ça va aller, mon petit trésor, la dame va s'en aller.

Puis, se tournant du côté de madame Bemmans, Donatienne ajouta :

– La petite jumelle est très sensible aux étrangers. Elle est plutôt gênée. Alors, si vous voulez bien…

– Oui, oui, je pars. Si j'ai d'autres découpures du père Michel, je vais les donner à votre garçon.

– Faites donc ça. Moi, j'ai vraiment pas le temps de lire, conclut Donatienne. Mais j'y pense : laissez-moi le journal, je le regarderai demain.

Madame Bemmans tendit le journal à Donatienne et s'en retourna. Dès que la voisine eut franchi la clôture, *mâme Crevier* ouvrit le rond du poêle et y fit disparaître le journal qui s'embrasa comme les âmes païennes dans le feu de l'enfer.

• • •

Rosalie et Joseph, revenus du marché de Saint-Jérôme, vinrent chercher leurs enfants quelques minutes avant l'heure du souper. Lorsque Donatienne fut enfin seule, elle s'allongea sur son lit – leur lit – et regarda au plafond, aussi triste qu'une nuit sans lune.

Elle se mit à philosopher sur la fuite et l'abandon. Sur les hommes de sa vie qui n'étaient jamais restés. Ces hommes qu'elle avait vu partir de toutes sortes de manières, sans raisons, après des années de bonheur. Comme s'il y avait toujours eu quelque chose de plus fort que son amour pour Josaphat qui, lui, s'était réfugié dans l'amour d'une autre. Comme si Bill Tiwasha s'était exilé dans la mort et que Michel s'était vu englouti par l'orgueil, la jalousie et l'envie qu'il éprouvait pour un autre serviteur de Dieu comme lui, qui avait su faire connaître les fleurs, les plantes, les arbres et les exposer dans un Jardin botanique. Combien de fois Michel avait-il persiflé: «Ah, le maudit!» en parlant du frère Marie-Victorin quand il lisait de ses nouvelles dans les quotidiens. Donatienne conclut qu'il devait en être de même pour Dom Léonide qui avait offert à Michel la chance de présenter, sous forme de manuel, le résultat de toutes ses recherches botaniques.

Elle regretta tellement ne pas avoir investi dans ce manuel plutôt que de laisser Dieu le faire à sa place.

Elle avait purgé une peine de prison pour les sauver tous et elle avait perdu celui qui était sa seule chance de ne pas vieillir toute seule. Bien sûr, Joseph et sa petite famille étaient là, juste au bout du champ, et elle adorait ses trois petits-enfants, mais qui pouvait jurer qu'ils seraient tous à ses côtés quand elle serait vieille?

L'idée de l'abandon lui fit plus mal. Qu'avait-elle fait pour toujours être abandonnée ainsi? «Je le sais, je suis trop forte. Trop indépendante de l'homme. Capable de tout faire, de tout gérer. Je n'ai jamais pu lui démontrer que j'avais besoin de lui», songea-t-elle. En effet, Donatienne était sûre d'elle, donnait constamment l'impression qu'elle pouvait se relever de tout. Seul Joseph n'ignorait pas sa fragilité et son extrême sensibilité. Il connaissait son point faible, cette brèche par où les gens passaient sans vergogne, déplaçant tout sur leur passage. Michel avait joué dur: il n'avait pas eu le courage de seulement affronter celle qu'il aimait plus que tout. Donatienne, en ressassant tout cela, décida de se venger. Elle ne pouvait pas se résigner à laisser l'ennemi s'en sortir aussi aisément. Ubald Lachance en avait péri. Le père Michel n'allait pas, lui non plus, l'emporter en paradis.

Elle s'endormit après avoir retiré ses bottes de cuir. Elle détesta Dieu de toutes ses forces.

Chapitre sixième

É milia ignorait si elle devait se confier à Rosette au sujet de l'interdiction formelle de Louis de terminer son contrat chez les Fraser. Comment expliquer l'attitude de son mari, pourtant d'habitude si aimable, si doux et tellement généreux? À quel moment de son récit Louis avait-il réagi si vivement? Était-ce le fait de son orgueil pour que Louis ne veuille pas que sa femme travaille hors du domicile? Pourtant, Louis l'écoutait si gentiment jusqu'à ce qu'elle lui rappelle que la famille s'appelait Fraser. Peut-être qu'il ne blairait pas les Anglais?

À Jeanne, Émilia raconta la même histoire qu'à Pamela Fraser: sa vue baissait à cause d'une maladie que Jean-Lou déclina en long et en large et en latin pendant que Jeanne lui parlait au téléphone.

– Si t'as pas besoin de travailler, Émilia, profites-en!

– Qu'est-ce que tu veux que je fasse?

– Fais des bébés, ma chérie. Tu vas voir que t'auras plus une minute à gaspiller!

Émilia mit bêtement fin à cette conversation qui, selon elle, n'allait nulle part. Jeanne n'était pas du genre à dire des futilités. Émilia comprit que Jeanne n'avait pas cru tout à fait ses explications comme si elle se doutait de quelque chose.

Quand elle raccrocha le téléphone, Jeanne sortit le percolateur et fit du café. Jean-Lou et elle se mirent à discuter des grands titres de *La Presse*, des menaces que proférait l'Allemagne et des manigances d'Adolf Hitler et de ses SS. Puis la conversation tourna autour de Louis et d'Émilia que Jean-Lou qualifia de gentil petit couple. Jeanne, elle, était intriguée.

– Je ne crois pas un mot de sa maladie d'yeux ! Émilia a des drôles de comportements ces temps-ci. Je suis sûre que Louis a de quoi à se reprocher. Il n'est peut-être pas si fin avec elle. Elle l'aimait tellement quand elle m'en parlait, et maintenant, on dirait qu'elle ne m'en parle plus.

– Qu'est-ce qui te fait croire ça ? demanda Jean-Lou.

– Une intuition, c'est tout. Son mal aux yeux... je trouve que...

– Elle a peut-être une dégénérescence maculaire, ça arrive des fois.

– Tu le dis : une dégénérescence. Ça doit s'installer graduellement, non ?

– Oui, chaque jour un peu plus.

– Bon, ça n'arrive pas tout d'un coup, du jour au lendemain. Jamais Émilia ne s'est plainte de voir moins bien. Il y a un mois, elle se vantait d'avoir des yeux d'aigle, quand elle furetait dans le livre de latin d'Estelle. Tu sais, quand on cherchait une aiguille dans le tapis, elle l'a trouvée dans le temps de le dire. Non, je ne crois pas son histoire. Il y a une raison pour laquelle elle a arrêté de travailler pour la famille Fraser. Elle avait trois robes de terminées. Voyons donc! C'est pas son genre de ne pas finir son travail.

– Tu penses?

– Écoute, il est arrivé quelque chose. Il doit y avoir de l'hommerie là-dedans. Un Fraser aux mains longues, comme on dirait. L'autre jour, elle m'a raconté qu'un homme a déjà essayé de la forcer.

Jean-Lou blanchit en avalant de travers.

– Émilia a toujours l'impression que les hommes veulent sauter dessus. L'autre fois, à l'hôpital...

– T'as pas essayé de lui sauter dessus, Jean-Lou?

– Tu penses que je t'en parlerais? Je l'ai consolée après lui avoir reposé sa dent. C'était une grosse douleur pour elle. Je l'ai serrée dans mes bras comme j'aurais fait pour une de mes filles. Elle a été vraiment frustrée. En plus, le docteur Morin est entré juste à ce moment-là.

– Et c'est maintenant que tu me racontes ça, Jean-Lou!

– La preuve que c'était son problème à elle, c'est que je t'en parle. Si j'avais quoi que ce soit à me reprocher, tu penses que je t'en parlerais? Émilia est assez paranoïaque, je vais te dire. Tu te rappelles le docteur Graham qu'on a rencontré au bal du maire de Montréal? Il travaille pour la compagnie de transports. C'est lui qui examine les futurs chauffeurs et qui travaille à améliorer leurs conditions de travail. Je vais lui parler. Il s'appelle Louis comment, donc?

– Louis Turgeon.

• • •

Le docteur Stephen Graham fit sortir le dossier du chauffeur *numéro 91, Turgeon, Louis, né le 21 décembre 1907.* Il se souvenait de l'avoir examiné quelques jours après un accident survenu à Lachine le jour de Noël. Louis avait dû, selon l'ordre de son employeur, subir un long examen musculo-squelettique dès l'ouverture du cabinet du docteur Graham. Un camion entrant en collision avec un tramway n'était pas un événement que l'on pouvait oublier aisément, avait songé le docteur. Non, Louis Turgeon ne semblait pas avoir de problèmes de comportement. D'après les notes à son dossier général, le chauffeur *numéro 91, Turgeon, Louis,* n'avait reçu que des commentaires élogieux. Deux lettres d'utilisatrices impressionnées avaient été déposées à son dossier et un rapport de son chef de service parlait de bonne humeur contagieuse, de générosité, de ponctualité exemplaire et de charité chrétienne.

En toute confidentialité, bien entendu, Jean-Lou raconta à son collègue, le docteur Graham, les raisons pour lesquelles il tenait tant à connaître ces détails sur Louis Turgeon et ajouta à quel point Jeanne – ma conjointe, précisa-t-il fièrement – aimait la jeune épouse du chauffeur 91, la considérant comme l'aînée de ses filles.

Rassuré, Jean-Lou reposa le combiné, salua sa secrétaire, puis quitta son cabinet en sifflant.

Lorsqu'il eut atteint la dernière marche de l'escalier de ciment désagrégé, Jean-Lou vit arriver une jeune femme visiblement dans la vingtaine, les cheveux en broussaille, le regard affolé. Elle portait un manteau jaune très vif et le tenait fermé avec une main, l'autre crispée par l'émotion. Elle courait vers lui en criant: «Docteur, s'il vous plaît, docteur!» comme si elle hélait un autobus en marche. Il ne bougea pas d'un poil, pensant intérieurement que c'était là une autre pauvre fille exaltée.

– Docteur! Je vous en supplie, mon chum a fait une crise cardiaque. Juste ici, à deux coins de rue. Il va mourir si vous ne venez pas, docteur!

Jean-Lou, comprenant l'urgence de la situation, demanda à la jeune femme de l'attendre, grimpa deux à deux les marches de l'escalier, et entra chercher sa mallette de médecin. Au bout de quelques minutes, il se retrouva dans une chambre de touristes assez bien tenue, gardée sombre par de lourdes tentures qui étaient demeurées tirées. Un homme d'une cinquantaine d'années était recroquevillé sur un lit, chichement vêtu, se tordant de douleurs, balbutiant le nom de sa compagne en la suppliant de faire quelque chose pour lui. Jean-Lou ouvrit sa valise, sortit son stéthoscope, ausculta le patient. La fille disait:

– S'il te plaît, accroche-toi. J'ai été chercher le docteur.

Jean-Lou parla doucement à l'homme et finit par le rassurer. Il lui injecta une intraveineuse. Presque aussitôt, son rythme cardiaque se régularisa et les traits de son visage se détendirent. La jeune femme se pencha sur l'homme avec énormément de tendresse en lui appliquant de petits bécots sur les paupières.

— C'est arrivé quand vous... vous étiez...

— Une demi-heure après. Il a un peu plus de misère qu'avant, mais là, il a flanché. J'ai eu tellement peur. Il s'est racoutillé pis il s'est mis à crier. C'est la première fois que ça lui arrive. J'étais sûre qu'il allait mourir. Une chance que vous étiez pas encore parti. Vous êtes tellement fin d'être venu le voir. Il travaille pour la ville de Montréal, il est contremaître pour les réparations des rues. Vous comprenez, il faudrait pas qu'il meure de même dans une maison de chambres. Sa... sa famille serait revirée toute à l'envers.

— Ah, bon...

— Je vais vous payer, mais j'aimerais que vous oubliiez ça si c'est possible. Il n'a pas besoin de troubles en ce moment.

— Mais il faut l'emmener à l'hôpital, mademoiselle. Votre amant a fait un infarctus, on ne peut pas le laisser s'en aller chez lui ni conduire son automobile ni travailler.

— Je peux pas aller avec lui. Ce serait trop risqué.

— Je vais appeler un taxi, et vous allez le conduire à Notre-Dame. Promettez-moi que vous allez le faire.

— Je vais y aller.

Jean-Lou sortit lentement de la chambre, persuadé que ce type l'avait échappé belle. Puis, avant que la porte ne se referme totalement, il entendit :

— Viens, Josaphat. On va aller à l'hôpital parce que le docteur...

Le reste de la phrase demeura derrière la porte, perdu dans la touffeur de la chambre.

. . .

Lorsque Rosette entra, Émilia lui tomba dans les bras en pleurant. Ses yeux bouffis convainquirent sa bonne amie qu'elle pleurait bien avant son arrivée. Sa voix au téléphone était teintée de panique, et Rosette, qui dirigeait les travaux de réfection de l'atelier de couture, les achats, la réparation de l'armoire de palissandre et celle de sa table de bois de rose malgré sa faiblesse générale, ne mit que quinze minutes pour se rendre chez Émilia.

Louis avait raté le souper d'amoureux que sa femme lui avait patiemment mitonné, et était entré au beau milieu de la nuit, muet comme une carpe, secret et froid. Il s'était tourné de l'autre côté lorsque Émilia avait tenté un rapprochement, qui d'habitude se terminait dans l'extase. Elle avait pleuré jusqu'aux aurores en se demandant où s'en iraient ses amours et surtout, elle était verte de curiosité chaque fois qu'elle passait devant le bureau secret de Louis qu'elle avait surnommé la *chambre des tortures*. Rosette ne savait pas quoi dire, mais elle avoua que jamais elle n'accepterait ce genre de cachotteries de la part de son mari, ce à quoi Émilia rétorqua:

– Tu le triches à tour de bras avec monsieur Finkel pis tu voudrais pas qu'il te cache quelque chose? Elle est bonne, celle-là!

Rosette fouinait dans le salon, ouvrant une porte ou un tiroir.

– As-tu quelque chose à boire?

– J'ai du jus d'orange, de la petite bière d'épinette ou du Cream Soda. Ou du thé, si t'aimes mieux.

– J'ai dit: *quelque chose à boire*. Comme du gros gin ou de la vodka.

– Louis a laissé une bouteille de vin de cerises dans la dépense. Il a dit qu'il titrait à quasiment 30% d'alcool! Tu en veux?

– Si t'en prends toi aussi. On va fêter... la vie, tiens!

Au bout d'une heure, après avoir réglé le sort de leur entourage, médit sur les protagonistes de leur vie, rigolé à propos des situations burlesques, et vidé la moitié de la bouteille de vin de cerises de Louis, Rosette et Émilia s'amusaient follement. Puis Rosette se leva et, levant son verre, déclara:

– Maintenant, la chambre des tortures, à l'attaque!

– Es-tu folle? Louis va me tuer!

– Il y a quelqu'un qui a dit: quand on cherche, on trouve! Pas vrai?

– Oui, mais cette personne ne connaissait pas Louis Turgeon.

– Viens, on va juste jeter un coup d'œil.

Émilia ouvrit la porte de la chambre secrète et pensa de nouveau à l'histoire de Barbe-Bleue. Elle en frissonna. Rosette, comme la sœur d'Anne-ma-sœur-Anne, fourbissait ses armes. Elle avait bien l'intention de démasquer Louis et de comprendre pourquoi il défendait à Émilia d'aller travailler chez les Fraser.

La porte grinça sur ses gonds. Rosette alluma. Une odeur d'encre d'imprimerie flottait dans toute la pièce.

Une armoire, verrouillée, semblait abriter le plus grand des mystères.

– Soda! C'est barré! murmura Rosette, caracolant sur le plancher ciré.

Elle se dirigea vers un gros pupitre de chêne enfoui sous les livres, les bibelots de mauvais goût, le bottin du téléphone et une lampe de style victorien en forme de bateau, dont le pied roulait dans tous les flots d'une mer en laiton.

L'abat-jour gris sombre rappelait le bureau d'un entrepreneur de pompes funèbres. Une idée, toute petite, de mort proche, titillait leur esprit éméché par le vin de cerises.

Les cinq tiroirs du pupitre étaient eux aussi verrouillés, sauf celui du centre, large et peu profond dans lequel elles aperçurent des timbres, des estampes, des crayons, des bouts de papier pliés.

– J'en ai un comme ça. Laisse-moi faire, déclara Rosette avec une voix de gamine.

Elle attrapa le tiroir du centre, le retira délicatement de son emplacement et le déposa par terre. Elle se pencha sous le pupitre à la recherche d'un mécanisme qui, une fois actionné, allait déverrouiller les tiroirs latéraux et permettre à Émilia d'enfin savoir ce que cachait son Louis.

Quand Rosette se releva, les cinq tiroirs pouvaient s'ouvrir. Émilia avait les yeux grands. Elle ouvrit le premier tiroir qui contenait une petite cassette dans laquelle elle put prendre connaissance des contacts de Louis. Des noms d'hommes uniquement, des prénoms en grande partie, des numéros de téléphone, rien de plus.

– Faut trouver la clé de l'armoire, c'est elle qui est importante!

– Je cherche, je ne fais que ça. Je vais aller me verser un autre petit vin de cerises, dit Rosette en riant nerveusement.

Émilia tremblait de peur. Elle fouilla dans tout le tiroir. Des billets d'autobus, une lettre de la commission des transports, une photo d'elle dans un cadre de bois, des catalogues de plomberie, une piastre, quelques pièces, une vieille montre.

Dans le deuxième tiroir, elle trouva des timbres, des livres de philatélie et dans le troisième, une collection de pièces de monnaie ancienne. Rosette revint avec son verre qu'elle faillit renverser sur le tapis.

– C'est un collectionneur, ton mari. Ça doit valoir pas mal d'argent. Il a peur que tu fouilles dans sa collection et il doit avoir peur que tu lui en voles. Regarde, un dix cents 1889. Ça doit valoir cher.

– Non, il me la montre souvent, sa collection. Ce n'est pas ça, Rosette. Louis m'a interdit, je te rappelle, de venir fouiller dans cette armoire. Non, il y a autre chose. Il faut que je trouve. Mais j'ai peur qu'il arrive. Il faut replacer tout ça.

– On est à deux pouces de trouver. Ouvre le quatrième, pour voir.

Émilia obtempéra et ouvrit le quatrième tiroir. Une petite boîte contenait une clé au bout d'une chaîne en or, comme celles des montres de poche.

– Je pense que c'est elle!

– Attention, dérange rien. Faut pas qu'il s'aperçoive de quelque chose.

– C'est excitant, tu trouves pas? On dirait qu'on est inspecteurs de police!

C'est Rosette qui ouvrit la fameuse armoire. Elle contenait des enveloppes et des cartons de couleurs. Des chemises qui avaient été pliées avec soin. Un brassard noir avec une drôle d'inscription.

Elles entendirent le cliquetis de la serrure de la porte d'entrée. Complètement affolées, elles refermèrent l'armoire et, à bout de souffle, Rosette replaça le tiroir du milieu pendant qu'Émilia accourait au-devant de son mari.

– T'es donc bien énervée! dit-il à Émilia.

– Rosette est ici, on a bu du vin de cerises. Y'est pas mal bon, tu devrais en demander une autre bouteille à ton ami Pierre.

– Où est...

Rosette apparut, le visage souriant, le cœur qui battait à tout rompre, nerveuse, mais convaincue qu'elle venait de dénouer une immense intrigue et peut-être même expliquer les malheurs de sa bonne amie.

– Je vous laisse, les amoureux. J'ai beaucoup à faire encore. Tu m'appelles, Émilia?

Émilia aurait voulu partir avec elle. Louis la prit par les épaules et la serra de toutes ses forces.

• • •

Quand arriva l'heure du souper et qu'Émilia appela Louis afin qu'il se mette à table, elle l'entendit tonner derrière la porte close de son bureau. Des bruits de tiroirs que l'on projette avec force, le cliquetis des portes de l'armoire cadenassée que l'on referme, les livres que l'on précipite sur le parquet, c'était la crise de rage qu'Émilia redoutait le plus. Les couvercles des casseroles tintaient comme une paire de cymbales entre ses mains nerveuses et elle renversa la louche de soupe sur la cuisinière. Consternée, elle essuyait son dégât au moment où Louis entrait dans la cuisine, le regard furibond et la bouche tordue. Ce n'était plus Louis. Un autre homme venait d'apparaître.

– Toi pis ta maudite Rosette! Vous avez fouillé dans mon bureau! Je le sais, Milia! Ma clé était pas dans sa boîte.

Il s'approcha d'Émilia et lui enfonça les doigts dans le bras.

– On n'a rien touché. Tu te trompes. Jamais on ne serait entrées dans ton bureau, voyons Louis! Tu te trompes.

– Vous êtes entrées dans mon bureau!

– Oui, mais juste pour voir ta belle lampe. On n'a rien touché. Rosette, elle aime ça les lampes en forme de bateau. On a rien touché.

– Si c'est pas toi, c'est Rosette, persifla-t-il.

Voyant que les accusations étaient dirigées envers sa copine, Émilia préféra dire que c'était elle-même.

– Je suis allée faire le ménage à matin. J'ai dû m'enfarger dans le pupitre. Ça se peut, Louis. À part de ça, qu'est-ce que t'as tant à me cacher? minauda-t-elle en se frottant contre lui.

– Viens, maudite cochonne!

Louis entraîna Émilia vers la chambre, la força à s'allonger sur le couvre-lit.

– Louis, pas sur mon beau couvre-pieds en chenille blanche!

Elle tira promptement les couvertures et se jeta langoureusement sur le lit et laissa Louis la déshabiller avec rage. Même s'il déchirait sa jupe qu'elle entendait craquer à chaque assaut – elle se dit qu'elle allait la recoudre – elle ferma les yeux, ouvrit les jambes et releva le bassin comme il aimait. Il poussa l'oreiller sous les fesses d'Émilia, se déshabilla en ahanant, puis s'abattit sur elle comme un aigle sur sa proie, la déchirant sous des mouvements brusques et sans aucune retenue. Il crut qu'elle jouissait alors qu'Émilia gémissait de douleur. Ce soir-là, pendant que la soupe aux légumes brûlait sur la cuisinière, Émilia détesta les jeux de l'amour. L'amour qui venait de prendre une grosse débarque.

Chapitre septième

L e père Michel était malade. Il utilisait des tisanes d'épinette, mâchait de la gomme de sapin, des graines de *coix lacryma-jobi*, communément appelées les larmes-de-Job, pour faire baisser sa fièvre. Cloué au lit, c'est son compagnon de table, le frère Louis-Pierre, qui se risqua à lui faire prendre du *hedera helix*, une plante qui grimpait aux portails de l'abbaye, reconnue pour être toxique, mais qui, selon le père Michel lui-même, pouvait s'avérer un puissant expectorant et combattre les bronchites. Cela n'eut aucun effet sur Michel. Il dut avoir recours aux soins du médecin du village, le docteur Maréchal.

Après l'avoir examiné bien comme il faut, le docteur Maréchal conclut à une pneumonie virale et on dut conduire le malade à l'hôpital. Le père Michel abandonna son atelier avec regret, mais le frère Louis-Pierre lui promit de bien s'en occuper. Michel préparait un manuel de botanique qui allait lui permettre, si Dieu le voulait, d'enseigner au fameux Jardin botanique de Montréal dont on disait grand bien.

...

La rumeur atteignit rapidement le village. Le téléphone arabe vint à bout de faire mourir le père Michel. Certains parlaient d'une maladie incurable, d'autres, plus audacieux, d'une peine d'amour, et d'autres encore, d'un empoisonnement aux maudites plantes toxiques que le moine aurait découvertes sur les terres des Raizenne, possédées par le diable.

La nouvelle vint aux oreilles de Donatienne. Dès qu'elle l'entendit, elle souhaita qu'il fut mort et enterré le plus tôt possible. Elle ne pouvait pas lui pardonner d'avoir choisi son bon Dieu plutôt que de finir ses jours auprès de la femme qu'il aimait profondément.

Deux moines étaient pour Donatienne des suppôts de Satan : Dom Léonide, pour avoir détruit le calvados et l'avoir conduite en prison ; et le père Michel, pour avoir réduit son cœur en miettes.

Ses trois petits-enfants, Adrien, Marguerite et Achillée, lui procuraient tellement de bonheur qu'elle n'arrivait pas à imaginer une manière de se venger des robes brunes – comme les appelait Bill Tiwasha en riant – sans porter atteinte aux valeurs qu'elle avait transmises à Joseph et par conséquent à ses petits-enfants.

...

Le 3 septembre, devant l'invasion de la Pologne par les troupes d'Adolf Hitler, la France et le Royaume-Uni lui déclarèrent la guerre. Joseph entra, affolé, chez sa mère.

– M'man! C'est la guerre! On va peut-être devoir s'enrôler. Tu vois ça? Ma Rosalie seule avec les trois enfants! M'man, je veux pas y aller.

Elle n'avait jamais vu son fils aussi épouvanté devant une situation aussi inévitable. Elle n'avait pas l'intention de le laisser pâtir.

– Qui t'a dit qu'il fallait que tu t'enrôles?

– Ils disent ça, au village, chez Chéné. King a promis qu'il n'y aurait pas de conscription. Qu'ils vont choisir juste les célibataires et les veufs.

– C'est ridicule, Joseph. Un veuf peut bien avoir dix enfants!

– M'man, Camillien Houde est contre la conscription. Il a fait un discours hier soir à Montréal. Antonio était là et il nous a dit que la salle était en feu. Ça criait, ça applaudissait. Personne ne veut se battre pour les Anglais. La guerre est de l'autre bord, ben, qu'elle reste de l'autre bord!

– Albert m'a dit qu'il y avait des groupes qui pensaient comme Hitler avec sa haine des Juifs. Ici, au Québec! En tout cas, mon Joseph, j'ai pas peur de la police militaire, moi. Tu n'iras pas à la guerre, fie-toi sur moi! Il ne sera pas dit que le bon Dieu va m'enlever mon fils itou!

– S'il y a une conscription, m'man, c'est inutile d'essayer de me cacher. Y'ont toutes nos noms au gouvernement, tu le sais ben!

– Joseph, tu n'iras pas à la guerre, j'ai dit!

Joseph ne poussa pas l'affaire plus loin. Il sentait monter un sanglot du milieu du ventre de sa mère. Jamais ses yeux n'avaient été aussi sombres, couleur de la cendre. Ses poings serrés tiraillaient le tissu de sa robe et elle respirait avec un chuintement inaccoutumé.

Le soir, quand ils entendirent à nouveau parler de la guerre, Joseph dit à Rosalie qu'il n'en serait pas, promesse de Donatienne.

...

Dans les journaux, on parla des découvertes du père Michel au sujet du remède guérissant le chancre de la bouche causé par le tabac, ce qui allait faire plaisir à nombre de chiqueux, autant parmi la population que parmi les sportifs. À base de plantain, de sauge et de savoyane et d'un élément secret qu'il ne voulait pas dévoiler, le remède faisait se déplacer des centaines de touristes par semaine à l'abbaye d'Oka où ils se cognaient le nez sur la porte.

Le père Michel, en pleine convalescence, était résolument sous les feux de la rampe et nombre de journalistes scientifiques lui réclamaient des entrevues, ce qui eut l'heur d'indisposer Dom Léonide qui ne prisait pas ce genre de publicité.

L'École d'agriculture d'Oka bénéficiait d'une réputation enviable dans le monde. Le directeur avait établi des relations économiques avec le ministère de l'Agriculture qui avait consenti 300 000 $ pour la construction de nouvelles installations. En retour, il fut conclu que l'école dispenserait son enseignement agricole pour les trente prochaines années. Le père Michel, par sa collaboration avec l'Université Laval à Montréal, servait de médiateur entre les professeurs et les jeunes agriculteurs.

Joseph, lui, avait bénéficié des enseignements particuliers de Michel pour la culture des arbres fruitiers. Mais Donatienne n'avait plus que Michel dans sa mire. Elle le voyait partout et cherchait un moyen de lui faire payer son abandon.

. . .

Le père Michel, maintenant rétabli, donnait des conférences et enseignait à l'Institut agricole où il fit la connaissance du fils d'un proche de Maurice Duplessis, le jeune Jean-Maurice Carrière.

Le jeune homme avait toujours manifesté un engouement particulier pour la médecine vétérinaire et comme l'École d'agriculture possédait, depuis 1934, un hôpital vétérinaire à la fine pointe de la science, Honoré Carrière y inscrivit son fils. Ainsi, voyant venir une conscription imminente, Jean-Maurice pourrait échapper à l'enrôlement.

Le gouvernement King avait promis que l'État n'obligerait pas les Canadiens à s'enrôler. Camillien Houde, maire de Montréal, multipliait les occasions de se prononcer contre la conscription et de nombreux prêtres criaient en chaire que le bon Dieu n'avait pas créé les

Canadiens-français pour qu'ils aillent se battre pour l'Empire britannique !

. . .

Un soir, alors que le froid s'installait, Albert et Joseph, aidés de quelques voisins, entreprirent de creuser un tunnel à partir du mur nord de la boutique Donatoka. Ils travaillaient le soir, après les travaux agricoles et la récolte des pommes. Suivant les instructions de Joseph, ils étaient onze à piocher, à creuser, à transporter la terre, sous les frêles lueurs d'une lampe au pétrole, afin d'y construire un abri aussi grand que l'herboristerie. Personne ne tint les travailleurs au courant des intentions des Crevier, mais quelques-uns d'entre eux tentaient déjà de soudoyer Joseph ou Donatienne pour une place. La conscription était inévitable, selon ce que racontaient les machines à rumeurs.

Un soir que les travaux allaient bon train, Cécile Fréchette suivait en pleurant la route herbue qui menait à la maison de Donatienne. Joseph donnait ses instructions à ses acolytes et Donatienne surveillait les travaux. En la voyant aussi affligée, le visage mouillé, Joseph comprit que quelque chose de grave était arrivé. Il délaissa sa pioche et se dirigea rapidement vers elle. Entre deux hoquets, Cécile vint à bout de parler assez clairement pour qu'il comprenne.

– Joseph, Joseph, viens vite, c'est la petite Marguerite ! Ça va pas, ça va pas du tout ! Rosalie lui a donné du sirop Gauvin, elle est encore plus mal !

Donatienne, qui discutait avec Nazaire, tourna la tête et aperçut Cécile Fréchette tenant les deux mains de Joseph avec toute l'affliction du monde. Elle s'approcha en courant, s'agrippa à la manche de Cécile et Joseph cria à ses hommes de suspendre les travaux.

– Qu'est-ce qui se passe? demanda-t-elle.

– Marguerite fait de la fièvre, elle respire mal, elle est tellement bouillante qu'elle a même pas la force de pleurer.

– Je vais avec Nazaire chercher le docteur.

– Le docteur Maréchal est parti en vacances en Floride, tu le sais.

– Faut emmener la petite à l'hôpital. Vite!

Quand Joseph entra dans la maison, le silence avait envahi les lieux et seule la petite lampe du salon éclairait chichement le plafond. Rosalie berçait, en pleurant, la petite Marguerite. L'enfant avait les yeux entrouverts, le visage cireux, la bouche cherchant à happer l'air avec difficulté. Ses beaux cheveux blonds se collaient à son front en bouclettes humides et ses petites mains étaient posées, les poings serrés, sur son ventre. Joseph ne put s'empêcher de crier son nom. Elle ne sursauta pas.

– Elle va mourir, Joseph!

Les mots sortirent de la bouche de Rosalie et flottèrent longtemps au-dessus de la pièce. Les trois grands-parents étaient affligés, mais Donatienne saisit la petite et l'amenant au-dessus de l'évier de la cuisine, fit couler l'eau, y mouilla un linge propre, puis, après lui avoir retiré son vêtement, frotta Marguerite avec vigueur. Elle savait qu'il fallait à tout prix faire baisser la fièvre.

Elle dit :

– Joseph, cours me chercher la fiole d'armoise dans la boutique. C'est écrit *artemesia abrotanum*. Dépêche-toi !

– M'man, fais tout ce que tu peux !

Voilà bien mon fils, pensa-t-elle. Il avait une telle confiance en elle qu'il croyait qu'elle pouvait tout faire. Élevé en fils unique, Joseph avait développé envers sa mère une dépendance qui ne tolérait aucune faille. *Maman, fais tout ce que tu peux.* Cela voulait aussi dire : si Marguerite meurt, je t'en voudrai jusqu'à ma mort. C'est ainsi avec les mères : on attend tout d'elles, puis un jour, un trou dans la confiance, et tout bascule.

Donatienne poursuivait ses tentatives pour faire baisser la température du petit corps qui devenait aussi malléable que de la guenille. Marguerite respirait maintenant sans stridulation. Elle avait l'air calme.

Quand Joseph entra avec le flacon *d'artemisia abrotanum*, Donatienne était assise, la petite jumelle entre les bras, Rosalie et Cécile étaient prosternées à ses pieds, secouées par des sanglots silencieux, retenus par la profondeur de leur respiration. Marguerite avait cessé de vivre. Une toute petite âme venait de quitter cette famille pourtant prête à lui offrir une grande vie. Joseph se mit à hurler.

– Non, non !

Et fixant le plafond, il cria :

– T'avais pas le droit de nous faire ça ! Pas ma petite fille !

Puis Rosalie se blottit contre elle après avoir retiré Marguerite des bras de sa grand-mère. Tout le monde embrassa l'enfant sur les cheveux. Joseph et Albert se rendirent dans l'appentis et commencèrent à construire une boîte en planches à peine plus grande qu'une huche à pain.

...

Le lendemain, on fit mander le père Marcotte, sulpicien, pour officier la cérémonie des anges. Achillée n'eut connaissance de rien mais Donatienne savait qu'un jour, il aurait l'impression qu'il manquait quelque chose d'essentiel à sa vie, un morceau aussi important que la vie elle-même. Créés côte à côte, les jumeaux sont ainsi faits qu'ils cherchent à respirer le même air, que leurs cœurs battent la même mesure et qu'ils pensent constamment de la même manière. Quant à Adrien, la mort lui avait fait tellement peur qu'il ne voulut parler à personne, et se nicha entre les bras de sa mère et cessa de sourire. Donatienne trouva que la mort venait souvent se frôler à son existence. Elle refusa de prier. La prière était déshonorante.

Chapitre huitième

Tout sentait la guerre à Montréal. Les trottoirs gris où la foule déambulait lentement – des hommes surtout, comme si les femmes se retenaient d'exposer leur tristesse au grand jour – étaient clairsemés. Les seules femmes qui marchaient au rythme de leur désespoir, tenaient leurs enfants à leur hanche comme pour les protéger de la folie des hommes.

Dans le journal *Le Canada* du 18 juin 1940, on put lire : « Le Canada est directement menacé et doit prendre immédiatement les mesures de défense qui s'imposent. Il s'agit de protéger le sol canadien, d'armer notre pays, d'appeler toute la nation à la défense de la patrie. »

Plus loin : « Le recrutement de l'armée, tel qu'il s'est fait jusqu'ici, pour les troupes expéditionnaires canadiennes, ne faisait appel qu'aux volontaires, mais la défense du Canada exige la mobilisation de tous les hommes valides. Le Canada, dans les circonstances extrêmement graves que nous traversons, doit pouvoir compter sur tous les hommes qui, par la naissance ou la naturalisation, sont sujets canadiens.»

– Pis le premier ministre Godbout est d'accord avec ça ?

– Mais non, Émilia, il a toujours été contre, tu le sais.

– Astheure qu'on a le droit de vote, ma Rosette, je te dis qu'on va te le débarquer, cet innocent-là ! La conscription, il manquait plus que ça ! dit Émilia en piquant son aiguille dans le biais de satin.

– C'est à cause de la France. Ils disent que ce sont nos petits cousins. L'Italie est sur le bord de l'Allemagne. Notre vendeur d'étoffes, le petit Pietrocella, y'a disparu. Les Italiens de Montréal sont obligés de se tenir les fesses serrées depuis que l'Italie est contre les Alliés. Il serait resté chez eux si y'avait su, pauvre Marco !

– Louis dit que personne ne force les hommes à se rendre de l'autre bord. Mais il faut qu'ils s'enrôlent.

– Y'arrêtent tous les Italiens pis les Allemands qui ont l'air de manigancer.

– Marco Pietrocella, est-ce qu'il manigançait ?

– Il importait du matériel italien. C'est peut-être pour ça.

Émilia se leva pour téléphoner à Louis. Depuis quelque temps, il se montrait fort peu loquace et il tenait une conversation télégraphique. Il multipliait les réunions qu'il attribuait à la numismatique, ou à la philatélie, transportant dans une grosse mallette ses cartables, ses livres et ses nouveaux spécimens. Et toujours – il arrivait à Émilia d'en apercevoir un bout – une de ses chemises pliées. Lorsqu'il quittait, toujours après le souper, il avait le visage dur et l'attitude froide de celui qui occupe un poste important. Émilia sentait que leur amour s'étiolait et que le beau Louis qu'elle avait connu durant sa convalescence à l'hôpital n'était plus que l'ombre de lui-même. Elle avait beau le questionner, lui faire part de certains doutes, Louis Turgeon filait vers ses activités secrètes.

– Il est peut-être entré dans une organisation religieuse en marge de la religion catholique. Il y en a qui commencent à recruter à Montréal.

– Pourquoi il aurait l'air si bête, d'abord? Il ne me parle plus, on ne fait plus rien, tu sais ce que je veux dire. On dirait qu'il ne me voit plus.

• • •

Le téléphone avait sonné cinq fois. Émilia écoutait religieusement ce que Louis avait à lui dire. Quand elle déposa le combiné, elle était blanche comme un linge.

– Qu'est-ce qu'il y a, Émilia? demanda Rosette. On dirait que tu viens d'apprendre que quelqu'un est mort.

– C'est... c'est tout comme, balbutia Émilia. Louis s'est enrôlé. Il veut aller à la guerre. Il part pour l'école d'aviation de Lachine, pis après il traverse de l'autre bord. Il m'a dit adieu au téléphone. Il sera pas là à soir. Il veut pas que j'aie de la peine. Il... il... est parti, ajouta-t-elle en consultant sa montre.

– Parti... pour la guerre. C'est quand même incroyable ! Il n'a pas attendu de te voir une dernière fois. C'est étrange.

– C'est pas étrange, Rosette. Louis, il est comme ça. Quand il décide quelque chose, il le fait tout de suite. De toute manière, il a tellement changé. J'aime quasiment ça mieux de même, conclut-elle avant de se mettre à pleurer dans la belle robe de soie de Mrs Morrison.

. . .

Quand elle entra dans son logement de la rue Van Horne, les bras chargés de robes à raccourcir, Émilia poussa un cri. Toutes les pièces de la maison avaient été saccagées, tous les tiroirs renversés, les lampes fracassées, les bibelots lancés contre le mur réduits en mille miettes sur le plancher. Le lit avait été viré sens dessus dessous, et la fameuse armoire de Louis avait été fouillée, puis jetée par terre. Quand elle leva les yeux, un petit garçon d'à peine quatre ans attendait sous le chambranle, en léchant un cornet de crème glacée. Elle ne l'avait pas entendu monter.

– B'jour, m'dame. Ils sont pas gentils, les messieurs, hein ?

– Quels messieurs ? T'as vu des messieurs ? Tu sais combien ils étaient ?

Le petit garçon montra ses deux mains, doigts écartés.

– Ils étaient dix ? Tu es sûr ?

– Oui, ils étaient cent mille dix, ajouta-t-il. Avec des grosses moustaches et des grosses mitraillettes.

Émilia sourit en se penchant pour lui essuyer la bouche avec un mouchoir propre.

– Tu habites en bas ?

– Oui.

– Comment t'appelles-tu ?

– Camillien.

– Comme monsieur le maire. C'est un beau nom. Je vais aller avec toi pour voir ta maman, tu veux ?

La mère de Camillien était une jeune femme maigre, ayant à ses jupes deux autres enfants plus jeunes. Elle accueillit Émilia en la reconnaissant et en s'excusant pour l'audace de Camillien qui était monté la déranger.

– Mais vous comprenez, quand les hommes sont passés avec le stock, on a tous eu peur. On aurait dit les SS qui débarquaient. Mon mari a dit : « Germaine, barre les portes pis rentre les petits, pis réponds pas. Je vas sortir la carabine de p'pa ! »

– Vous avez pas appelé la police ?

– Mais c'était la police ! Ils avaient trois chars noirs qu'ils ont parqués devant la porte, même qu'il y en avait un en plein milieu de la rue qui bloquait la circulation. Ils ont été chez vous à peine dix minutes. Pis ils sont sortis, comme je vous l'ai dit, avec des paquets de feuilles, des boîtes, pis même des chemises.

– Des chemises ?

– Ah oui, des chemises. J'étais en arrière du rideau du salon. Mon mari travaille pour une compagnie de mazout, pis il porte des chemises pareilles. J'attendais pour voir ce qu'ils feraient. Il y en avait un qui était pas habillé comme les autres, il avait l'air d'avoir peur. Je lui ai pas vu la face à celui-là. Il voulait peut-être que personne ne le reconnaisse.

– Mon mari s'est enrôlé.

Émilia se mit à pleurer devant cette voisine entourée de ses trois enfants.

Germaine la prit dans ses bras et Camillien lui dit :

– Brailler, c'est juste pour les bébés, m'dame !

Émilia le regarda avec tendresse. Elle se dit qu'elle avait moins peur d'avoir des enfants. Si elle pouvait avoir un petit garçon comme Camillien, elle n'hésiterait pas à utiliser le thermomètre en respectant les dates fructueuses. Depuis qu'elle était mariée, elle faisait justement le contraire, pour ne pas que Louis apprenne qu'elle ne désirait pas tomber enceinte.

Louis était parti en Europe. Il avait dû fuir ces hommes qu'avaient vus Camillien et sa mère. La petite fille se mit à pleurer elle aussi. Émilia demanda à Germaine :

– Je peux la prendre ?

– Elle est toute sale pis elle a le nez morveux. Attendez que je l'essuie un peu.

Puis elle remit la petite à Émilia qui sentit monter en elle une fièvre toute maternelle.

– Vous aimeriez une tasse de café, du thé, un Postum, un Bovril ?

– J'aimerais mieux un vrai café, s'il vous plaît, dit-elle en déposant la petite.

– Elle, c'est Réjeanne, lui, c'est Paul. Ils ont pas un an de différence. Pis là, j'en attends encore un autre, expliqua Germaine.

– Combien vous en voulez ?

– Si c'était pas du curé, je pense que j'en aurais assez de quatre. J'ai pas encore vingt-cinq ans ! Quatre, c'est en masse, de nos jours. Surtout si on fait des garçons, pis qu'ils les envoient se faire tuer de l'autre bord !

À l'évocation de la guerre, Émilia se remit de plus belle à pleurer. Germaine la fit entrer dans la cuisine. C'était une pièce bien éclairée qui faisait deux fois la grandeur de celle du logement du deuxième. Un grand corridor séparait les quatre chambres et le salon devait se trouver tout au bout, si Émilia en jugeait par le piano qu'elle apercevait.

– Vous connaissez le propriétaire, vous ? demanda Émilia à Germaine.

– Je comprends que je le connais, c'est mon beau-père. Sinon, on n'aurait pas les moyens de rester dans le quartier. Il a beaucoup perdu dans le temps de la crise. Il aime mieux mettre sa famille dans ses logements.

– Il est riche, votre beau-père ?

– Il est dans les affaires avec le député provincial. Il a bien des contacts. Il brasse tout le temps des gros arrangements.

Émilia se mit à penser à Louis et à son enrôlement. La radio racontait que le premier ministre King songeait à forcer les jeunes jusqu'à trente ans à entrer dans l'armée. Voyant que son invitée était très nerveuse, Germaine ferma la radio.

– C'est pas des bonnes nouvelles pour une femme comme vous, dit-elle. On va parler d'autres choses, si vous voulez bien.

Germaine versa l'eau dans le percolateur, alluma le gaz sous le rond, sortit deux tasses, deux soucoupes et une boîte de biscuits, puis elle installa ses enfants par terre en leur donnant à chacun un biscuit à l'arrowroot. Elle demanda à Camillien d'aller chercher le jeu de blocs et de s'occuper de Réjeanne et de Paul, le temps qu'elle discuterait avec la nouvelle voisine.

– Vous pensez...

– On peut se tutoyer, non ?

– Bien sûr. Tu penses que ton beau-père pourrait m'aider à savoir ce qui est arrivé à Louis ? S'ils sont venus dans son bureau, c'est parce qu'ils cherchaient quelque chose, commença Émilia.

– C'est évident. Pis ils ont trouvé, ça a ben l'air.

– Ça fait trois mois que je cherche, moi aussi.

Germaine mit sa main sur sa bouche, en soutenant le regard d'Émilia.

– Tu cherchais quoi ?

– Mon mari était un peu bizarre depuis quelque temps et il me défendait d'aller dans son bureau. Je pense que la police a trouvé ce que Louis voulait pas que je trouve. Tu comprends ?

Germaine alla chercher la cafetière et versa le café fumant dans la tasse prévue pour son invitée et lui montra la boîte de biscuits. Elle les avait fabriqués le matin même. Émilia aima cette jeune femme courageuse et franche.

– Moi, je ne connais pas votre beau-père, déclara-t-elle en portant la tasse à sa bouche.

– Ah, monsieur Lebrun ? Il est très gentil. Je vais m'arranger pour que tu viennes quand il sera ici. Dans trois jours, c'est le premier. Il va venir chercher son loyer pis voir les enfants. Je t'appellerai pour que tu descendes. Tu lui parleras de ton mari. Je sais une chose par exemple : monsieur Lebrun pis ton mari, ils se connaissent.

– Comment sais-tu ça ?

– Quand il lui a loué le logement, il nous a dit qu'il avait loué à un jeune homme qui travaillait avec lui.

– Il a dit que Louis travaillait avec lui ? Mais Louis est chauffeur de tramway.

– Peut-être qu'ils se connaissent dans une autre activité.

– Louis collectionnait l'argent pis les timbres. À part de ça...

Germaine se mit à rire.

– Mon beau-père, il collectionne pas l'argent, il la dépense. Pis les timbres, ça m'étonnerait. Il a pas le temps.

– Ce pourrait être quoi, ces autres activités, comme tu disais ?

– Je sais pas. Il a des réunions à quasiment tous les soirs. Je sais pas. Il est pas très raconteux, monsieur Lebrun.

• • •

Le premier du mois était arrivé. Le téléphone sonna. Émilia était en train de rêver à Louis. Elle l'imaginait vêtu de l'uniforme de l'armée, assis dans son avion, comme dans le film de Laurel et Hardy qu'elle avait vu avec lui. Monsieur Lebrun venait d'arriver. Émilia revêtit sa petite veste rouge, polit ses chaussures avec son mouchoir, se nettoya les dents avec la langue, replaça ses cheveux et descendit le grand escalier pour aller sonner chez Germaine. C'est Camillien qui ouvrit la porte.

– Pépère est ici. Tu veux le voir? Viens, je vais te présenter, dit l'enfant en attrapant Émilia par la main, la conduisant au salon.

– Ah, de la grande visite! dit Germaine avec un sourire de guingois. Le beau-père, je vous présente ma voisine d'en haut. Son mari s'est enrôlé dans l'aviation. C'est Émilia Turgeon. Elle est modiste. Mais comme le gouvernement a mis un frein à la haute couture, elle travaille pas fort ces temps-ci. Émilia, je te présente monsieur Jacques Lebrun.

– Bonjour, monsieur, glissa poliment Émilia.

Jacques Lebrun n'était pas né de la dernière pluie. En entendant le nom de Turgeon, il savait très bien pourquoi Émilia se trouvait devant lui. Il posa le regard sur sa bru en frottant les cheveux de la petite Réjeanne. Il préféra jouer le jeu.

– Ah, votre mari s'est enrôlé? C'est courageux, ça. Les Canadiens-français n'ont pas l'habitude de se porter volontaires pour aller se battre en Europe. Une chance qu'on a le cardinal Villeneuve pour prendre l'intérêt des Alliés. Vous n'avez pas d'enfants?

– Euh, non. On est mariés depuis pas longtemps.

– Vous travaillez dans les chiffons de femmes ?
demanda-t-il encore.

– On peut dire ça. Mais les ateliers de ma patronne
sont fermés pour quelque temps. On a eu du grabuge.
Son mari est Juif.

Jacques Lebrun, entendant cela, rougit un peu, probablement trop serré sous son nœud de cravate, pensa
Émilia. Il portait une veste de tweed écossais avec une
trame de soie brute, une chemise de shantung et une
cravate de tissu pékiné. Dans sa poche, Émilia reconnut un mouchoir poult-de-soie comme chez les hommes
riches qui accompagnaient parfois leur épouse aux
ateliers de Rosette. Elle connaissait l'étoffe et savait
reconnaître les gens bien vêtus.

– C'est pas drôle, les antisémites.

– C'est quoi ? demanda Camillien.

Son grand-père se mit à rire et attrapa Camillien
pour le poser sur ses genoux et lui embrasser le front,
à la naissance des cheveux. Émilia aurait voulu que
son père puisse se montrer aussi affectueux avec ses
enfants. Elle était immensément touchée chaque fois
qu'elle voyait un homme démontrer de l'affection à
un enfant. Rien ne lui faisait plus plaisir. Donatienne,
elle, avait su inciter Josephat à prendre les siens, à les
cajoler, à s'amuser avec eux. Quant à Délima, elle vivait pour ceux qu'elle avait mis au monde. Les siens.
Dolorès et Victor en voulaient quatre. Madeleine allait
se marier : elle en désirait au moins six. Josephat aurait
des bébés à embrasser. Mais pas ceux d'Émilia.

– Les antisémites, c'est des grosses bibites qui tuent les Juifs. Ils ne les aiment pas.

– Mais pépère, moman dit que Jésus était le roi des Juifs.

– Ils l'ont tué aussi. C'était des antisémites eux autres itou, répliqua Germaine en servant une bière d'épinette à son beau-père.

Émilia s'aperçut qu'elle ne tirerait rien de Jacques Lebrun. Mais elle tenta le tout pour le tout.

– Vous pensez que je pourrais savoir pourquoi ils sont venus fouiller dans mon logement, monsieur Lebrun ? C'est vous le propriétaire, peut-être que vous pourriez demander au chef de police ? Mon mari est parti sans m'embrasser. Germaine m'a dit que vous le connaissez. C'est vrai, ça ?

– Je le connais par personne interposée. Je ne l'ai jamais rencontré, mentit monsieur Lebrun.

– Je croyais que vous saviez...

Elle se mit à pleurer une fois encore, se moucha dans son petit mouchoir parfumé, puis s'excusant, elle monta chez elle, sans attendre la réponse de monsieur Lebrun.

Il dit à sa bru :

– Pauvre femme. Son mari s'est mis les pieds dans les plats. Ah, ces jeunes-là !

Il promit quand même à Germaine de faire sa petite enquête personnelle.

Puis il quitta aussitôt. Il semblait très embarrassé par cette histoire, selon ce que remarqua sa belle-fille.

Chapitre neuvième

Rosalie mit plusieurs mois à revenir de cette séparation voulue par le destin. Joseph tentait du mieux qu'il pouvait de l'entourer de tout son amour, de l'aider aux travaux ménagers, de lui bécoter le front, les mains, le cou à chaque fois qu'elle se blottissait dans ses bras, le soir, après avoir embrassé ses deux petits, mais la mort de la petite Marguerite ne la quittait pas. Elle demeurait souvent immobile, un lange rose entre les mains, le regard fixé aux nuages qui moutonnaient dans le firmament bleu, triste et négligeant même les pleurs de panique du petit Achillée. Le bébé grossissait bien, et il commençait à parler comme tous les poupons, communiquant avec quelques lallations caractéristiques, ce qui faisait bien rire Joseph. Ce dernier observait sa Rosalie en songeant à la femme de Nazaire qui avait perdu trois enfants atteints de tétanos et qui était pleine de son dixième. Il pensa que sa Rosalie était une femme différente des autres. Elle avait une capacité de perspective qui lui faisait voir au-delà du simple quotidien. Rosalie imaginait souvent Achillée en train de chercher le petit morceau qui lui manquait. Elle avait lu un article sur la gémellité et sur les liens indestructibles qui unissent les jumeaux, même si l'un d'eux était décédé. L'autre portait en lui tant de souvenirs utérins, de mouvements dans ses fibres, de présence intime, qu'il n'arrivait jamais à oublier.

Tous entouraient Rosalie et elle se portait de mieux en mieux, mais elle ne voulait plus faire l'amour avec son Joseph, hantée par une prochaine grossesse non désirée. Ce dernier s'éloignait de plus en plus. Donatienne s'en aperçut.

. . .

Joseph dirigeait maintenant les destinées de l'herboristerie sous l'œil approbateur de sa mère. Albert et Cécile avaient pris en main la fabrication du cidre et ils annoncèrent, un beau matin d'automne, qu'on allait produire un cidre sec qui porterait l'appellation *La petite Marguerite*. Lorsque tous les intéressés se furent rassemblés devant la boutique, près de l'entrepôt, Rosalie, jusque-là enfermée dans son mutisme, leva son verre bien haut, et à la grande surprise de tous – certains la croyaient devenue folle –, elle cria :

– Longue vie à *La Petite Marguerite* !

Après ce soir de fête, Joseph retrouva sa femme, débarrassée de ces diables qui jetaient sur elle leurs pensées noires. Rosalie retrouva le sourire et serra ses deux petits garçons contre sa poitrine. Le soir, un peu ivre d'avoir goûté au nouveau cidre, elle ferma elle-même la porte de leur chambre et demanda à Joseph de la dévêtir. Il prit son temps pour lui retirer un à un ses vêtements tandis que son sexe s'inondait de l'influx nécessaire à rendre sa joie à sa partenaire. Il forait par petites touches, lui donnant le temps de gémir délicieusement. Rosalie ne s'inquiétait pas que ses fils entendent son manque de vertu, pas plus que ses cris d'apothéose. Pour la première fois, croyait-elle, elle ne subissait pas les assauts de son Joseph, mais les réclamait comme une femme de joie, en exprimant son plaisir. Ses mamelons étaient aussi durs que des bouchons de cidre, sa bouche légèrement sucrée, son ventre aussi pétillant que le liquide fraîchement versé dans la coupe. Joseph prenait son temps, croyant avoir la berlue. Sa Rosalie était la maîtresse de leurs amours et il explosa dans une longue secousse, en retenant son souffle, puis alla étouffer ses râlements sur la poitrine moite de Rosalie. Ils demeurèrent ainsi durant de longues minutes, elle, heureuse d'avoir échappé à la folie, lui, conscient qu'il venait de se produire quelque chose de divin.

• • •

Dès le mois de mai suivant, les travaux de creusage reprirent de plus belle. Les hommes frappèrent une paroi rocheuse qui ralentit leurs espoirs de terminer l'abri avant le début de l'été. L'espace souterrain mesurait environ douze pieds par trente. À part Joseph et Donatienne, personne ne savait à quoi cette pièce souterraine allait servir. La plupart croyaient que ce serait une espèce de cellier naturel pour la conservation du cidre. Albert, lui, se doutait de quelque chose depuis qu'il avait lu que le ministre Arthur Cardin avait démissionné parce qu'il était opposé à la Conscription d'hommes aux forces terrestres, aériennes et navales, afin de les envoyer en Europe.

• • •

Le 22 juin, la porte fut posée. Fut aussi installée l'armoire qu'avait fabriquée Albert durant l'hiver, une grosse armoire à faux arrière, munie d'un miroir et de tablettes pour y installer des produits à vendre et surtout – même si Donatienne ne l'avait pas informé de son usage –, pour camoufler l'entrée de la pièce fraîchement creusée. C'est lorsque tous les membres de l'équipe furent réunis pour les préparatifs de l'été que Donatienne confirma ce que la plupart savaient: il s'agissait d'un bunker qui allait permettre de cacher Joseph et cinq autres des hommes de leur entourage pour que jamais ils n'aient besoin d'aller à la guerre.

Le gouvernement fédéral avait ordonné un plébiscite au sujet de l'aide du Canada aux forces alliées en Europe. Le Québec vota majoritairement contre. Le reste du Canada fut en faveur et plusieurs ministres québécois durent s'opposer fermement à l'envoi de leurs concitoyens dans le but de se battre contre l'Allemagne et l'Italie, entre autres. Albert avait pour impression que le Canada opprimait les Canadiens-français, au même titre que les Alliés défendaient, eux, les minorités mondiales. Donatienne n'aimait pas parler de politique, et de guerre encore moins. Quand Joseph, Albert Fréchette et Nazaire Lacroix avaient la moindre chance de s'asseoir autour d'un baril renversé et qu'on leur servait un vin de cerises ou du cidre, la conversation tournait autour de cette guerre qui faisait rage. Ils reluquaient alors du côté du bunker et reprenaient confiance en la vie.

. . .

À la fin, le bunker comportait six couchettes confortables, une glacière, une table et six chaises, quelques armoires contenant de la vaisselle, des couvertures de laine, et une fosse d'aisance munie d'un câble sur poulie pour la vidange. Deux orifices camouflés servaient d'aération et la cheminée d'un petit poêle de fonte avait été attachée à la grosse cheminée de la boutique Donatoka afin que jamais qui que ce soit ne put détecter une présence domestique, tout en permettant de chauffer l'endroit. La guerre pouvait durer encore quelques saisons si l'on se fiait aux journaux.

. . .

– Faudra choisir les gars. Y'en a des vrais poisons qui peuvent faire de la chicane. Joseph choisira lui-même ses compagnons. Nazaire a deux fils qui ont l'âge de s'enrôler, ça fait trois, exposa Donatienne.

– Les trappistes peuvent en cacher une bonne gang. Jamais la police ira fouiller chez eux, déclara Albert. Y'ont juste à les habiller en moines pis le tour est joué.

On sait que les moines ont pas besoin d'être enrôlés. Pour une fois, ils auront une bonne raison d'être enfermés avec leur bon Yeu!

– Y'a-tu tant que ça de garçons qui ne voudront pas aller à la guerre? demanda Cécile.

– Les Canadiens-français en majorité veulent pas aller se battre pour les Anglais. Y va en avoir pas mal qui voudront déserter s'ils les obligent à s'enrôler. On n'est pas faits pour se battre, icitte! répondit Albert qui aurait pourtant voulu avoir deux ou trois fils.

– Ici, ils vont jamais les trouver, dit Donatienne en rêvant.

– Y'aura de la place pour toi, Nazaire, pis toi, Albert. Le gouvernement va peut-être bien en vouloir des plus vieux aussi, ajouta Joseph en riant.

Il n'avait pas le cœur à laisser sa Rosalie toute seule avec sa peine et ses deux fils. Adrien jouait avec Martha, la vieille chienne noire sur qui la vie glissait, témoin du lot quotidien des Crevier. Donatienne avait préféré que Martha finisse ses jours chez Joseph et Rosalie à voir grouiller les enfants, à lécher les menottes et à subir les désagréments causés par la maladresse d'Adrien et du petit Achillée.

C'est fou ce qu'un chien peut vivre longtemps, songeait-elle souvent. Elle savait que l'animal portait en lui tous les souvenirs de cette vie insouciante qu'il avait connue, ces hivers crus, ces pluies sous lesquelles il fallait marcher contre vents et marées, la touffeur des étés, l'ombre fraîche sous les pommiers, et l'arrivée joyeuse de la visite. Martha était la gardienne du bonheur, comme l'avait surnommée Rosalie. Sa petite sœur Fleur-Ange, elle, détestait Martha pour sa truffe humide qui mouillait les jarrets, la puanteur de son haleine de vieille chienne, et sa manie toute canine de tourner cent fois sur elle-même avant de s'affaler en rond de chien. Cécile avait tout essayé pour que sa fille cadette aime les animaux, mais tout passait par le dégoût des odeurs putrides, la saleté de la terre mouillée et des écoulements de bave animale. Fleur-Ange détestait aussi les mouches, les grenouilles, les gros chats – seuls les petits minous attiraient ses caresses maternelles –, les coccinelles, les pucerons et les corbeaux charognards. Cécile disait en riant : « Ma plus jeune va finir ses jours en ville, je vous le jure ; la campagne, c'est pas pantoute pour elle. »

– Y faudra remplir l'armoire de conserves, m'man.

– Oui, il y a déjà des confitures de sorbier des oiseaux, c'est bon pour la vitamine. Des cornichons en masse, des fèves au lard, du sucre pis du café. Nazaire va fournir le chou pis la citrouille. De toute manière, tant qu'on ne se sentira pas observés, Joseph, vous allez pouvoir grouiller autour sans crainte. De chez eux, Cécile et Albert peuvent voir arriver les chars qu'on n'attend pas.

– À moins qu'ils viendraient en aéroplane ! ajouta Albert.

– Je pense qu'on n'a pas besoin d'avoir peur de rien. Personne ne peut deviner qu'on a une cachette dans l'arrière-boutique. Ça fait que, m'man, une bonne bouteille de la *Cuvée* pour fêter ça !

C'est vers huit heures que les Fréchette, Rosalie, Joseph, Nazaire, Donatienne et les deux enfants, assis sur des barriques dans l'Herboristerie, purent enfin savourer leur joie d'être si éloignés de la grande ville, se croyant à l'abri de la guerre qui entamait sa deuxième année.

Donatienne aperçut Rosalie en train de chercher la main de Joseph, la presser dans les siennes en fixant ses deux fils, puis la monter près de ses lèvres pour l'embrasser, les yeux fermés. Un geste comme celui-là était présage d'un rapprochement, se dit-elle. Elle ferma les yeux à son tour en souriant et se dit que tout n'était pas perdu. Elle allait avoir une conversation avec Rosalie au sujet de la méthode de la température corporelle et des moments où il est mieux de ne pas risquer une grossesse. Les filles n'étaient pas assez renseignées et Cécile, trop prude pour parler à sa fille de contrôle de la famille et de sexualité pour le simple plaisir. Tant que les hommes du gouvernement allaient perpétuer cette maudite guerre, il ne fallait pas leur donner trop de fils.

Joseph, qui avait manqué la présence d'un père, avait développé envers Adrien et Achillée un amour presque maternel. Il avait commencé à enseigner à Adrien – et s'était promis de faire de même pour Achillée – les rudiments de la pêche, comment enfiler un ver gras et grouillant à son hameçon, décrocher le poisson sans lui tirer ses entrailles ; l'art de sculpter un sifflet dans une branche de pommier, la manière de humer le jus de pomme, d'installer les pièges et de lever les collets, puis de placer les prises dans la gibecière de manière à ne pas mêler les effluves de chacune. Mais surtout, Joseph aimait la présence de ses fils et il les embrassait aussi souvent qu'il en avait envie, les pressait contre lui pour les aider à s'endormir les soirs où l'orage éclatait comme les bombes de cette guerre qui rugissait là-bas, dans les tranchées où le sang coulait en serpentant. Il allait leur transmettre tout ce qu'il savait et surtout, leur apprendrait le respect de leur mère et de leur grand-mère. Plus tard, lorsqu'il lui arrivait de songer à la petite Marguerite, c'était comme une pensée évanescente qui ne lui brisait plus le cœur. Il estimait que la vie était ainsi faite et que le chrétien n'était pas armé pour changer le cours des choses.

Au village, les rumeurs allaient bon train.

Chapitre dixième

É milia décida de rappeler Jeanne qui avait toujours été de bon conseil. Rosette, elle, était très inquiète du cours des événements et elle se faisait du sang de punaise depuis l'interdiction du gouvernement Mackenzie de permettre aux femmes de porter des vêtements selon la mode américaine et surtout parisienne. Il avait déclaré que même les fermetures éclair ne devaient pas être posées, de même que les falbalas, les dentelles, les ceintures, les ornements et les fanfreluches. Les usines de guerre avaient besoin de tout le métal disponible pour fabriquer des munitions et il était hors de question d'importer les étoffes en provenance des pays ennemis. Beaucoup de tissu fin était fabriqué en Italie et la soie, au Japon, pays avec lesquels les ponts avaient été coupés.

Émilia n'avait eu aucune nouvelle de Louis, mais la veille, elle en avait eu de Délima, sa belle-mère, qui, en larmes, affirmait que Josaphat la trompait.

– Depuis qu'il s'est ramassé à l'hôpital pour sa maladie de cœur, il était redevenu plus collant, mais depuis un mois, je le reconnais plus. Émilia, t'es sa fille, parle-lui donc! Sinon, je vais... je vais mourir!

Délima avait pris beaucoup d'âge et de poids. Ses 41 ans lui pesaient et elle commençait à connaître les questionnements des vieux couples. Ses cheveux oxygénés étaient aussi secs et raides que la paille de la crèche de Noël, et ses mains qui avaient trempé dans l'eau de Javel et le détersif plus souvent qu'à leur tour, qui avaient piqué dans le coton rêche des courte-pointes, n'avaient plus la douceur de ses 18 ans. Sa taille avait pris la forme d'une poire et ses yeux s'étaient délavés comme une encre mouillée. Elle avait conservé sa voix de fillette, ses accents grossiers et sa bouche rose de laquelle sortaient des mots totalement tordus. Une poubelle devenait une *poupelle,* et formidable devenait *formilable;* éparpillé devenait *éparpillonné.* Ses enfants passaient leur temps à se moquer de ces mots bizarres qui se terminaient toujours dans le rire et les moqueries. «Comme dirait Délima» était une phrase très prisée dans sa famille.

Émilia n'arrivait pas à avoir pitié de Délima. Celle-ci se lamentait, en tenant son petit mouchoir dans le creux de sa main repliée, et tenta à deux reprises de se blottir dans les bras de sa belle-fille qui lui refusa cette hospitalité. Délima avait toujours mieux apprécié ses enfants qu'elle nommait elle-même *du deuxième lit,* sans toutefois s'apercevoir que le premier lit avait été là avant elle et par conséquent, qu'elle était toujours restée la seconde dans la vie de Josaphat.

– Vous devez vous énerver pour rien, ma tante. Popa n'est pas du genre à tromper sa femme. La Ville le tient bien trop occupé, vous le savez bien, expliqua Émilia en vouvoyant sa belle-mère pour la tenir à distance.

– Parle-z'y, Émilia.

Émilia observa cette femme qui quémandait comme une pauvresse, les yeux rougis par les larmes, la bouche cerclée de rides en éventail, les dents jaunies par négligence. Elle ne l'aimait pas, mais ne pouvait se résoudre à la détester tout à fait.

– Comment vont les enfants ? demanda Émilia.

– Il en reste rien qu'une à la maison, comme tu sais. Gertrude est pas à veille de se marier avec sa patte infirme. La semaine passée, on l'a amenée à Sainte-Anne-de-Beaupré. Quand elle a descendu l'allée du milieu sur ses béquilles, ton frère Marcel lui a dit : « Gertrude, lâche tes béquilles ! » Tu le sais, y'a des béquilles partout sur les murs à cause des miracles. Gertrude s'est mise à rire. Elle a failli tomber à pleine face sur le plancher.

Tout en racontant, Délima soulageait sa peine. Elle était ainsi faite : elle passait rapidement de l'orage au mode ensoleillé au gré de ses pensées qui se chevauchaient.

– Je vais lui parler, à popa, vous inquiétez pas.

• • •

Jeanne était très heureuse de revoir Émilia qu'elle savait être très affectée par le départ précipité de Louis. Quand Émilia entra dans la maison, elle éprouva un gros chagrin de l'avoir un jour quittée. Elle était si placide alors. Sa vie était devenue un étau autour de son âme et elle se demandait sans cesse pourquoi les hommes étaient tous des pleutres. Ou ils abusaient de sa candeur, ou ils devenaient d'immondes tortionnaires. Louis n'avait pas échappé à ce changement de caractère qui était resté un mystère pour Émilia.

– Entre, mon chou. Viens, je vais te faire un thé d'églantine, ça va te ravigoter. Pauvre cocotte, ton Louis est parti pour la guerre. Il t'a donné des nouvelles, j'espère ?

– Rien. Je sais plus où donner de la tête. Délima, elle, est venue brailler que mon père la trompait. Elle est complètement folle.

– Tu crois que ça serait possible ?

Émilia ne répondit pas tout de suite. Son père était un homme et les hommes étaient très surprenants. Elle pouvait très bien l'imaginer hors des griffes de sa tante Délima qui ne les avait jamais considérés, elle et son frère Victor, comme ses propres enfants. Josaphat était un homme de qualité et il pouvait très bien trouver Délima trop commune. Aux côtés de son mari, Délima avait certes appris quelques mots nouveaux et avait réussi à en corriger d'autres, mais aussitôt qu'on la rencontrait sans Josaphat, elle retombait dans ses vieilles habitudes. Alors, naissaient *les encoltures, les égourdissements, les troumboums, les cartrons et les chessoirs.* Avec elle, Gertrude ne progressait pas beaucoup et jamais ne lui serait-il venu à l'idée de lire un roman français ou d'aller au théâtre.

– Non seulement, ça ne me surprendrait pas, mais je le souhaiterais, laissa tomber Émilia pour ensuite se mettre à rire.

– Tu vois, les problèmes des autres, ça fait du bien à l'âme, des fois.

Jeanne versa l'eau bouillante dans les deux tasses et une longue odeur de roses fleura dans l'air de la cuisine. Les deux amies se sentaient bien. Elles se demandaient pourquoi les hommes n'aimaient pas se retrouver face à face pour discuter devant une tasse de thé sans songer à l'Ennemi, à l'Économie ou à leur Zizi qu'elles disaient être directement connecté au cerveau, en s'étouffant de rire.

– Dès qu'ils vieillissent, ils commencent à penser au temps que leur bébelle ne leur servira plus, alors ils redoublent d'énergie. Ton père est dans l'âge maudit. Dans quelques années, il ne pourra plus honorer les femmes. Laisse-le faire, qu'il en profite donc! Après, il va rester assis dessus pis il va jouer à la patience au bout de la table et sucer des bâtons forts.

– Tu as bien raison. Mais je vais quand même lui en parler. J'aimerais avoir un petit secret avec mon père. Rien qu'un.

– Il ne va pas t'avouer qu'il trompe sa Délima, toujours?

– Pourquoi pas?

Elles discutèrent tout l'après-midi en riant et Émilia oublia pourquoi elle était venue chez Jeanne. C'était le but de l'exercice.

• • •

Josaphat fixa Émilia de son regard mouillé et lui sourit. Il n'avait pas l'impression d'être devant un juge. Il avait toujours été fidèle sauf depuis qu'il avait fait la connaissance de la belle Juliette, qui n'était pas sans lui rappeler Donatienne. Peut-être avait-il été attiré par cette jeune serveuse de chez Ben's grâce à sa ressemblance avec Donatienne qu'il n'avait jamais totalement oubliée. Comment oublier cette première fois, alors qu'ils avaient fait l'amour dans la baignoire où il avait découvert une fille de feu, une beauté enivrante, une maîtresse qui ne pouvait pas devenir une femme de maison. Donatienne était restée une image comme ces filles des calendriers qu'on pouvait voir dans la plomberie de Victor. Une image floue qui lui brûlait le ventre. Juliette ressemblait à Donatienne et lui rappelait son jeune temps.

Délima avait perdu sa fraîcheur, sa peau de pêche, sa bouche de bonbon. Elle criait après les petits voisins comme une corneille et ne s'entendait avec personne. À la maison de Lachine, seule Gertrude était restée douce et joyeuse, pauvre petite infirme inconsciente.

– Je suis pas malheureux avec Délima, ma fille. Elle a été une bonne femme et une bonne mère. Mais elle est rendue drabe. Tout ce qui m'excitait avec elle au début, je le retrouve chez ma Juliette.

– Vous allez laisser Délima?

– Es-tu folle? Je suis bien avec Juliette parce qu'elle ne lave pas la vaisselle, qu'elle ne passe pas la moppe sur le plancher, qu'elle ne sent pas le swing, qu'elle a des belles dents blanches, parce que...

– Parce qu'elle a rien que ça à faire que de se mettre belle pour vous, popa. Je suis contente pour vous. Arrangez-vous pour que Délima vous soupçonne pas, c'est tout!

– Je peux pas l'empêcher. Les femmes ont le troisième œil. Elles devinent tout rien que par les odeurs, un cheveu blond qui traîne, un parfum inconnu, une habitude qui change, un mot échappé. Elles ne voient pas combien elles, elles changent par exemple.

– Je vous reproche rien, popa. Moi, j'avais un amour, pis il est parti. Vous, vous avez l'embarras du choix. C'est pas juste.

– Louis ne te mérite pas, ma poulette. Même s'il revenait de l'autre bord. Il a voulu s'enrôler, il a fait un choix. T'as pas besoin de l'attendre. Tu as la bénédiction de ton père. On peut pas faire la vie des autres, Émilia.

– J'ai l'impression qu'il n'a pas choisi de s'enrôler, popa. Ils l'ont forcé à le faire. Faut que je trouve ce qui s'est passé. Il y a mon propriétaire, monsieur Lebrun, qui a l'air d'en savoir long sur le sujet. Je vais le rappeler. Il y a quelque chose de louche dans ça.

– C'est pas mal bizarre, en effet. Je vais voir sur mon côté. Le foreman connaît bien des policiers, peut-être qu'on peut savoir pourquoi ils sont entrés chez vous comme des voleurs. Pauvre chouette.

Josaphat embrassa Émilia, puis la pressa contre sa poitrine. Elle se sentit comme une petite fille, soupirant de bien-être.

・・・

Une autre nouvelle attendait Émilia lorsqu'elle entra chez elle. Une lettre jaunie, ainsi que deux comptes au nom de Louis Turgeon. Elle reconnut immédiatement l'écriture grossièrement formée de la petite lettre. Elle prit le temps de retirer ses gants et sa vareuse, et les posa sur le dos du fauteuil. Le sceau de la poste indiquait Lachine. Mais quatre lettres formant l'inscription RCAF ne lui disaient rien qui vaille. Elle ouvrit, déplia le papier, et lut en se tenant la poitrine.

Toronto

Chère sœur,

Je me suis dit qu'après tout, il valait autant que tu apprennes la nouvelle par moi que par tout autre membre de cette noble famille dont nous sommes les premiers rejetons.

Mercredi matin, j'ai passé à l'examen médical et, enfin, j'ai été accepté... comme étudiant pilote. Tu penses si je suis content! C'est vraiment tout ce que j'ai en fait de nouvelles. L'événement m'a tellement excité, que j'ai oublié tout le reste.

Toronto est, avec constance, solennel et ennuyeux. Je m'ennuie par politesse. Écris-moi pour me donner de tes nouvelles. Dolorès a pleuré comme une madeleine. Tu devrais t'occuper d'elle dans tes temps libres. Quant à papa, je lui ai posté ma lettre le lendemain de la tienne. Il saura une journée après toi. Je ne crois pas qu'il sera content car il haït la guerre. Mais il ne souffrira jamais trop puisque ce qui m'arrive depuis ma naissance ne l'a jamais préoccupé vraiment et je ne parle pas de Délima. De là-haut, dans mon avion, je penserai à toi et à notre rêve d'enfants de voler comme les oiseaux. Ne t'en fais pas pour moi.

Ton frère heureux
Victor Trudel

Émilia tomba assise sur le fauteuil. Complètement démolie. Elle crut mourir.

Chapitre onzième

Adrien tentait d'amuser son petit frère en peinturant la tôle ondulée de la remise avec de vieux pinceaux et un seau d'eau froide. Les enfants recommençaient en tentant d'aller plus vite que les rayons du soleil qui agissaient en buvard aussitôt la tôle mouillée. C'est alors qu'ils dessinaient le portrait de leur grand-mère, celui d'Achillée et celui de la chienne Martha, que la voiture noire descendit la coulée du côté du lac des Deux-Montagnes. Albert et Cécile avaient bien vu l'automobile, mais le temps de s'habiller chaudement et d'aller avertir Donatienne, puis de se rendre chez Joseph, il était déjà trop tard. La voiture empruntait la petite route graveleuse qui menait à l'herboristerie.

Adrien cria le plus fort qu'il put. Donatienne l'entendit et mit plus de trois minutes avant de comprendre ce qui se passait. Quand elle sortit, deux hommes lui faisaient signe. Deux hommes semblables à ces deux policiers qui avaient enquêté sur la mort d'Ubald Lachance. L'un d'eux portait un uniforme déjà bien argenté qui lui conférait un air de colonel. Au moment où ils s'adressèrent à elle, Donatienne put apercevoir, entre leurs deux épaules qui se touchaient presque, ses hommes disponibles se faufiler à l'intérieur de l'herboristerie comme des lapins dans leur clapier. Pas une réaction sur son visage. Adrien, tel qu'on le lui avait commandé, entraîna Achillée dans la maison, comme si de rien n'était. Il savait que s'il agissait autrement, les hommes en noir comprendraient que quelque chose de louche se passait.

– Nous chercher Joseph Crevier. Il habite ici? demanda le plus âgé des deux hommes avec un accent anglophone terrible.

Donatienne leur sourit avec générosité.

– Joseph est mon fils, mais il travaille en ce moment sur un chantier naval. Dans le bout de Tadoussac. Vous lui voulez quoi, au juste?

– Il doit s'enrôler.

– Depuis quand les hommes avec enfants doivent s'enrôler?

– Depuis qu'ils abandonnent leurs enfants pour aller travailler à Tadoussac, madame, répondit le second avec un air complaisant. Je vous donne ceci – *il lui tendit un formulaire* –, il doit le remplir avant Noël. Et il doit revenir de là-bas le plus tôt possible, termina-t-il en insistant sur la dernière phrase.

Donatienne sut alors que les deux hommes n'allaient pas lâcher prise, rien qu'en apercevant leur air sceptique, et qu'ils allaient revenir pour chercher Joseph.

La voiture prit le rang d'à côté: les deux policiers avaient aussi d'autres noms sur leur liste. Donatienne avait eu le temps de voir le nom d'Antonin Bouchard et d'Hervé Mailhot. Elle aurait voulu les avertir, mais songea égoïstement qu'elle allait s'occuper de ses propres plates-bandes.

Quand elle entra dans le bunker derrière la boutique, elle soupira. Personne n'avait replacé la grosse armoire devant la porte. Elle se dit qu'il fallait faire des exercices de pratique afin que les hommes puissent fuir prestement et en toute sécurité. Elle annonça à tous que ses deux petits-fils avaient été parfaits, même qu'ils pouvaient donner l'exemple aux adultes. Joseph était fier.

• • •

Les hommes se mirent donc au travail. Profitant d'une journée encore chaude et enveloppante de cette fin d'automne, ils procédèrent à l'extraction du jus des pommes à moitié gelées et bientôt, toute cette partie de la contrée okoise exhala le fruit qui était plus sucré que les autres années. Donatienne aimait l'automne quand venait le temps du jus et celui de la macération. Une partie des barriques était déjà prête à embouteiller ; l'autre, macérait lentement, le froid ralentissant ses ardeurs, mais allait donner un cidre plus doux et plus sucré si l'on se fiait aux dégustateurs.

En effet, sous une pluie de feuilles mortes précipitées par le vent, Nazaire Lacroix, Albert, Jos Lamouche (un Indien qui s'était joint à leur groupe), Joseph et Donatienne dégustaient à petites lampées le liquide doré qui les maintenait tous en vie. Cécile travaillait à la nouvelle étiquette *La petite Marguerite* qui allait proposer un cidre plus sec selon une recette des moines.

Donatienne songea alors à Michel, et sa rage envers lui se décupla quand, parallèlement, elle pensa à son abandon, à son manuel sur la flore du Québec ainsi qu'à son indifférence envers elle. Chaque jour que le bon Dieu amenait, elle cherchait un moyen infaillible de se venger.

Madame Bemmans, quant à elle, se hâtait de venir l'informer de tout ce qui touchait le père Michel qui, depuis quelques mois, arpentait les marais de la province à la recherche de la thelyptéride, de l'eupatoire à feuilles d'ortie – qui avait tué tout un troupeau de moutons –, et de viorne cassinoïde. Il enseignait au Jardin botanique du frère Marie-Victorin avec lequel il s'était finalement lié d'amitié, même si leurs congrégations religieuses nageaient dans l'adversité constante. Dom Léonide, de son côté, faisait tout pour plaire à Michel afin de le garder chez les moines. Madame Bemmans, qui accompagnait souvent le père Michel, se vantait devant Donatienne de cette amitié grandissante. Elle ajoutait toujours au début d'une phrase: *comme le dit le père Michel*, ce qui tapait sur les rognons de Donatienne.

• • •

Elle avait les yeux mi-clos, réfléchissant à sa vie, quand une deuxième voiture se pointa au bout de la route. Cette fois-ci, Cécile se montra assez alerte pour avertir ses hommes à temps. Ces derniers filèrent derrière la grosse armoire et Donatienne eut amplement le temps de la replacer devant la porte du bunker. Quelques jours auparavant, Donatienne avait constaté que si elle pouvait facilement déplacer la grosse armoire, par contre, il lui était impossible de le faire sans renverser bouteilles et flacons qui s'y trouvaient. Aussi avait-elle demandé à Albert de les coller aux tablettes, ce qui lui permettait de déplacer l'armoire sans que rien n'y paraisse.

C'est à bout de souffle que Donatienne accueillit le même lieutenant – elle remarqua qu'il avait deux médailles de plus –, accompagné d'un homme plus âgé que celui de la première visite.

– Madame Crevieure, nous avons des raisons de croire que votre fils Jos . .

– Joseph Cre... vier, mon colonel! rectifia Donatienne en saluant comme dans l'armée.

– Je ne suis pas colonel, madame. Lui, c'est le colonel David Lévis. Selon nos recherches dans le General Store du village, il y aurait ici Joseph Crevieure et un Nazaire Lacroix qui travaille pour vous. Ils sont sous arrestation, madame!

– Je vous l'ai dit. Ils ne sont plus ici. Ils sont sur un chantier...

– Nous avons tout vérifié. Nous sommes allés chez les Trappistes du fromage Oka, et on nous a dit... commença le colonel Lévis, interrompu par Donatienne au bord de la crise.

– Qu'est-ce qu'on vous a dit au juste à la Trappe d'Oka, monsieur Lévis ? Est-ce qu'on vous a dit qu'un certain frère Ulric Trottier est un citoyen qui se cache pour ne pas s'enrôler ? Est-ce qu'on vous a dit que c'est le père Michel qui s'occupe de cacher tous les jeunes hommes en leur faisant porter une robe de moine ? Est-ce qu'on vous a dit que le père Michel a des contacts avec des moines italiens ? Vérifiez de ce côté-là et vous aurez des surprises. Sous des airs de pauvres hommes, vous trouverez peut-être des ennemis du Canada qui empêchent nos jeunes d'aller défendre notre cher Empire britannique. Le père Michel a été mon conjoint pendant plusieurs années, donc je suis au courant de tout. Il est à la Trappe, votre gros poisson, pas ici, colonel Lévis.

Le soldat ne savait pas pourquoi, mais il fut certain que cette femme ne mentait pas. Tous les deux, ils saluèrent Donatienne et retournèrent prestement à leur voiture où les attendait un jeune chauffeur portant un béret tout neuf. Donatienne tenait ainsi sa vengeance après l'avoir mijotée depuis plusieurs mois. Elle souhaitait que les deux soldats l'aient crue. Aussitôt pensa-t-elle à Michel, à ses cheveux grisonnants, à ses mains velues qui soulevaient une plante grêle avec tant de déférence, mais aussi une certaine conscience de la tuer en l'arrachant du sol ; elle revoyait ses gestes maladroits lorsqu'ils faisaient l'amour les premiers mois de leurs fréquentations, et son attachement à Dieu surtout. À cet instant même, elle se mit à le détester. Comment un homme aussi intelligent pouvait-il aimer un être invisible avec tant de certitude ? Donatienne était résolument enragée contre ce Dieu et elle avait élevé Joseph dans les mêmes convictions. C'est ce qui distinguait le plus les Crevier des autres familles : ils n'allaient jamais à l'église pour les offices. Jamais. Joseph n'était plus allé à l'abbaye depuis que Michel y était retourné. Tous étaient d'accord à penser que le moine avait répondu à l'appel de l'orgueil, qu'il avait consenti à les quitter dans le seul but de profiter des faveurs de sa communauté qui allait lui permettre de poursuivre ses recherches en botanique sans s'inquiéter de son avenir. Il avait de plus échappé lui aussi à l'enrôlement et ainsi, au devoir de se battre en Europe. Tous ignoraient cependant ce qu'il adviendrait de Michel après la visite des responsables du recrutement qui venaient de quitter celle qui tenait là sa vengeance. Comme la veuve noire qui dévore celui qui vient d'insérer la vie en elle.

• • •

Quand le colonel David Lévis constata qu'on lui ouvrait la guérite, il entra avec une fierté toute militaire et, flanqué de son acolyte, salua respectueusement le frère portier et demanda à rencontrer le directeur. Devant l'hésitation facilement perceptible du jeune frère, le colonel se tourna vers la route et indiqua trois autres véhicules de la police de l'armée qui étaient stationnés devant les portes de l'abbaye. Le frère Sylvain ouvrit lentement la barrière, sans parler, sans démontrer le moindre énervement. Pourtant, il ressentait une vague monter jusqu'à sa gorge, et son cœur s'exciter.

– Dom Léonide est aux Vêpres. Puis-je quelque chose pour vous ?

– Allez le chercher. Il faut que je le voie immédiatement, insista Lévis. C'est de la plus haute importance.

Le jeune frère releva ses jupes et courut jusqu'au bout du couloir qui fleurait la soupe au chou et la cire à parquet. Au bout de quelques minutes, un grand moine en bure grossière, le crâne chauve et le sourire agacé, vint à la rencontre des hommes de l'armée canadienne. Il se doutait bien de la raison de leur visite.

– Oui, messieurs, que puis-je pour vous ?

– Nous laisser entrer, mon père.

. . .

Le colonel Lévis et ses officiers subalternes ressortirent avec douze jeunes convers complètement affolés. L'un des soldats tenait le père Michel, mains attachées derrière le dos, accusé d'avoir voulu soutirer aux Forces armées canadiennes tous ces jeunes garçons – certains ayant à peine 16 ans – qui représentaient de la fibre de soldats beaucoup plus que de la fibre de moines. Quelques citoyens, la plupart des femmes, se tenaient près de la grille et criaient des injures aux membres de l'armée, et plusieurs furent menacés d'être arrêtés sur-le-champ.

. . .

C'est Clara Bemmans qui vint au colportage. Donatienne la reçut pour une fois avec un malin plaisir. Ils avaient emmené le père Michel et on s'attendait à ce que les journaux rapportent cet événement scandaleux pour les uns, et courageux pour les autres.

. . .

LA TRAPPE D'OKA,
UNE CACHETTE
POUR LES JEUNES DÉSERTEURS
Le Père Michel arrêté

pouvait-on lire à la une des médias du week-end suivant. Traditionnellement, l'armée canadienne gardait ses faits et gestes plutôt bien cachés, mais un entrefilet au sujet de cette affaire se rendit jusqu'aux oreilles de l'éditorialiste Marchildon. Le père de ce vieux journaliste était mort lors de la Première Guerre et il ne pouvait supporter que des jeunes gens en parfaite santé puissent se soustraire à la conscription. Le lendemain de l'arrestation du père Michel, il se rendit à l'abbaye sous une fausse identité et après avoir assisté à la messe, il fureta, explora les lieux, puis questionna les pères plus âgés dont il ne tira presque rien. Il se rendit ensuite au village où il tomba, hélas, sur madame Bemmans qui se fit un plaisir de tout lui raconter dans les moindres détails. Quand Anatole Marchildon remonta enfin la route graveleuse le menant à l'Herboristerie Donatoka, il tomba sur Nazaire qui ne crut pas nécessaire d'aller se réfugier dans le bunker. Le journaliste posa des questions, mais ne reçut aucune information susceptible de lui mériter le prix Pulitzer du journalisme d'enquête. Il retourna à Montréal en se disant que les jeunes Québécois étaient de vrais pleutres, et que le père Michel méritait la potence!

. . .

Bientôt, les journaux ne parlèrent plus que du père Michel et de ses esclandres. *Le père Michel est sorti momentanément pour vivre avec une femme d'Oka. Le père Michel a volé des découvertes au frère Marie-Victorin. Le père Michel est retourné chez les moines cisterciens pour publier son livre, damant ainsi le pion au célèbre frère botaniste. Le père Michel aimait beaucoup les petits garçons...* sous-entendant le départ inopiné d'un jeune moine français qui entretenait avec le père Michel des relations étroites et jugées malsaines.

Les rumeurs allaient bon train. Les commères d'Oka s'en donnaient à cœur joie, croyant que les fils des unes et des autres avaient, eux, échappé à la conscription. Aucune ne connaissait la cachette des Crevier. Personne n'était au courant. Joseph était en sécurité. Avec l'aide d'Albert, il coupa un boqueteau de mûriers qui cachait la vue de la grand-route de chez les Fréchette. Après cela, Cécile pouvait, de sa cuisine, apercevoir toute voiture qui pouvait se rendre chez Donatienne et à l'herboristerie.

. . .

Puis ce fut la Noël.

Les Fêtes de la Nativité et du Premier de l'An avaient de l'importance chez les Crevier et leur entourage. Ils n'allaient pas à l'église, mais fêtaient allègrement entre eux. Les Fêtes de 1942 se passèrent dans l'inquiétude. Les recruteurs savaient que les fils aptes à défendre leur pays étaient pour la plupart rendus de l'autre bord de l'Atlantique et que ceux qui étaient paisiblement assis autour de la table familiale n'avaient pas l'intention d'aller se battre. Et les sergents recruteurs n'avaient pas l'intention de lâcher prise.

Donatienne décora le grand sapin qui guettait devant la porte de sa maison. Albert et Cécile firent de même. Il ne fallait pas montrer à qui que ce soit que la guerre mettait de la cendre au fond de leur gorge et que l'on avait l'impression de respirer l'âcreté des bombes. Pour certains garçons, leur curiosité envers les avions les attirait vers les écoles d'aviation et plusieurs partaient afin d'apprendre à piloter sans même s'apercevoir qu'ils étaient déjà dans l'antre de la mort. Viateur Saint-Louis, Marcel Piché, Jean-Louis Caron et Michel Poudrette de la région des Basses-Laurentides ne revinrent jamais pour raconter les raids et les explosions aériennes dont ils avaient été témoins puisqu'ils en furent eux-mêmes les victimes.

Le réveillon de la Noël rassembla tous les proches de Joseph et de Donatienne. Adrien et Achillée s'installèrent devant les chandelles de verre dans lesquelles des bulles montaient vers la lumière ; le plus jeune aimait particulièrement les petits oiseaux avec la queue en

balai et les personnages en verre coloré que Donatienne avait ramenés de son enfance à Lachine. Sous la
dernière branche, Joseph avait installé la crèche, dans
laquelle il avait posé deux Jésus de cire, deux vierges
Marie, en plus d'un saint Joseph. Il expliqua à ses fils
que grand-maman Donatienne avait un fils, une bru et
deux petits garçons. Il avait sculpté dans le bois sec un
chien et deux chats parce qu'il n'était pas question que
ses deux fils reçoivent l'haleine puante d'un bœuf et
d'un âne.

— T'as oublié quelque chose, p'pa ! dit Adrien.

— Quoi, mon homme ? demanda Joseph.

— T'as pas mis de soldats pour protéger la crèche.

Pas un adulte ne répondit à Adrien. Cela représentait une évidence trop douloureuse.

Alors qu'ils fêtaient la Noël et que les garçons dé-
ballaient les cadeaux qu'on leur avait offerts, Cécile les
avertit que deux voitures dévalaient la côte et se diri-
geaient vers la maison de Donatienne.

Les petits se mirent à pleurer. Joseph se cacha dans
le bunker pendant que Donatienne faisait glisser l'armoire devant la porte. Et quand elle sortit, une voix
qu'elle reconnut lui dit :

— Bizarre que vous soyez dans votre magasin en
plein pendant le réveillon, madame Crevier, et toute
en sueur, à part de ça !

— Bizarre que vous soyez rendu à Oka en plein pendant de réveillon, monsieur Lévis ! Vous ne respectez
pas la trêve, vous ?

— Je suis ici pour autre chose, madame Crevier.

Notre gouvernement veut envoyer tout votre cidre pour nos troupes en Angleterre. J'ai ordre de tout saisir pour lundi en 5. Évidemment, on va vous offrir une compensation. Deux piastres par bouteille. Ça devrait être assez. Nos soldats ont besoin de garder espoir. Votre cidre est le meilleur de la région. Nous allons passer le vendredi 2. On va tout embarquer. J'ai dit TOUT! Enfin, tout ce qui a un cul, un col et des épaules. J'espère que je me fais bien comprendre, madame Crevier.

Donatienne pensa à Joseph et son cœur lui fit mal. Cruellement mal.

Chapitre douzième

osette pouffa de rire en lisant le communiqué qui lui avait été adressé par le gouvernement fédéral. Émilia semblait rêvasser en fixant la circulation piétonnière sur la rue Sherbrooke.

– Écoute ça, Émilia! *« Sont supprimés: a) les blouses genre tunique et les corsages lorsqu'ils s'ajoutent aux robes et ne doivent pas être portés avec une jupe séparée; b) les pyjamas d'intérieur; c) les pyjamas deux pièces pour enfants, sauf dans le cas des dormeuses à deux morceaux pour tout-petits; d) les fronces et les jabots aux jupons et robes de nuit, sauf s'il s'agit de dentelles ou de filets; e) les ensembles de soutien-gorge et culotte connus sous le nom de* dance sets*; f) les chemises-enveloppes connues sous le nom de* leddles*; g) les robes d'intérieur pour enfants de moins de 14 ans; h) les costumes de ski ou de jeu d'hiver en deux pièces pour tout-petits; i) les jupons pour assortir les robes ou vendus avec elles; j) les manches bouffantes et autres de proportions exagérées quant à l'utilité; k) les jaquettes ajoutées aux robes de nuit et formant ensemble avec elles; l) il sera également* *défendu d'insérer plus d'une fermeture Éclair dans aucun vêtement.* » Faut-il qu'ils soient fous, ces fonctionnaires.

– Et n'avoir rien à faire. Ils vont nous dire quoi manger, quoi lire, pis quoi dire, glissa Émilia connaissant d'avance la réponse de Rosette.

– C'est ce qu'ils font, ma chère. La guerre en Europe les rend complètement marteaux.

– Ton mari n'est pas mieux. Il congédie ses jeunes employés du moment qu'ils ont 18 ans. Tu trouves pas que ça adonne bien : les chômeurs de 18 ans ou plus sont obligés de s'enrôler. Ton mari est Juif, Rosette. Il sait que là-bas, Hitler est en train de tous les éliminer.

– Qui t'a raconté une affaire de même, toi ?

– Je suis allée à la messe de Noël avec Jeanne. Le curé en a parlé dans son sermon. Les Allemands tuent les Juifs pour rien. Hitler veut faire le ménage.

– Les types qui ont massacré Samuel étaient des amis d'Hitler. Samuel pense que plus il y aura de soldats canadiens, plus vite ils tueront Hitler. C'est normal, non ? Ici, personne ne sait ce qui se passe vraiment en Europe. Il y a beaucoup de haine envers les Juifs de Montréal, tu dois bien t'en rendre compte.

– En attendant, on ne peut pas faire de la haute couture avec cette ordonnance du gouvernement. Pas plus qu'une seule fermeture éclair, imagine-toi !

– Y'ont besoin de tout le métal disponible pour faire leurs balles de fusil.

– T'es pas sérieuse !

– Moi, dans un mois, j'aurai pus une cenne. Faut que je me trouve une famille. Si quelqu'un cherche une couturière, dis-moi le, conclut Émilia en soupirant.

. . .

La famille Lévis allait marier sa fille cadette au fils d'un médecin de L'Île-Jésus. Marilyn Lévis, dont le mari menait une carrière prestigieuse dans l'Armée canadienne, bénéficiait de passe-droits impressionnants. Elle avait un chauffeur qui, en plus de servir son mari, l'accompagnait dans toutes ses sorties, même les plus féminines. Madame Lévis consacrait une douzaine d'heures à un orphelinat francophone tenu par les Petites Sœurs Grises de la Croix et avait le sentiment d'aider son mari à se faire pardonner toutes ses captures parmi les jeunes Canadiens-français qui allaient devoir rejoindre les Alliés en Europe. Il y avait bon nombre d'enfants de mères indignes, ou mères célibataires, ou veuves de guerre dans la Crèche d'Youville, et les religieuses accueillaient avec déférence les dames riches qui venaient leur offrir de l'aide et souvent des sommes d'argent importantes. La sœur supérieure insistait cependant au sujet de ces femmes riches qui venaient s'occuper des enfants pour simplement se changer les idées. « On ne peut pas faire la charité juste parce qu'on s'ennuie à la maison : ça ne compte pas pour des indulgences », répétait *ad nauseam* la vieille religieuse qui s'occupait des dames bénévoles.

Lorsque madame Lévis téléphona aux Ateliers Rosette Dalpé, Rosette la mit en communication avec sa meilleure amie et le rendez-vous fut pris pour le 10 novembre.

Un froid record d'automne congelait le Québec et il fallait beaucoup de détermination pour emprunter les lents autobus ou les tramways frigorifiés pour se rendre rue des Pins à Montréal. C'est pourtant ce que fit Émilia, motivée par cet emploi de trois mois qui lui ferait créer la garde-robe du cortège entier en vue du mariage grandiose que se promettaient les Lévis.

• • •

La jeune Sylvia Lévis avait rencontré son futur mari, le docteur Stephen Manzy, alors qu'elle travaillait pour le laboratoire de recherches secrètes du professeur Pierre Demers de l'Université de Montréal. L'Armée canadienne surveillait ces travaux qui visaient à concevoir un réacteur nucléaire et Sylvia était soumise au secret. Elle aimait cependant se balader dans les petits chemins tortueux fraîchement balisés par les ingénieurs tout en fredonnant des airs de sa grand-mère maternelle, la vieille madame Charuest qui était née en France. Ce fut lors de l'une de ses promenades teintées d'errance qu'elle aperçut un étudiant en médecine qui repassait ses notes d'anatomie humaine sous un immense sorbier qui était resté debout malgré le va-et-vient des pelles et des grues sur le terrain vague. Tout en lui souriant, elle s'assit près de lui et lui déclara tout de go :

– Si tu promets de ne rien me demander à mon sujet, je m'assois auprès de toi.

Stephen regarda le bout de ses souliers, puis se mit à rire.

– Je ne te demande qu'une chose : tu as hâte à la nouvelle université ?

– Oui, c'est prodigieux. Ernest Cormier est notre voisin.

– Qui est Ernest Cormier ?

– Il est l'architecte de ces lieux. Il a dit à papa que la guerre n'aide pas la cause des travaux. Ça va retarder son ouverture.

Ils se tinrent serrés l'un contre l'autre sous le sorbier, puis se fréquentèrent quelques mois seulement avant de parler de mariage. Stephen était le bienvenu dans la famille Lévis.

• • •

Émilia arriva chez les Lévis le 10 novembre comme il avait été entendu.

Elle avait reçu le matin même une deuxième lettre de Victor qui lui avait laissé dans la gorge un goût de thé âcre. L'enveloppe portait la mention *EXAMINER 5983*, ce qui signifiait que sa lettre avait été ouverte et approuvée par l'armée. Plusieurs mots avaient été tailladés à l'aide d'une lame de rasoir, mais elle arrivait tout de même à en deviner le sens.

Chère sœur,

Avant que tu ne sois beaucoup plus vieille, tu recevras un cadeau. Ce n'est rien de somptueux, mais ça provient de mon cœur (d'où la couleur de l'objet). Il se peut, vu non pas ma pauvreté, car mes affaires vont assez bien, mais mon avarice, que le paquet ne soit pas suffisamment affranchi. Si tu as 4 ou 6 sous à payer, j'espère que tu ne seras pas offensée.

Je voudrais que tu dises à papa que c'est parfaitement idiot de s'en faire et que je ne suis pas du tout en danger. Il n'y a pas de batailles en Angleterre pour le moment. Mais qu'il ne dise rien de ma part à Délima.

Hier soir, j'ai volé de 4 à 11 heures. J'étais fatigué et comme le pilote n'était pas très bon, je me suis fait secouer de belle façon. Je suis dans l'air entre 4 et 9 heures par jour quand le temps le permet. Il ne se passe jamais grand-chose. Je suis plutôt heureux, mais je veux que l'on m'écrive plus souvent.

Dolorès m'en veut parce qu'elle dit que je l'ai abandonnée. Je vais vous envoyer des photos en Battle dress, habit de vol, et si tout va bien, un beau portrait pris en France libre.

La vie n'est pas rigolote dans le fond des queues d'avion et il fait froid.

Je n'ai pas d'amis tout près d'ici et ce n'est pas très amusant. Mais bientôt, je changerai de station.

Je te souhaite tout de suite un Joyeux Noël. Si tu as le temps, va jaser avec Dolorès et embrasse-la pour moi. Et parle-lui de l'importance de la guerre si elle est du bord

de la justice. Moi, elle ne me croira pas. Tu peux faire ça
pour ton petit frère.

Sgt Victor Trudel R.C.A.F.

Personne n'allait faire croire à Émilia que Victor était heureux en Angleterre. Même lui. Elle le connaissait assez bien pour l'imaginer, solitaire, lui qui était entré dans l'aviation pour piloter un appareil, pour porter un uniforme qui faisait s'exalter les filles, et qui sait, pour rompre en quelque sorte avec Dolorès. Il était sûr que l'amour avait été une utopie, selon Émilia.

Victor avait toujours fait ce qu'il voulait dans la vie. Il était désinvolte et surtout téméraire. Piloter un avion était pour lui la quintessence de la liberté.

« Comme les tits-oiseaux », avait-il dit. Elle ne comprenait pas pourquoi il lui parlait de la queue des avions. N'était-il pas assis sur le siège du pilote ?

• • •

Elle sonna, et une jolie jeune femme à la chevelure noir jais et tout sourire, lui apparut. Quand elle aperçut le bagage de la couturière, elle lui souhaita la bienvenue.

– C'est vous, Émilia. Ma créatrice de mode personnelle. Ah, que c'est gentil d'avoir accepté de venir. Comme nous allons nous amuser. C'est mademoiselle ou madame ?

– M... mademoiselle. Je préfère.

– Entrez voir votre atelier de création, mademoiselle Émilia ! Maman a prévu d'y installer toute sa collection de cactus pour donner à la pièce un air... comment on dit ça, un air ensoleillé.

Jamais Émilia n'avait vu une pièce autant inondée de lumière. Même la lumière grise du dehors prenait un aspect lumineux quand elle frappait la tête des cactus dont quelques-uns étaient en fleurs. Aux fenêtres, il y avait de riches draperies en velours écarlate, et en plus, des stores opaques pour qu'elle puisse dormir plus tard les fins de semaine, lui dit Sylvia. Son lit était joliment garni et une demi-douzaine de coussins et traversins y avaient été déposés avec application. Toute une différence d'avec son couvre-pied en chenille, songea Émilia en passant la paume sur le tissu moiré. Un tapis de laine des vieux pays lui permettrait de ne pas ressentir le froid du petit matin. Sur sa table de chevet, une lampe avec un pied en forme de harpe, répandait sa lumière sur un exemplaire moleskine de la Torah, pour sans doute lui rappeler qu'elle travaillerait pour une famille très religieuse. Dans le coin gauche de la pièce, derrière un magnifique paravent sculpté dans de l'olivier, apparut une longue table et une machine à coudre Singer du dernier modèle ; et sur le mur, un entrecroisement de petites cases qui contenaient les fils, les épingles, les bobines vierges, et même un galon à mesurer avec arrêt en argent qui représentait un poisson dompté par Moïse. Émilia sourit.

– C'est beau, hein ? Maman avait l'habitude de nous faire nos vêtements par pur plaisir. Tu penses bien qu'on avait assez d'argent pour acheter chez Ogilvy's. Mais elle aimait tellement nous faire des robes. Puis, il y a eu sa maladie d'z'yeux!

– Elle a quelque chose aux yeux?

– Mommie est presque aveugle, Émilia.

– Ça ne paraît pas.

– Elle est très orgueilleuse, elle fait semblant qu'elle voit tout. Tu vas comprendre. Elle commence toujours sa phrase par: ça ne serait pas un petit chien, par hasard? On lui dit que c'est un chat. Elle ajoute: me semblait bien aussi qu'un petit chat ne pouvait pas japper. Puis, la personne rigole et ne se rend compte de rien.

– C'est fabuleux.

– Oui, mais parfois, c'est un peu embarrassant. Quand elle a rencontré la sœur directrice de la Crèche d'Youville la première fois, elle l'a appelée monsieur le curé. Sœur Saint-Polycarpe sait que ma mère est presque aveugle. Elle lui présente les gens, les nouveaux enfants, les parents qui viennent pour adopter, avant que Mommie ne commette une bourde. Elle reconnaît les enfants, par exemple, à cause de leur voix. Eux, c'est pas pareil.

– Il y a beaucoup d'enfants à la Crèche, Sylvia?

– Beaucoup trop. Plus de garçons que de filles. Les garçons ont la réputation d'être plus tannants et les couples infertiles préfèrent les filles. Les sœurs le savent: quand un couple s'annonce, elles revêtent les filles de leurs plus beaux atours, leur toilette d'adoption, comme elles les appellent. Trois fois sur cinq, les couples adoptent une petite fille.

Sylvia souriait. Comme Émilia la trouva jolie, malgré la dureté de ses traits et l'arête abrupte de son nez. Elle réalisa que Sylvia était belle quand elle souriait. Elle avait dans le visage cette sévérité qui en aurait fait la parfaite espionne des services secrets de l'Armée canadienne. Pourtant, elle était d'une immense délicatesse et lui faisait penser à elle-même quand elle travaillait pour monsieur Bernstein, sur la rue Saint-Laurent.

– Je vais vous surprendre, Sylvia, mais il y a une question qui me vient à l'esprit.

– Quoi donc, mademoiselle Émilia?

– Est-ce qu'il arrive parfois que votre père puisse faire revenir un soldat de l'Europe si quelqu'un le lui demande?

– Ah, non, impossible. Mon père est chargé de les débusquer comme des rats qui tentent de se cacher. Il faut que les jeunes hommes défendent leur pays. Vous avez un amoureux dans les tranchées?

– Non, je pensais à mon frère Victor, mentit-elle. Nous sommes très proches l'un de l'autre. Il a toujours rêvé de piloter un avion. La guerre lui en a donné l'occasion. C'est lui qui a couru après les recruteurs. Il a annoncé qu'il partait pour l'Angleterre après un entraînement assez court, pis il est là-bas depuis.

Émilia n'en raconta pas davantage. Elle préféra que Sylvia conserve la belle image qu'elle avait de sa couturière. Elle regrettait même d'avoir abordé le sujet.

– Bon, par où commence-t-on?

– Ma mère connaît un importateur d'étoffes sur la rue Saint-Kevin. Il vend sous la table, comme de raison.

Il a importé ses tissus directement d'Israël et d'Italie juste avant la déclaration de la guerre. On va y aller... demain soir, vous voulez bien? Vous aurez le temps ce soir et demain de faire vos dessins. J'ai quelques idées. Installez-vous dans votre chambre et je viens vous chercher pour le souper. Mommie va être heureuse de vous raconter sa vie. Soyez indulgente, vous voulez? Elle n'a pas toujours toute sa tête.

– Bien sûr. J'ai appris à être indulgente, comme vous dites, avec ma belle-mère, mes patrons, et toutes les personnes qui m'ont... euh... déçue. À plus tard.

. . .

La famille Lévis avait décidé d'offrir à Émilia deux jours de congé par semaine. Ils choisirent donc le samedi et le dimanche afin qu'elle puisse visiter les membres de sa famille si elle le désirait. Considérant la discussion corsée qu'elle avait eue avec son père et ne doutant pas un instant qu'il put entretenir des relations intimes avec une jeune femme, Émilia cessa momentanément de demander des nouvelles de Josaphat.

Elle avait surtout très peur de tomber sur Délima à qui elle n'aurait pas su quoi dire. Marcel et Gilles étaient tous les deux entrés chez les Clercs de Saint-Viateur, échappant ainsi à l'enrôlement; Madeleine travaillait comme réceptionniste pour la compagnie du téléphone; Thérèse, au bureau du maire de Lachine, et Gertrude traînait de la patte dans la maison paternelle, entretenant son cafard, tandis que sa mère essayait de la distraire en lui faisant tricoter des chaussettes pour les enfants pauvres ou en lui faisant broder des essuie-mains pour remplir les bas de Noël.

Gertrude n'avait pas la main sûre depuis qu'elle ne marchait plus qu'avec ses béquilles qui finissaient par lui irriter les paumes. De plus, elle portait du côté de sa jambe infirme une chaussure avec une semelle plus épaisse que tout le monde remarquait, ce qui décida la jeune fille à rester tranquillement assise dans la cuisine du boulevard Saint-Joseph du matin jusqu'au soir. Comme Délima avait perdu sa joie de vivre depuis qu'elle avait découvert l'infidélité de Josaphat, l'atmosphère de la cuisine était lourde et même si Josaphat avait installé deux petites lampes de verre, il n'y avait jamais assez de lumière pour égayer Gertrude. Elle ne songeait ni aux hommes ni même au bon Dieu, étant persuadée qu'elle avait été victime de la poliomyélite parce que c'était son lot et qu'elle ne devait pas en demander plus à la vie.

Alors que d'autres enfants rencontrés au Centre Immaculée rêvaient la nuit qu'ils avaient leurs deux jambes identiques pour courir, jouer et danser dans les jardins fleuris, Gertrude, elle, rêvait toujours qu'elle avait les deux jambes aussi courtes l'une que l'autre, ce qui faisait rire Délima. Gertrude seule s'ennuyait d'Émilia et s'inquiétait de son indépendance toute récente. Jamais de nouvelles, jamais de sortie, jamais d'accolade. La tendresse lui manquait beaucoup.

• • •

Ce samedi-là, Émilia se rendit chez Victor, rue Moffat à Verdun, où Dolorès la reçut, la larme à l'œil.

– Mon Dieu! Que ça me fait plaisir de te voir, Émilia! Tu ne devrais pas avoir le droit de me négliger comme ça.

– Je ne vais plus te négliger, tu vas voir!

Émilia accepta la tasse de Postum que lui offrait sa belle-sœur.

– T'as l'air étrange, Émilia. Qu'est-ce que tu trames?

Émilia pencha la tête, puis posa ses yeux sur ceux de Dolorès.

– Qu'est-ce que tu dirais si je venais vivre ici avec toi, jusqu'au retour de Victor?

– Quoi? Mon dieu! Je crierais par la fenêtre s'il faisait pas si frette!

– Bien, crie, Dolorès! Je vais avertir mon propriétaire pis dès qu'il aura trouvé un autre locataire, j'arrive!

Dolorès se mit à pleurer à chaudes larmes.

– Je savais pas que ça pourrait te faire autant d'effet!

– C'est juste que... que... qu'en plus, je ne vois plus rouge depuis que Victor est parti en Angleterre.

– Tu serais... partie pour la famille?

– Je pense que oui.

– L'as-tu écrit à mon frère?

– Pas encore. J'ai plus de mère, moi, pour m'expliquer tout ça. Toi, tu vas pouvoir m'en parler comme il faut. T'es la plus vieille d'une grosse famille, Émilia.

– Je vais commencer par écrire une lettre à mon propriétaire, je vais trouver une place pour mes meubles. Je vais venir m'installer dans la chambre du fond pis je repartirai quand t'auras besoin de la place pour ton petit.

– Ou de ma petite. Je suis pas sûre que ça va me tenter d'avoir le... la... les bébelles d'un petits gars sous les yeux. Je suis pas sûre que je vais être capable de toucher à ça !

– Dolorès ! Tu as fait un petit avec mon frère, et t'as jamais touché à ça ?

Émilia émit un petit rire nerveux en songeant à monsieur Bernstein et à son havane au vent, lui, sans connaissance sur le parquet de son bureau après une agression qui s'était plutôt mal terminée. Elle pensa aussi à Pierre-Paul Riendeau qui lui avait dit : « Laisse faire, je vais m'arranger avec ça ! » tout en remettant l'arme du crime dans le pantalon de shantung de son patron.

Dolorès, elle, baissa les yeux et s'emmura dans un silence qui fit doublement rire Émilia.

. . .

C'était un petit bout de femme à la chevelure noire, très ondulée. Ses bouclettes venaient se rejoindre en accroche-cœur au-dessus de deux sourcils finement tracés par la nature. Elle avait un visage rosi au fard et une bouche un peu floue dont les lèvres, étonnamment, ne bougeaient presque pas lorsqu'elle parlait. Non pas qu'elle ne prononçait pas convenablement, mais on avait l'impression, à l'entendre, que ses lèvres avaient été entraînées au marathon du chapelet du soir à la radio. Dolorès ne parlait pas, elle priait. Ses mots chuintaient entre ses dents immaculées.

Elle portait toujours un chemisier attaché sous la gorge, une chaîne d'où pendait une croix en argent ayant appartenu à sa mère et une jupe étroite retenue par une large ceinture sergée. Quant à ses chaussures, elle n'en possédait qu'une seule paire: des bottines que Victor appelait ses souliers de sœur. Émilia comprenait que sa belle-sœur était atteinte d'une pudeur extrême, mais elle savait aussi pourquoi Victor s'était entiché d'elle. Dolorès avait un grand sens de l'humour qui demeurait secret jusqu'au moment où on y était exposé. Victor aimait rigoler et son rire vint se répercuter dans la mémoire d'Émilia, ce qui la rendit triste, tout à coup.

– Tu ris plus, qu'est-ce que t'as? lui demanda Dolorès.

– Je pensais à Victor. C'est quand il va apprendre qu'il sera père.

Les sourcils de Dolorès s'animèrent comme deux petits bateaux sur une mer courroucée.

– J'espère qu'il va pas penser que j'ai connu un autre homme.

– Si t'as peur de la chose à ce point-là, j'imagine que tu vas pas te mettre à courailler.

Dolorès fit prestement son signe de la croix.

– Mon Dieu, non!

Les deux belles-sœurs discutèrent tout le reste de l'après-midi et elles s'entendirent pour qu'Émilia déménage aussitôt son travail terminé chez les Lévis et aussi, dès que monsieur Lebrun lui donnerait sa bénédiction. De manière générale, les propriétaires devaient se montrer très conciliants et accepter que leurs loyers n'entrent pas le premier de chaque mois comme en temps de paix. Monsieur Lebrun, elle en était sûre, attendrait de trouver un autre locataire avant de lui permettre de quitter son logis de la rue Van Horne.

Émilia se leva et téléphona à son père pour lui demander un espace dans la cave de Lachine pour y entreposer ses meubles et les effets de Louis.

• • •

Josaphat avait la voix mouillée quand il accepta de rendre ce service à sa fille aînée. Dans quelques mois, il allait prendre sa retraite de la Ville de Montréal, mais en période de conflits, même les employés municipaux étaient tenus aux efforts de guerre.

À cause de sa longue expérience, Josaphat avait été nommé responsable du programme de récupération. Le gouvernement King harcelait la province de Québec qui occupait le dernier rang au Canada à ce chapitre. On demandait aux citoyens de se départir des appareils électriques défectueux, des vieilles voitures et de tout le métal possible. L'essence devenait rare même pour la machinerie utilisée par la Voirie.

Les journaux faisaient état d'une étrange nouvelle : *Le Caribou*, un navire canadien, avait été coulé dans le fleuve – notre fleuve, disaient les journaux –, par un sous-marin allemand. Aussitôt, une panique incontrôlable s'empara des Canadiens qui habitaient en bordure de tous les cours d'eau.

– Tâche de pas trop te promener proche des rives, ma fille. Il y a des Japs et des Boches dans le fond de l'eau! lui conseilla son père avec le plus grand sérieux.

– Craignez pas, popa! J'ai autre chose à faire en ce moment. Je retourne lundi chez mes clients. J'ai assez d'ouvrage, que vous ne me croiriez pas!

– Lévis, c'est des immigrés, ça? C'est pas des Juifs toujours?

– Ils ne m'achalent pas avec ça. Je fais leur linge, pas leur avenir spirituel. Occupez-vous donc de vos problèmes avec votre femme. Vous en aurez plein les bras!

– Je les ai réglés, mes problèmes, ma fille. Délima m'a suivi jusque chez ma... mon... chez Juliette. Elle m'a fait une grosse crise devant elle.

– Qu'est-ce que vous allez faire à présent?

– Retourner chez Juliette.

– Ah, bien, faites ce que vous voulez. De toute manière, vous êtes dans la récupération.

Émilia s'esclaffa. Josaphat la trouva bien bonne lui aussi. La vie n'était plus du tout agréable depuis que Délima les avait surpris, lui et Juliette.

– Popa, faites ce qu'il faut pour être heureux.

– Merci, ma fille. Toi itou. Donne-moi de tes nouvelles de temps en temps.

Chapitre treizième

Ce soir-là était un soir d'été comme Donatienne les aimait : chaud, sec, rond et envoûtant. Cela lui rappelait les amours cuisantes qu'elle avait connues avec Bill Tiwasha : les odeurs de sapin qu'exhalait leur couche au milieu de la forêt, la touffeur qui rendait leur peau moite, leurs cheveux qui leur collaient au visage, le coassement des grenouilles lorsque le jour commençait à grisonner, la dernière morsure des lèvres quand leurs bouches se prenaient par petites becquetées. Elle n'avait jamais été capable d'oublier Bill et malgré sa vengeance sauvage, elle ne lui avait jamais pardonné d'être parti. Ses blessures étaient profondes et personne ne pouvait réellement prendre la place de Bill dans sa vie. Pas même le père Michel.

On racontait au village que la police militaire avait arrêté un autre père trappiste pour avoir caché des jeunes déserteurs. On annonçait dans tous les recoins de la province que des mesures seraient prises pour punir ceux qui camoufleraient des soldats potentiels même si on n'avait jamais entendu parler de mesures pour leur faire regretter leur sollicitude.

. . .

Cécile vint rejoindre Donatienne pour se rendre au Marché de Saint-Jérôme. Très tôt le matin, Blaise Tousignant avait rempli le camion de bouteilles de cidre (qui avaient échappé à leur envoi massif aux troupes en Europe) et de caisses de gelée de pommes, de tartes et de vinaigre de cidre. C'est lui qui avait enseigné à Donatienne comment conduire ce mastodonte. Les deux femmes avaient décidé de se rendre toutes les deux à Saint-Jérôme à cause de la présence de plus en plus tenace de la Police militaire faisant la chasse aux déserteurs. Les hommes durent alors se cacher dans l'abri de la boutique jusqu'au retour des deux femmes. Ils avaient les vivres nécessaires pour tenir un long siège, de toute manière.

Donatienne se préparait en fixant la glace au-dessus de l'évier de la cuisine tout en sifflotant un air de son enfance chanté par sa mère. Au moment de consolider ses cheveux en chignon, elle vit descendre deux silhouettes, l'une plus grande que l'autre, dans le sentier rocailleux au bout du chemin menant à sa maison. Plusieurs images vinrent alors danser dans sa mémoire avant même que la curiosité la fasse sortir sur le perron: Ubald Lachance – qui avait jadis emprunté le sentier –, Bill Tiwasha, Taniata, madame Bemmans, Percy et surtout le père Michel, qui avait emprunté la route une fois de trop.

Elle sortit enfin sur la plus haute marche de la galerie et reconnut aussitôt les deux femmes qui venaient vers elle, aussi chargées que des mulets. Mary Eagan, toujours aussi jolie, sa compagne de la prison de Kingston. Mary était accompagnée d'une jeune fille timide qui la tenait par la manche de sa veste.

Donatienne aurait bien pu ne pas vouloir accueillir chez elle celle qui allait lui rappeler un pan sombre de sa vie qu'elle voulait oublier. Étonnamment, elle fut plutôt surprise et excitée de la revoir. L'autre était visiblement la dernière enfant de Mary, celle qu'elle avait dû enfanter après sa sortie de la prison. Elle chassa de son esprit les pensées malveillantes qui surgirent dans sa tête en pensant au métier de Mary Eagan. Mais au fond, peut-être que la petite était l'enfant de l'amour ? Pourquoi pas ?

Ainsi chargées, Mary et sa fillette venaient demander asile à Donatienne.

– Tu as failli me faire tomber dans les pommes, toi ! dit cette dernière en entrouvrant les bras à Mary.

Mary s'y réfugia volontiers en pleurant. Puis elle lui présenta sa fille Susanna qui fit un grand effort pour sourire.

. . .

Susanna ne ressemblait pas à sa mère avec ses grands yeux noirs et des cils aussi fournis qu'un col de vison. Elle était grande pour son âge présumé et avait été bien nourrie si l'on se fiait à ses rondeurs toutes prépubères. Ses vêtements étaient sobres. Elle portait une tunique de toile brune comme les moines, ce qui lui conférait une sévérité rare pour une si jeune fille. Ses cheveux étaient séparés au centre, retenus de chaque côté à l'aide d'une barrette et lui tombaient au milieu du dos. Susanna était une belle enfant. Malgré une timidité acceptable, elle portait sur son visage un air coquin et une assurance juvénile certaine faisant croire aux gens qui l'approchaient qu'ils ne devaient pas se moquer de son jeune âge. Elle devait avoir environ neuf ans.

Sa mère avait dû lui parler abondamment de Donatienne car Susanna se jeta, tel un jeune bélier, dans ses bras toujours entrouverts.

– J'ai cherché durant des semaines! Il n'y a plus de loyers à bon prix chez nous. Les propriétaires nous mettent dehors dès qu'on n'arrive pas à payer. Ils ont commencé à distribuer des coupons pour acheter de la farine, du sucre pis du beurre. Susanna et moi, on n'a plus nulle part où aller. J'ai tout de suite pensé à ta belle campagne. Susanna et moi, on va travailler et on va partir du moment que la guerre va se terminer, c'est promis, Donatienne!

– J'ai pas d'inquiétude, Mary. Une chose que je sais, c'est que tu es capable d'ourler les tabliers et les taies d'oreillers. J'ai une assez grande maison, je vais vous héberger toutes les deux. Je suis si contente de te revoir. Tu as bien fait de penser à moi.

– Tu es tellement généreuse! lança Mary. Quand j'ai demandé au village où t'habitais, la femme qui m'a indiqué le chemin m'a dit: *La bonne Donatienne? Tu vas tout droit pis tu tournes à droite avant la coulée. Pis, me v'là!*

– Viens que je te présente Cécile, la belle-mère de mon Joseph. Pis mon amie. On partait pour le Marché de Saint-Jérôme. Vous allez être obligées de vous installer toutes seules.

– On va pas prendre trop de place, répéta la petite Susanna avec la grande sincérité des enfants.

Donatienne présenta Mary et Susanna à Cécile, puis à Blaise Tousignant, ouvrit la porte de la maison, indiqua à Mary où se trouvait la réserve et l'invita à faire comme chez elle. Puis elle les fit monter à l'étage et leur désigna une chambre. Elle s'arrêta au beau milieu de l'escalier et se mit à rire comme une démone.

– Qu'est-ce que tu as ? demanda Mary.

Donatienne entra dans la chambre en pointant le lit, habillé d'une courtepointe bleue et rouge.

– C'est la chambre où a dormi Ubald Lachance !

Puis elle ajouta d'une voix d'outre-tombe qui fit frissonner Susanna :

– Nous revoici, Ubald ! Nous revoici toutes les deux !

Elles se collèrent l'une contre l'autre comme seules les femmes savent dispenser ce genre de tendresse et rirent un bon coup.

– J'espère que t'as lavé les couvertures ! blagua Mary.

– C'est qui, Ubald ? demanda Susanna.

– C'est un ami de Lucifer, répondit Mary avec une voix de sorcière. Il est mort, le fier-pet !

À ces mots, la petite se mit à pleurer.

– Mom, je ne veux pas dormir dans le lit d'un mort !

– Mais il n'y a pas de danger, ma chouette. Il est mort, ça fait longtemps. C'est mieux de dormir dans le lit d'un mort que dans celui d'un gros porc, ajouta Mary en riant de plus belle.

Sa mère lui avait souvent répété qu'il fallait savoir quand arrêter de poser des questions. Susanna n'en posa plus.

– Va retrouver ton amie Cécile, on va bien s'arranger, tu vas voir.

– Il y a du bouilli dans le grand chaudron. Gênez-vous pas.

...

Cécile déposait le dernier pot de gelée de pommes sur l'étal de bois que déjà, la place du marché se remplissait de clients. La foule avançait d'un pas lent, comme atteinte d'une grande tristesse. Les femmes se trouvaient en grand nombre et tenaient leur marmaille très près de leurs jupes comme si elles craignaient que l'armée leur enlève aussi les plus jeunes. Il y avait dans l'air une méfiance telle que pas un cultivateur, pas un producteur maraîcher n'osait tricher sur les prix qui s'affichaient le plus bas possible.

En fait, il n'y avait au marché que deux ou trois hommes : un jeune pas-fin, un infirme et un vieillard qui radotait en tirant sur sa pipe éteinte et en crachant par terre. La plupart des étals étaient tenus par des femmes et quelques enfants. L'armée avait réquisitionné la majorité des produits pour les acheminer aux soldats canadiens en Angleterre. Les volailles, les porcs et les moutons étaient envoyés vivants sur des navires d'approvisionnement ; les œufs et certains légumes-racines partaient toutes les semaines au nez des cultivateurs confrontés au rationnement des vivres. Le marché n'était l'endroit ni pour vendre ni pour acheter. Il était un lieu d'échanges de marchandises. Il ne regorgeait pas comme d'habitude de légumes en quantité. Certains étals, d'où les vendeuses étaient prêtes à déguerpir au moindre excès de vérification, offraient du gibier provenant des forêts avoisinantes, du miel et du raifort.

Cécile et Donatienne ne tardèrent pas à écouler leur marchandise et échangèrent certains de leurs produits contre de la farine moulue à Saint-Eustache, du beurre de la ferme Marinier, en entamant la conversation au sujet de la guerre, l'enrôlement obligatoire et les désertions dont parlaient les journaux vendus aux Anglais du Canada.

Les conversations des femmes sous ce soleil de fin d'après-midi auraient été un bon sujet pour un artiste qui aurait voulu croquer la lenteur et la solitude. Il aurait pu saisir aussi la douceur et la résignation.

• • •

Vers trois heures, alors que Cécile et Donatienne s'apprêtaient à repartir les bras chargés de victuailles échangées contre leur cidre et leur gelée de pommes, des cris de protestation éclatèrent dans la touffeur tranquille du marché.

Une voiture noire se fraya un chemin parmi les clientes et Donatienne eut tout juste le temps de voir deux jeunes hommes blonds vêtus d'un costume sombre s'engouffrer dans les bois à environ trente pieds de son camion. D'après la scène qui se déroulait devant elles, les deux femmes conclurent que les deux membres de la Police militaire, toutes baïonnettes dehors, avaient perdu la trace de leurs déserteurs.

Donatienne aperçut quelqu'un bouger derrière les boqueteaux de ronces à l'orée du bois, mais fit comme si elle n'avait rien vu. Elle ne démontra aucune réaction de surprise qui aurait pu encourager les autorités à débusquer les deux jeunes hommes. De très jeunes hommes, d'ailleurs. Elle invita Cécile à prendre place dans la cabine du camion après avoir empilé les caisses de bois dans la boîte. Elle conserva son même air placide lorsqu'elle aperçut, au fond de la boîte du camion, les deux jeunes soldats tremblant de frayeur comme de petits chats apeurés et qui la suppliaient de leurs yeux humides, bleus comme un ciel d'été, de ne pas dévoiler leur présence.

– Envoie, embarque, Cécile! Grouille! ordonna Donatienne brusquement.

– Je me grouille! Je me grouille! Me prends-tu pour une codinde? répondit joyeusement Cécile en claquant la porte.

Elle savait bien que jamais Donatienne ne lui parlait bêtement et que si elle le faisait, c'est qu'il se passait quelque chose de grave.

– Tu vas réveiller le canton! ajouta Donatienne en posant un regard insistant sur l'arrière du camion pour faire comprendre à Cécile que les deux jeunes hommes s'y étaient cachés.

Cécile mit un certain temps avant de comprendre. Les deux policiers militaires montèrent dans leur automobile et quittèrent le marché non sans avoir bousculé plusieurs enfants qui couraient autour des étals afin de leur donner du fil à retordre en riant. Leur mère leur criait après pour qu'ils cessent leurs agaceries, mais c'était ne pas connaître les enfants dès qu'ils s'agglutinent en bande.

La population éprouvait pour la police militaire et ses chasseurs de chrétiens une aversion légendaire et n'était pas né celui qui allait donner son frère, son cousin ou son voisin pour aller se battre contre les Allemands, les Italiens et les Japonais en faveur du roi d'Angleterre!

Le moteur tourna en montrant certains signes de paresse, toussota au rythme des mots d'encouragement pas très catholiques de Donatienne, puis ronronna avec frénésie.

Sur la route 11, à la hauteur de Saint-Janvier, Donatienne immobilisa le véhicule dans un endroit entouré d'arbres, puis offrit à ses deux passagers clandestins de se couvrir de la couverture qui entourait la banquette du camion. Ils acceptèrent avec un pâle sourire, mais elle ne put rien en tirer et en conclut que, terrorisés, ils étaient emmurés dans leur silence.

– Je vous emmène à Oka. Nous serons là dans une demi-heure, leur dit-elle encore.

Ils écoutèrent, mais ne répondirent pas. Le plus petit des deux posa sa main sur son oreille pour dire qu'il ne comprenait pas ce qu'elle disait.

– *Ich bin Deutch*!

Donatienne lui fit signe qu'elle avait saisi, puis remonta dans la cabine du camion, le visage aussi blanc qu'un cierge de Pâques.

– Ils ne comprennent rien de notre langue. Ils ont l'air de deux Allemands, Cécile. DEUX ALLEMANDS!

– Mon Dieu! Qu'est-ce que tu vas faire avec?

Donatienne se mit à penser en reprenant la Route 11. Elle avait l'impression soudaine que tout le monde pouvait apercevoir et reconnaître son chargement, que tout le monde allait appeler la police et la dénoncer. Les images défilaient dans sa tête. Ne pourrait-elle pas dénoncer elle-même ces deux Allemands et devenir une héroïne aux yeux du gouvernement et de ses concitoyens? Ainsi, elle pourrait compter sur la diligence de la direction militaire envers Joseph? Faire du chantage: je vous donne deux Allemands, vous laissez mon fils tranquille.

– Comment ont-ils abouti à Saint-Jérôme, pour l'amour du saint ciel? demanda Cécile, interrompant les réflexions de son amie.

– Je le sais pas. Je sais seulement qu'il y a des sous-marins ennemis dans le fleuve. Ils ont fait couler des navires canadiens, peut-être que nos navires ont coulé des sous-marins allemands ? Y'a ben des choses que les citoyens ne savent pas, Cécile.

– Ils auraient perdu deux de leurs marins, tu crois ?

– Ça se pourrait. Ils n'ont pas plus de 18 ans, je te le dis. Tu les as pas vus, ils meurent de peur.

Qu'allait-elle faire d'eux ? Les cacher dans l'abri derrière l'herboristerie et les libérer après la guerre ? Après tout...

– Après tout, penses-y ! dit Donatienne. Guerre ou pas guerre, ce sont deux enfants. Comme ta Fleur-Ange pis mes petits-fils. Ils ont chacun une mère qui doit mourir d'inquiétude, comme toi et moi, s'ils avaient enrôlé nos enfants. Si je fais tout ce que je peux au monde pour qu'ils n'enrôlent pas mon Joseph, je ne vois pas pourquoi nos deux moineaux allemands devraient croupir en prison. L'Allemagne est le cœur de cette maudite guerre et Hitler devrait payer pour tout le monde. Mais ce sont deux enfants, je te le dis. Ils doivent être recherchés à l'heure où je te parle. Tu le sais pas ce que la police militaire fait avec les Italiens, les Allemands, les Japonais qui ont immigré au Canada ? Ils sont comme des loups dans la bergerie. Avant la guerre, ils arrivaient à vivre parmi nous autres, et là, tout d'un coup, on est obligés de les détruire ! Je suis pas d'accord avec ça, pas pantoute. Il faut les cacher, Cécile, et les aimer. C'est ce que je souhaiterais pour Joseph si la même chose lui arrivait. Qu'une femme, quelque part, n'oublie pas son rôle de mère, malgré la guerre qui brasse le pays.

• • •

Arrivées à la montée de la Butte des Godin, là où elles pouvaient apercevoir le lac des Deux-Montagnes à leur gauche et les champs en courtepointe à leur droite, Donatienne ralentit comme pour présenter à ses deux protégés la majesté des lieux. Les deux jeunes Allemands étirèrent le cou de sous la couverture et observèrent les alentours. Le soleil se couchait derrière les érables dénudés d'un automne plutôt froid. Ils surent dès lors que cette femme venait de leur sauver la vie.

Donatienne freina en escaladant le petit chemin graveleux menant à l'herboristerie. Tout à coup, elle s'écria :

– Bemmans !

– Qu'est-ce qu'elle a fait, madame Bemmans ?

– Elle parle allemand, Cécile !

– Mais on l'haït, Carla Bemmans ! C'est la commère du village. Elle t'a volé des recettes et des plants d'herbes rares.

– On va l'aimer à partir d'astheure, Cécile ! décréta Donatienne.

• • •

Les deux garçons sautèrent de la boîte et, de manière comique, se mirent au garde-à-vous devant Donatienne. Cécile ramassa le beurre, les œufs et les rôtis d'orignal qu'elle avait échangés au marché, puis fila tout droit chez elle pour avertir Rosalie de ce qui leur arrivait.

Mary Eagan et Susanna sortirent de la maison, poussées par la curiosité et tombèrent sur les deux Allemands.

– Mary, fais-les entrer. Faut que je demande à Blaise de surveiller les automobiles qui viendront du village. En attendant, sers-leur du bouilli et du pain de ménage. Essaye de leur faire comprendre qu'ils sont pas des ennemis ici-dedans.

– Aurait-on cru ça ? Des Boches à Oka ! laissa glisser Mary en souriant.

– C'est quoi, des Boches, Mom ? demanda Susanna.

– C'est justement pour les écrapoutir toute la gang que nos hommes sont partis se battre à la guerre, ma chouette, répondit Mary en faisant un clin d'œil à Donatienne.

– Nos hommes sont obligés de les tuer ? demanda-t-elle encore en fixant les deux jeunes Allemands avec circonspection.

– Tu vois, Susanna, ici, nous sommes tellement contre cette guerre-là qu'on est même prêts à aimer nos ennemis. Si ça n'a pas d'allure ! Envoyer des enfants se battre avec des fusils !

Albert sortit des vergers ; Joseph et Blaise s'extirpèrent de l'abri et furent estomaqués d'apercevoir les deux jeunes Allemands et tout aussi éberlués d'être présentés à Mary, une codétenue de Donatienne.

– M'man ! Qu'est-ce que vous allez en faire ? demanda Joseph.

– Mary et Susanna vont m'aider pour le travail que j'ai en double quand vous devez vous cacher, et les Allemands, quand j'aurai compris comment ils se sont retrouvés ici, ils vont travailler pour leur pitance. C'est le bon Dieu qui nous les envoie, mon garçon.

– Ils ont dû s'évader de leur sous-marin, risqua Blaise.

– S'évader de leur sous-marin ? Voyons donc ! dit Albert.

– Je peux pas expliquer pourquoi ils se retrouvent ici, mais leur sous-marin a peut-être été coulé par nos bateaux. On va le savoir quand Carla Bemmans leur aura parlé.

– Ah, la vipère ! Elle parle allemand en plus, la vieille maudite ! ajouta Joseph.

– Joseph, on a besoin d'elle en ce moment. En attendant, ils vont manger. Après, tu les conduiras dans l'abri. On pensera à madame Bemmans demain, trancha Donatienne.

• • •

Le ton de sa voix était sans appel. Même si Joseph était embarrassé de partager le bunker avec ceux qu'il considérait comme des ennemis. Même si elle savait que c'était mal, Donatienne avait décidé de sauver ces deux enfants, qu'ils proviennent de n'importe où dans le monde en guerre.

À neuf heures du soir, tandis que tous étaient retournés à leur chaumière et s'apprêtaient à dormir, Donatienne se demandait si elle avait fait la bonne chose, du moins si elle se fiait aux réactions de son fils. Elle mit cela sur la faute de l'enfant unique qui n'avait pas appris à partager, sur toutes les déceptions causées par la disparition des hommes de sa vie qui auraient pu faire image paternelle, dont celle de ce vrai père qu'il ne connaissait pas. Une sorte de jalousie, peut-être.

Elle trouvait étrange et paradoxal que tandis qu'elle cachait son fils des patrouilleurs de l'armée canadienne, elle cachait également deux soldats ennemis. C'est sur cette pensée inquiétante qu'elle finit par s'endormir.

Cette nuit-là, Donatienne fit un rêve étrange qui lui remua l'esprit. Elle venait d'arriver du Calvaire d'Oka dont elle pouvait examiner un à un les bas-reliefs, comme s'ils étaient devant elle. D'une des petites chapelles sortit un jeune soldat, la main posée sur son cœur, et d'entre ses doigts coulait une rivière de sang. Il s'approcha d'elle et elle recula de deux pas.

– Tu empêches les deux larrons de se faire arrêter, c'est bien, ça! Ils ne m'ont pourtant pas toujours été fidèles. Je suis contre la guerre, tu le sais. Les voilà maintenant entre tes mains. En les aidant, c'est moi que tu aides, récita le soldat comme une litanie.

Puis elle vit Bill Tiwasha qui lui dit qu'il n'était pas mort, et que cela n'était qu'une farce. Il était ivre et titubait en se tenant sur le bord de l'une des chapelles qui s'écroula tel un château de cartes. Le soldat se mit à pleurer et quand Donatienne s'éveilla, elle était en larmes. Elle s'assit sur le bord de son lit et regarda par la fenêtre. Elle aperçut un des jeunes Allemands qui ramassait du bois et le cordait au mur de la boutique tandis que l'autre tenait la brouette. Elle se prit à les aimer comme des fils. « En les aidant, c'est moi que tu aides », lui avait dit la voix de son rêve. Cela ressemblait à la voix de ce Jésus-Christ qu'elle avait pourtant oublié depuis belle lurette.

. . .

– Comment pourras-tu demander à madame Bemmans de servir d'interprète sans lui dire que tu caches deux jeunes soldats ennemis ? lui demanda Mary.

– C'est risqué. Il faut que je trouve une monnaie d'échange. Carla a un neveu qui ne veut pas être conscrit. Elle l'aime beaucoup. Je vais lui proposer de le cacher dans notre abri.

– Demande-lui avant de lui faire rencontrer nos Allemands, affirma Mary, ce qui fit rire Donatienne.

– Pourquoi tu ris ?

– Tu as dit « nos » Allemands.

– Ah, toi ! Tu es tellement toujours généreuse ! J'aimerais être comme toi. Mais je le suis un peu.

– Comment ça, un peu ?

Mary posa un regard affectueux sur Susanna qui jouait avec un petit chat bariolé, fils de Papotte, une chatte d'Espagne, et d'un matou noir et blanc qui traînait par là au jour propice. Papotte avait eu quatre chatons, mais trois furent écrasés par la vache que gardait Blaise Tousignant dans l'ancien entrepôt et auprès de laquelle la mère chatte avait espéré donner de la chaleur à ses petits. Susanna semblait heureuse à Oka et jamais ne désespérait-elle. Elle s'amusait avec tout et pouvait passer des heures à tresser des brins de paille comme elle l'avait appris.

– J'ai quelque chose à te dire au sujet de Susanna, chuchota Mary.

– Quoi?

– Ce n'est pas ma vraie fille.

– Mais, elle... elle te ressemble comme deux gouttes d'eau! Elle n'est pas à toi?

– Après ma sortie de Kingston, je suis allée vivre dans un petit village à trente milles du Québec. Saint-Isidore-de-Prescott, qu'il s'appelait. J'ai rencontré là une jeune mère qui avait une fille de trois ans. Elle s'est fait tuer par un train en marche alors qu'elle cherchait à y grimper pour aller travailler comme elle le faisait tous les matins. Quand ils l'ont retrouvée, deux jours plus tard, elle était méconnaissable. Les loups ou les coyotes l'ont...

– Okay, ça va faire, pas trop de détails, Mary! l'interrompit Donatienne.

– La petite Susanna était belle comme un petit Jésus. Elle n'avait aucune famille. Je l'ai emmenée chez ma tante Irène, qui avait gardé ma vraie fille dans le temps, puis je suis allée la chercher avant de partir pour Lachute pour nous trouver un logis. Le reste, tu le sais.

– Tu as fini par penser que ta bonne vieille Donatienne serait heureuse que vous veniez rester avec elle! Je suis si contente que vous soyez là. Tu vois, Mary, toi aussi tu es généreuse. Regarde tout ce que tu fais pour nos Boches!

• • •

Clara Bemmans fut très touchée par l'offre de Donatienne de venir prendre le thé chez elle par un bel après-midi ensoleillé. Donatienne ne détestait pas tant que cela cette femme qui parlait plus qu'un prêtre en chaire. Son agacement envers elle tenait surtout de cette curiosité suivie d'un pincement des lèvres qui la faisait ressembler à une taupe. Un petit quelque chose qui titillait les souvenirs d'enfance de Donatienne à qui sa mère apprenait l'humilité comme une ode à la gloire de Dieu. Madame Bemmans se coiffait mal, dégageait une odeur fétide, marchait comme un pingouin, portait ses jupes trop courtes et ses corsages trop échancrés, ce qui ne convenait pas à une femme de son rang.

Carla Bemmans était veuve. Une veuve un peu trop joyeuse, selon Donatienne. Carla s'intéressait aux plantes et en cultivait d'étonnantes dans son jardin en plus de courir les cantons éloignés pour en dénicher de nouvelles. Madame Bemmans approchait 60 ans et exerçait sur certains hommes une fascination peu commune. Donatienne avait entendu d'étranges rumeurs – après sa rupture d'avec l'abbaye – qui prétendaient que le père Michel suivait Carla Bemmans dans ses excursions dans les marais, dans les bois humides, explorant les abords des petits lacs, analysant la flore, spéculant sur la qualité des nappes phréatiques, cherchant des spécimens pour enrichir leurs herbiers. La cousine de Blaise Tousignant a juré qu'elle les entendait rigoler tous les deux et sauter d'une roche à une autre en relevant leurs jupes. Donatienne avait été très jalouse. Michel n'avait pas voulu délaisser Dieu, mais avait créé une relation amicale avec Carla Bemmans, qui avait certes fait courir quelques potins parmi son cercle de commères. Il ne devait pas y avoir autre chose qu'une amitié entre Michel et Clara, selon l'attitude franche que démontrait la femme.

– Tu crois que c'est vrai que le père Michel a caché des jeunes conscrits ? demanda Clara avec assez d'aplomb pour que Donatienne se sente gênée.

– J'en suis sûre, répliqua Donatienne.

– Je ne sais pas qui l'a dénoncé, alors. Un moine aussi gentil. Tu dois le savoir, tu l'as fréquenté de pas mal proche.

– La police n'arrête pas les curés pour rien, voyons. Elle devait bien avoir ses raisons.

– On a été des dizaines à le voir sortir de chez toi, ma Donatienne. Pis on a été des dizaines à ne plus le voir. C'est quand même bizarre. Mais la liberté, c'est pas seulement pour les anciens prisonniers, comme dirait Albertine Rousseau. Ça doit être pour les moines itou.

Donatienne sentait qu'elle perdait le contrôle de la discussion. Il fallait qu'elle ramène Clara au but de leur rencontre sans écorcher leurs bonnes relations.

– Ton neveu Pierrot, il a quel âge ? lui demanda-t-elle avec un soupçon de raillerie. Il n'a pas l'âge de s'enrôler ? Les traqueurs se promènent dans la région par les temps qui courent.

– Ah, ma sœur est bien malheureuse. Elle va tout faire pour que son Pierrot ne s'enrôle pas. Elle a besoin de lui sur la ferme.

– Ils ont pas laissé les cultivateurs tranquilles ?

– Paraît que ça n'a pas passé, déplora Clara. Mais je t'écoute, Donatienne, tu as une solution, on dirait.

– Oui, je peux, moi, le cacher.

– Où ça ?

– Dans un abri secret.

Elle entraîna madame Bemmans dans l'herboristerie non sans avoir mis ses dernières découvertes à l'abri des regards indiscrets. Elle préparait un puissant soporifique avec le *tilia glabra d'Amérique* qu'elle avait découvert derrière le Calvaire, avec le père Michel. Ce genre de tiliacées était rare dans la région et Donatienne se rappela que Michel lui avait recommandé de ne pas en parler à qui que ce soit. Tous deux, ils avaient aussi mis au point une tisane laxative à partir de la *dircée des marais* que les vieux appelaient *le bois de plomb*. Elle avait ainsi soigné une jeune Indienne qui était venue la voir parce qu'elle avait dépassé de deux lunes le moment prévu de son accouchement. Donatienne avait examiné sommairement la jeune Tracy et lui avait fait boire de la tisane de *bois de plomb*. La plante fit en sorte que deux jours plus tard, Tracy constata qu'elle n'avait jamais été enceinte ! Elle était mariée depuis plus de neuf mois et croyait qu'après neuf mois, elle allait automatiquement mettre au monde un enfant. À cette seule pensée, Donatienne se mit à rire. Il y avait tant à faire auprès des jeunes filles et auprès des femmes en général dans ce coin de pays éloigné de la ville.

– Est-ce que tu vois quelque chose qui ressemblerait à un abri secret ?

– Non.

Clara se promenait dans la boutique, examinait chaque recoin, déplaçait même certains objets qui auraient pu camoufler une porte qui s'ouvrirait sur une pièce secrète. Elle n'y parvint pas.

– Il y a pourtant ici un endroit secret que personne ne peut trouver, même la police militaire, même les SS de monsieur Hitler. Nos hommes peuvent s'y cacher en tout confort. Ils ont des couchettes, de l'eau, de la nourriture et de la chaleur.

– Je te crois pas, lui dit Clara.

– Je te dis que c'est vrai, affirma Donatienne.

Puis, elle se mit à crier : *De profundis !*

Soudain, les deux femmes entendirent des bruits métalliques qui provenaient de l'abri. Donatienne recommença à crier trois fois. Joseph frappait sur une écuelle de granit chaque fois que sa mère criait : *De profundis.*

C'était leurs mots secrets pour annoncer aux hommes de rester cachés, qu'un danger imminent pouvait se produire. Clara, moins sceptique, trouvait l'exercice amusant et fut convaincue que son neveu Pierrot serait en sécurité dans cet abri.

– Je vais aller chercher mon neveu. Ma sœur va être si heureuse, s'anima Clara Bemmans. Comment te remercier, Donatienne !

– Ah, mais ce n'est pas terminé. Tu dois jurer sur les Saintes Écritures que tu ne parleras de cela à personne. Jure-le !

– Je te le jure. Je promettrais n'importe quoi pour que mon Pierrot n'aille pas se battre, déclara madame Bemmans.

– J'ai autre chose à te demander.

– Vas-y.

Donatienne entraîna Clara dans la maison et lui offrit une tasse de thé à la *monarde fistuleuse* qui ne poussait qu'à Oka. Très aromatique, la tisane fit un bien immense aux deux femmes et elles se mirent à discuter comme deux amies de longue date. Quelques instants après, Joseph entra dans la cuisine, suivi des deux jeunes Allemands.

Les apercevant, Clara Bemmans s'étouffa avec sa gorgée de thé. Elle ne dit pas *d'où ils sortent ceux-là*, comme s'y attendait Donatienne.

– Bon, Clara, ces deux garçons parlent allemand. Il faut qu'on en sache un peu plus. Joseph leur a fait des dessins pour qu'ils comprennent un peu. Ils ont saisi manger, dormir, silence et bien d'autres choses. Nous, on voudrait savoir comment ils sont arrivés dans la région. Je sais que tu parles allemand.

– Ma mère m'a appris sa langue, mais ça fait longtemps que je ne l'ai pas parlée.

Les deux jeunes, qui se prénommaient Helmut et Frank, étaient deux frères. Helmut avait 18 ans et Frank avait eu 16 ans la veille. Aussitôt qu'ils comprirent qu'ils allaient pouvoir communiquer aisément, leur narration des faits prit une allure fluide et apparut sur leur visage une étonnante sérénité presque comique. Carla souriait et s'établissait entre elle et les deux garçons une franche camaraderie. Elle savait que pour sauver Pierrot de la guerre, elle devait aller jusqu'au bout de son geste avec toute la franchise possible. Jamais Carla n'avait-elle eu l'occasion d'être aussi utile depuis son mariage avec George Bemmans qu'elle avait rencontré à la gare de Montréal en 1911 et qu'elle avait suivi jusque sur la terre paternelle où les Bemmans élevaient des moutons.

Donatienne suivait la conversation avec grand intérêt, souriant même quand elle ne comprenait pas. Carla lui faisait la traduction instantanée et cette rencontre improvisée prit une allure de fête.

Helmut et Frank avaient décidé de s'enrôler dans l'armée allemande, en trichant sur leur âge, parce que leur père les battait tous les deux, saoul comme un cochon, dès que leur mère lui racontait la moindre bêtise discutable. La veille de leur enrôlement, il les avait battus parce qu'en allant acheter du pain chez Bütger, ils avaient utilisé la monnaie pour se séparer un petit gâteau au miel. Le lendemain, Helmut et Frank se rendaient à la caserne. Ils ne revirent plus leurs parents. Ces derniers ne les recherchèrent pas, trop occupés à cuver leur schnaps. Ils s'embarquèrent en janvier 1943, mentant sur leur âge respectif, sur un sous-marin qui sillonnait le fond de l'océan. Rendus au Québec, à un endroit qu'ils ignoraient, leur submersible fut torpillé au beau milieu de la nuit, alors que le commandant avait ordonné une apparition extérieure, et ils furent trois marins à rejoindre la côte. Le plus vieux, Peter, mourut avant qu'on atteigne la côte, visiblement congelé. Les deux frères trouvèrent très vite un camion conduit par un pauvre homme qui ne comprit rien de ce qui lui arrivait et c'est à la pointe d'un faux fusil, qui était en réalité une pièce de chauffage, que l'homme conduisit les deux frères jusqu'à Métis.

Helmut et Frank rencontrèrent là un autre camionneur qui les emmena vers Montréal et de fil en aiguille, toujours à la pointe de leur pièce de chauffage et de leur réputation de Boches sanguinaires que les colons apprenaient à craindre par les journaux, les frères se rendirent jusqu'à Saint-Jérôme, puis, jusque chez Donatienne. Tout en sirotant un thé aromatique, Helmut parla de sa si belle Monica, tandis que Frank parla de son désir d'entrer dans les ordres. Il prétendait que Dieu avait assuré sa survivance et qu'il lui consacrerait sa vie. Carla en profita pour lui parler de la communauté cistercienne de l'abbaye d'Oka et la soirée se termina dans la joie et dans la confiance.

Donatienne apprit aussi qu'ils étaient très reconnaissants qu'elle les ait amenés chez elle et qu'ils appréciaient faire partie de ces jeunes gens qui se cachaient dans l'abri. Helmut avait remarqué la jolie Fleur-Ange qui était venue leur porter de l'eau fraîche ce matin-là. Mais Cécile n'apprécierait certes pas qu'un Shleuh puisse avoir l'œil sur sa fille.

La guerre continuait à faire trembler certains citoyens tandis que d'autres avaient la chance de prouver leur grandeur d'âme universelle.

Et surtout, on aima Carla Bemmans à compter de ce jour.

...

Ce n'était pas une prison à proprement parler, mais une sorte de prieuré abandonné par une quelconque abbaye et qu'avait réquisitionné l'armée canadienne pour y « entreposer » les éléments négatifs qu'elle mettait aux arrêts.

L'endroit était muni de plusieurs dizaines de fenêtres, chacune engoncée dans un chambranle de pierres comme devaient l'être celles de l'abbaye de Bellefontaine. Les déserteurs, les manifestants contre la guerre et ceux qui camouflaient les déserteurs, s'y trouvaient en quelque sorte emprisonnés, mais très bien traités comme s'ils étaient des amis du pouvoir dont ce dernier aurait honte.

Le père Michel recevait des soins particuliers et on le laissait même évangéliser certains de ses compagnons parmi ceux qui acceptaient d'assister à la prière du soir.

Michel savait que la dénonciation provenait de Donatienne. Elle s'était vengée de lui, mais aussi de Dom Léonide. Elle avait toutes les raisons de l'avoir fait. Michel priait tous les soirs pour l'âme de celle qu'il aimait par-dessus tout, non sans se rappeler le satiné de sa peau, la fermeté de ses seins et de ses fesses, l'étendue de son ventre, l'éternité de ses jambes et la maudite tendresse qu'elle déployait tel un oriflamme de la Fête-Dieu.

Il fit prestement son signe de la croix pour distiller ces pensées qui l'obsédaient.

Cela aurait pu être pire. Le major Dawson, un Anglophone qui parlait assez bien le français, lui confirma qu'on allait le libérer dans quelques semaines. Rien d'étonnant puisque, dit-il au père Michel, « on ne voudrait pas perdre la face devant le peuple en tolérant que tout un chacun cache son déserteur ».

Le major Dawson souriait quand il appliqua fermement la main sur l'épaule de son invité.

Michel était tellement malheureux de ne pas être auprès de ses plantes qui séchaient entre les serres de bois qu'il avait fabriquées. Il était aussi inquiet de ses spécimens qu'une mère pouvait l'être de ses enfants. Il venait à bout de calmer son angoisse en nommant, analysant et en photographiant de son œil de botaniste expérimenté toutes les plantes qui traversaient de peine et de misère les dalles de la cour intérieure et qui s'extirpaient d'entre les grosses pierres qui bordaient les anciens jardins : l'ivraie, le paturin des prés, le trèfle ou le pissenlit qui étaient tombés là par le plus grand des hasards. Parfois, il s'émerveillait à la seule pensée de toutes ces nouvelles plantes qui se trouveraient, sous forme de semences, sous les bottines des soldats basés en Europe et qui finiraient par augmenter la composition de la flore québécoise. C'est comme ça que de nouveaux spécimens trouvent une terre propice et s'y introduisent.

Le père Michel faisait aussi des plans imaginaires qu'il proposait au major Dawson, lequel reconnaissant l'esbroufe, faisait comme s'il y croyait vraiment. Il posait des questions au sujet des arbustes, prévoyait un banc de parc sous le sorbier gracile, et même une fontaine entourée de nénuphars au centre de la cour. Les deux hommes y croyaient comme deux petits garçons et le temps passait agréablement.

Si Donatienne avait su! Elle n'aurait pas savouré sa vengeance avec autant de désinvolture!

Le prieuré était froid et sombre comme une prison, mais il y flottait une odeur de fils-de-dieu mêlée aux exhalaisons des fougères posées sur des colonnes sculptées. Les parquets sentaient la cire et la propreté; le soufre des allumettes et des encensoirs embaumaient l'air comme dans une cathédrale en activité.

Cet après-midi-là, le major Dawson s'approcha du père Michel et lui parla avec beaucoup de sérieux. Il fut reçu comme s'il était à la confesse.

– Écoutez! J'ai parlé ce matin au sous-ministre Kinlough, et il a été question de vous et de votre confrère. Nous avons une mission pour vous.

– Allez-y, mon fils, répondit Michel un peu à la blague.

– Nous souhaitons votre aide pour que vos péchés soient pardonnés, expliqua le major Dawson avec un sérieux papal.

– Qu'est-ce donc?

– Il y a deux soldats allemands qui courent dans votre région. Ils ont été vus à Saint-Jérôme la semaine passée. Il y a de fortes chances pour qu'ils se cachent dans votre coin de pays.

– À Oka? Des soldats allemands à Oka? Êtes-vous sérieux?

– Très sérieux. J'aimerais que vous deveniez les oreilles de l'armée canadienne. Que vous fouilliez les consciences des citoyens d'Oka. Que vous observiez chaque buisson, chaque touffe d'herbe, chaque chaumière. Ainsi, vous gagneriez votre liberté et une somme de 5 000 $ pour encourager vos projets. Qu'en dites-vous ?

– Les Cisterciens sont des contemplatifs, major, et beaucoup trop égocentriques pour observer les allers et venues des familles okoises. Nous travaillons la terre, c'est vrai, mais nous laissons les touffes d'herbe et les buissons vivre en liberté. Nous enseignons l'art de cultiver la terre, mais nous nous tenons loin des vies intimes de nos étudiants. Nous fabriquons du vin, mais nous ne sommes jamais ivres. Vous saisissez, major Dawson ?

– Vous refusez notre offre, père Michel ? Avez-vous pris le temps de bien y réfléchir ?

– C'est sans retour.

– Vous tenez à demeurer en cet endroit jusqu'à la fin de la guerre ?

– J'ai hâte de retourner au monastère, mais je ferai ce que Dieu décidera pour moi.

– Il y a des fois où l'armée est plus forte que Dieu.

Le père Michel écouta en souriant béatement. Le ciel se couvrait d'ouate.

– Major, ici, je crois que vous devriez planter un sapin baumier et deux épinettes. Personne ne verrait l'entrée de la bâtisse, ce qui empêcherait les curieux de s'y attarder.

– Dommage, vraiment dommage !

– Major Dawson, je sais que vous avez le pouvoir de me faire obéir.

– Oui, je le peux !

– Vous ne le ferez pas.

– Et pourquoi donc ? demanda le militaire.

– Parce que je suis plus utile ici. Après la guerre, vous serez décoré pour vous être occupé de méchants prisonniers. Vous recevrez la décoration du Gouverneur général McNaughton grâce à tous ces pacifistes qui, comme moi et mon compagnon, auront été punis pour avoir sauvé des jeunes conscrits de la guerre. C'est mal connaître les francophones, major. Certains préfèrent la prison plutôt que de se geler les pieds dans les tranchées ou de tuer d'autres jeunes soldats même s'ils sont des ennemis. Un enfant demeure un enfant, d'où qu'il provienne ! Les Canadiens-français sont des pacifistes et vous ne les changerez pas, tout ancien Ontarien que vous puissiez être.

Le père Michel se leva et entra, abandonnant le major Dawson à ses prétentions qui venaient de se liquéfier. Celui-ci lança :

– Vous êtes séparatiste, Michel !

Michel ne crut pas bon de répondre ni de se retourner. Il préféra s'engouffrer dans la solitude de sa chambre même si elle dégageait des effluves âcres de boules à mites.

Il s'allongea sur son lit et se mit à penser à l'offre du major. Pourquoi tenter de le pervertir à une sorte d'espionnage pour mettre la main sur deux pauvres jeunes soldats allemands échappés d'un sous-marin de guerre? Il allait tirer tout cela au clair dès le lendemain.

Chapitre quatorzième

Émilia se coucha tôt ce dimanche-là. Sylvia Lévis lui avait apporté les mensurations de son fiancé pour que la couturière lui confectionne son *kittel*, la blouse blanche qu'il allait porter le jour de leur mariage. Elle réclama à Émilia qu'elle ajoute de la dentelle au col et aux manches.

– Mais il faudra des semaines! Je devrai la faire moi-même, mademoiselle Sylvia. Vous savez que le gouvernement King...

– Oh, faites-la vous-même, je vous en supplie!

– Il faut compter au moins une semaine de plus, c'est sûr! Le tatting, c'est très long.

– Je vous paierai en double, c'est promis! Je veux faire la surprise à mon amoureux.

– Je vais commencer après le souper. Cet après-midi, je vais tailler la blouse.

– Vous êtes un chou, mademoiselle Émilia! Je n'arrive pas à m'expliquer que vous n'ayez pas un homme pour vous épouser! Vous êtes une vraie perle, pourtant. Et une très jolie perle en plus!

– Quel homme aurait besoin d'une perle qui fait du tatting et qui fabrique des vêtements! ajouta Émilia en réprimant une envie de s'expliquer.

Elle éprouva une grande tristesse qui finit par s'afficher sur sa figure de souris grise. Sa lèvre supérieure trembla légèrement sur son incisive proéminente et ses yeux s'humectèrent. Elle songea à tous ces hommes qui avaient abusé de cette bonté que lui reconnaissait mademoiselle Sylvia: monsieur Bernstein, qui lui avait prouvé que les hommes n'étaient d'abord qu'un membre sexuel prêt à forer dans la naïveté des femmes; Pierre-Paul Rondeau et Bernard Gauthier qui l'avaient tour à tour humiliée jusqu'à ce que s'installe à demeure la méfiance et puis Louis Turgeon qui aurait dû ne jamais se présenter à l'hôpital pour lui offrir des fleurs après cet accident. Elle se dit que Louis l'avait aimée peut-être à cause des remords qu'il éprouvait même si c'est Victor qui avait embouti son tramway à Lachine.

Souvent, elle rêvait que Louis fonçait sur elle avec son gros tramway et que, vêtu de son uniforme de guerrier, il se postait devant elle en saluant comme le font les soldats devant l'autorité.

– Qu'est-ce qui se passe, mademoiselle Émilia? Qu'est-ce que j'ai dit pour vous rendre aussi triste?

Émilia leva les yeux vers Sylvia, mais ne répondit rien.

– C'est un homme qui en est la cause, pas vrai? Allez, racontez-moi tout.

Sylvia s'installa dans la causeuse auprès de la machine à coudre et posa sa main chaude sur la cuisse de sa couturière qui ne put demeurer coite.

Elle raconta tout à Sylvia qui promit d'en parler à son père qui, lui, était tout désigné pour fouiller les cas des conscrits forcés par la nouvelle loi du gouvernement King.

– Je vais faire tout ce que je peux pour qu'on fasse la lumière sur le cas de votre Louis. En contrepartie, comme il en va de la position de mon père, et de sa vie, sait-on jamais, je vous demande de ne jamais dévoiler qu'il est Juif. Vous pouvez me le promettre, Émilia?

– Vous croyez qu'il y a du danger, encore?

Émilia pensait que les antisémites québécois s'étaient enfermés dans leur placard et que ceux qui avaient souffert à cause d'eux s'étaient volatilisés, et les responsables de l'enquête sur les activités des Chemises Bleues encore davantage.

Tout à coup, Émilia sentit la fièvre envahir tout son corps. Une angoisse soudaine lui fit soupçonner un drame sans qu'elle puisse seulement se l'expliquer. Elle posa le poing sur son abdomen pour réprimer un immense soupir qui montait en elle.

– Émilia, qu'est-ce que vous avez?

– J'ai mal aux mains. J'ai beaucoup perlé aujourd'hui, mentit-elle.

– Vous voulez de l'antiphlogistine? J'en ai un tube flambant neuf.

– Ça va aller, Sylvia, vous êtes trop gentille. Je suis habituée. Maintenant, excusez-moi, faut que je taille mon patron pour la blouse de votre amoureux.

. . .

Contrairement aux autres clients qui conviaient leur couturière à leur table pour tous les repas, chez les Lévis, Émilia recevait ses repas directement dans sa chambre. La bonne Jeanette avait beau prendre toutes ses précautions et feutrer ses pas sur le parquet lustré, Émilia entendait toujours le cliquetis des assiettes et de la cafetière qui se bousculaient sur la desserte. Elle se hâtait alors de débarrasser sa table de taillage de tous les objets qui s'y entremêlaient : les ciseaux, la boîte à épingles, les craies de marquage, le fil à faufiler et le galon à mesurer. Elle ouvrait alors la fenêtre qui donnait sur un bouquet d'arbustes aux teintes contrastantes, installait une petite nappe de dentelle brodée et elle ouvrait la porte de son atelier au moment exact où Jeanette flûtait :

– B'jour, miss Émilia !

Le soir, elle prenait son repas assez tôt, et c'est lorsque Jeanette venait desservir qu'Émilia ressentait un début de grande solitude. Elle se demandait toujours pourquoi les Lévis préféraient que leurs employés – c'était aussi le cas de Jeanette – mangent dans leurs appartements. Elle mit cela sur le compte de la méfiance, devant cacher à tout prix leur appartenance à la nation juive et surtout les activités du colonel Lévis au sein de cette guerre devenue mondiale.

Émilia aimait bien Sylvia, mais ses parents la mettaient mal à l'aise avec leurs grands airs.

Ce soir-là, Jeanette vint frapper à la porte d'Émilia sans les cliquetis de la desserte en guise d'avertissement.

– Émilia, les patrons veulent que vous mangiez à la salle à manger ce soir. À huit heures pétantes !

– C'est tard. Je suis pas habituée à manger à huit heures.

– Tenez, prenez une poignée de pinottes avant que les tripes vous crillent ! Monsieur Lévis ne se rendra pas compte qu'il lui en manque quelques-unes !

. . .

À huit heures moins cinq, Émilia apparut dans l'embrasure de la porte vitrée de la salle à manger, les ongles brossés, les cheveux bien tirés et la robe boutonnée jusqu'au cou. D'un bref coup d'œil, elle s'aperçut qu'elle avait oublié trois épingles sur le revers de son col. Elle émit un petit rire nerveux, les retira et les piqua dans le pot de fleurs sans que quiconque ne la vit. Que lui voulaient monsieur et madame Lévis ? Elle sentit à nouveau une vague d'angoisse monter au creux de son abdomen, à moins que ce ne fut la faim qui la tenaillait. Elle se doutait que le colonel Lévis voulait lui parler de Louis. Sylvia avait fait le message et son père avait dû faire la lumière sur tous ces pans d'ombre qui obscurcissaient son existence. L'homme devait avoir des nouvelles de Louis Turgeon.

– Venez vous asseoir, Émilia.

Monsieur Lévis avait l'air sérieux – Émilia ne l'avait jamais vu autrement que vêtu de son uniforme – même s'il portait une veste de soie brute et le revers de soie moirée qui avait dû lui coûter au moins cinquante dollars si elle se fiait à la qualité de sa facture. Il portait des lunettes de corne foncée et il s'était arrosé d'une lotion odorante et très épicée, du Boucheron sans doute (qu'elle avait aperçue dans la salle de bains du couloir), sur tout son visage fraîchement rasé. Il entoura les épaules d'Émilia de son bras paternel. Madame Lévis, qui avait déjà pris place à la table, gardait le silence en souriant au miroir accroché sur le mur opposé.

– Jeanette, vous pouvez servir la soupe. Émilia, vous aimez le vin ?

– Un petit verre, s'il vous plaît. Je n'en bois presque jamais, dit Émilia en songeant à cette journée où elle en avait tant bu avec Rosette et qu'elles avaient fouillé le bureau de Louis.

· · ·

Monsieur Lévis sortit de la poche de sa belle veste une enveloppe blanche avec un quelconque emblème qu'elle n'arriva pas à déchiffrer. Il replaça ses lunettes, puis d'un geste hésitant, tira une lettre de l'enveloppe. Émilia était certaine qu'il l'avait lue avec attention, mais vit qu'il faisait mine de ne jamais l'avoir seulement parcourue. Il plissait les yeux pour plus de solennité. Il se mit à prononcer les mots un à un jusqu'à ce qu'Émilia perde toute conscience de ce qu'elle entendait.

Monsieur,

Il nous apparaissait urgent de vous informer, puisque vous sembliez décidé à aller au bout de cette affaire, que le dénommé Louis Turgeon matricule 5439 est détenu à

Pétawawa afin de lui retirer toute possibilité de devenir une nuisance dans les projets de notre gouvernement en temps de guerre.

Louis Turgeon, né à Lachine et résident de la munici-palité d'Outremont, a été reconnu coupable d'agression armée, d'intimidation et de voies de fait sur huit Cana-diens de Montréal, de religion juive (Lévis prononça len-tement et appuya fort sur les syllabes) *sous la bannière des Chemises Bleues, dont les membres ont été jusqu'à ce jour incarcérés ici même.*

Nous avons identifié Louis Turgeon, chauffeur de tramway pour la Société de transport de Montréal, marié à Émilia Trudel, couturière de son métier, alors qu'il avait dirigé les actions qui lui sont reprochées ci-haut, dans l'édifice du... rue Sherbrooke ouest, appartenant à Mon-sieur Samuel Wildman. L'individu a été placé sous surveillance et subira un procès dès que les troupes ca-nadiennes reviendront de l'Europe.

Salutations distinguées,

Colonel Peter Sullivan,
Ottawa, Canada.

Monsieur Lévis ne dit plus rien après avoir terminé la lecture de la lettre. Madame Lévis se rendit, elle, au-près d'Émilia, sachant bien que sa couturière n'était au courant de rien. Il était évident que, dès qu'elle avait entendu le nom de Samuel Wildman, le mari de Rosette, elle avait perdu toute notion de la réalité. Elle s'était affalée sur sa chaise, aussi blanche que la nappe.

– Avec ce que vous savez de notre famille, Émilia, vous comprendrez dans quel bourbier nous sommes. Monsieur Wildman est une connaissance à nous et un des membres de notre synagogue parmi les plus influents. Votre mari est sous arrêt et devra passer devant un juge et vous voilà à notre service pour quelques mois. Vous aviez d'abord affirmé n'être pas mariée et vous voilà l'épouse légitime d'un ennemi de notre communauté. Nous avons beaucoup fait pour le Québec, ma chère.

Il prit une pause, se retourna vers son épouse et ajouta :

– Poursuivez, ma chérie, moi je ne sais quoi dire.

Marilyn Lévis retourna s'asseoir à sa place. Elle se mit à tordre sa serviette de table et porta son verre d'eau à ses lèvres. Comme l'aurait fait un chien en tournant en rond, elle bougea les fesses comme pour trouver une manière confortable de les poser sur son siège. Elle s'essuya la bouche, puis toussota en posant son regard sur la couturière.

– Made... madame Émilia, puisque vous êtes madame Turgeon, on le sait maintenant, j'ai parlé à mon mari et l'ai convaincu de vous inciter à terminer votre travail chez moi. À la condition que vous ne sortiez pas d'ici avant la fin de vos travaux.

– Autrement dit, Émilia, reprit le colonel Lévis, vous ne pourrez pas sortir de cette maison. Vous passerez les fins de semaine dans cette maison et ne devrez être en contact avec qui que ce soit. Si vous n'acceptez pas, vous quitterez sans recevoir un sou. Et qui sait ce qui arrivera à votre mari.

Émilia revenait lentement de son hébétude et vida le contenu de son verre de vin. Des pensées noires se bousculaient dans sa tête. Comment Louis avait-il échappé à sa vigilance? Comment avait-il pu s'en prendre à Samuel Wildman en sachant qu'il était le mari de sa meilleure amie? Comment, de façon générale, un Canadien-français pouvait-il détester à ce point des immigrants qui avaient tellement fait pour le commerce dans la province? Comment, lui qui était un solitaire, avait-il pu adhérer à un groupe aussi violent? Et, pire, comment avait-il pu être aussi violent avec elle-même qui était tellement amoureuse de lui? Elle sut qu'elle aurait dû fouiller tout le bureau de Louis dès qu'il lui en avait interdit l'entrée et, ainsi, le confronter à tous ces éléments de preuves. Elle conclut à voix haute en se qualifiant d'imbécile et de tarte, ce qui fit bien rire madame Lévis.

Émilia ne voulut pas sauver Louis Turgeon qui avait abusé de sa naïveté. Sa décision fut sans retour.

– Je ne veux pas être votre prisonnière. Je sais que je vous aime beaucoup et mademoiselle Sylvia aussi. Je terminerai la dentelle de sa blouse. Le mariage est le 7 juin, vous pourrez trouver une autre couturière pour terminer votre toilette, madame, et celle de votre fille. Je vous promets de ne pas raconter quoi que ce soit au sujet de votre famille. Je le ferai pour expier les péchés de mon mari. Mais je ne retournerai pas avec lui.

– Mais où allez-vous vivre, Émilia?

– Je vivrai chez mon frère à Verdun. Tout est déjà arrangé. J'apporte la blouse de votre futur et je la rapporterai quand j'aurai terminé la dentelle que j'ai promise à mademoiselle Sylvia. Mais, sans façon, je ne peux pas accepter votre offre de demeurer enfermée chez vous. J'ai plus d'honneur que ça.

Elle se leva, se rendit dans sa chambre pour ramasser ses effets personnels et enfouit la chemise de Stephen Manzi dans un sac, puis vers huit heures trente, elle quitta silencieusement la maison d'Outremont qui l'avait si bien accueillie.

La tête lui faisait mal et elle mit plus d'une heure pour se rendre chez Dolorès qui la reçut les oreilles et les bras ouverts. La nuit vint et les deux femmes se lamentèrent au-dessus d'un thé anglais des affres de cette maudite guerre qui faisait du mal aux Juifs, aux Britanniques, et aux Canadiens-français entrés contre leur gré dans cette quête pour la liberté.

● ● ●

Le lendemain, Émilia vit arriver Germaine Lebrun, son ancienne voisine du bas, sans ses enfants, un paquet de lettres entre les mains. Son ventre avait repris son aspect normal. Émilia fut très contente de la revoir.

– Comment vont tes enfants ? demanda Émilia.

– Réjeanne et Paul ont la picotte. Camillien l'a déjà eue quand il avait trois ans. Ma tante Florence garde le petit dernier chez elle. Dès qu'on a aperçu le premier bouton, on est allé porter Léopold chez ma tante. Ben oui, on l'a appelé Léopold. Il a cinq mois. C'est ben petit pour attraper la picotte. Et toi, comment tu vas ? C'est ton frère qui reste ici ? Ç'a de l'air beau.

– Entre. Je vais te faire un café ou un thé, c'est comme tu veux. Je vais te présenter Dolorès. Elle aussi attend un petit. Pis mon frère n'est pas là. Tu vas pouvoir parler avec elle. Elle est bien inquiète.

• • •

Dolorès fut ravie de se faire une nouvelle amie. Le thé servi, les galettes au sucre empilées sur un plateau de verre, la radio jouant des chansons françaises en sourdine, les trois femmes discutèrent de tous les sujets, en riant parfois aux éclats ou en écrasant une larme, juste avant que les deux autres ne s'inquiètent. On parla bébés, maris, beaux-parents, fidélité et franchise, deux qualités qui ne semblaient pas être parmi les plus populaires dans leur entourage immédiat.

Émilia écoutait en observant son index, lacéré en maints endroits par la pointe de la navette. Elle s'aperçut que sa vue ne captait plus les objets quand ils étaient trop près et elle devait utiliser un enfileur pour passer le fil dans le chas des aiguilles. Germaine racontait combien elle aimait son homme malgré son attitude détachée et sa suprématie exercée sur ses enfants. Il les élevait avec fermeté et oubliait qu'ils avaient aussi besoin de tendresse.

Émilia, distraitement, se mit à observer son courrier et aperçut une lettre venant d'Angleterre, lettre une fois de plus examinée et autorisée par l'armée. À l'arrière de l'enveloppe, elle lut distraitement ce qu'une assez grosse estampe avait laissé : *POST OFFICE R.A.F.*

STATION 22 APR 1943. Ayant reçu la permission expresse de Dolorès de lire sa lettre, Émilia l'ouvrit très rapidement :

Très chère sœur,

Ta lettre sentait le sol qui dégèle et la sève qui pousse. Elle me parlait de ton déménagement chez moi avec ma douce Dolorès. Je suis très heureux de vous savoir toutes les deux ensemble pour attendre la fin de la guerre et m'attendre, moi. Ici, c'est déjà presque l'été. Je m'amuse tranquillement à écrire des lettres et à lire des revues de mécanique.

J'ai écrit aussi à Dolorès, mais dis-lui que j'ai remis l'enveloppe à l'adjudant qui va la poster demain. Elle devrait la recevoir d'ici quelques jours.

Je ne reviendrai pas au mois de juillet. Mon pilote est malade pour environ deux mois et nous avons encore quatre mois de travail à faire avant de retourner. Enfin, la guerre finira par finir. Écris-moi plus souvent si tu veux.

Ton frère Victor qui t'aime.

Le silence s'installa dans la petite cuisine. Dolorès pleurait lentement et Germaine ne savait pas trop comment composer, elle qui se sentait en-dehors de la situation. Émilia, elle, lut puis relut sa courte lettre, passait et repassait son index meurtri sur le papier blanc, puis replaça la lettre dans son enveloppe et l'enfouit dans son sac à mains.

– J'ai hâte de lire la mienne, trancha Dolorès en se tenant le ventre.

Émilia trouva son geste assez comique. Dès qu'elles savent que progresse la vie dans leur utérus, les femmes développent rapidement cet instinct de protection qui les font se tenir l'abdomen et pousser leurs épaules vers l'arrière. Leur visage s'éclaire, leurs yeux scintillent et leur attitude change. Elles ne sont plus seules dans leur corps, dorénavant. Un long frisson traversa Émilia et elle fut certaine qu'elle n'aurait jamais d'enfant.

– Vas-tu lui dire? demanda Émilia en songeant à Victor.

– Oui, maintenant que c'est certain qu'on aura un enfant, je vais lui dire. Et je vais le dire à tes parents aussi.

– Ça ne va pas bien, mon père et sa femme, ajouta Émilia.

– Ils sont malades? demanda Germaine pour participer à la conversation.

– En quelque sorte, oui. Mon père a rencontré une autre femme et il veut partir avec elle et laisser sa femme avec sa fille infirme.

– Plus ça change, plus c'est pareil, dit Dolorès. Elle a beau aimer les fanfreluches, la Délima s'est fanée pis ton père en aura choisi une plus jeune. Moi, j'en reviens pas de l'entendre parler.

– Et ton père va la changer pour une plus intéressante? demanda Germaine à Émilia.

– Il va se faire excommunier, tu le sais bien, ajouta Dolorès.

– C'est rien que des mots. Mon père va être plus heureux. Il le mérite tellement.

– Tu l'as jamais aimée, toi, la Délima.

– Justement. Elle a volé la place de ma tante Donatienne. Elle, je l'aimais. Elle me prenait souvent sur ses genoux pour me peigner et elle m'embrassait avant de me coucher. Elle a eu de la peine quand mon grand-père a présenté Délima à mon père qui est devenu fou comme un petit gars devant un nénanne. Elle est partie aussitôt que popa s'est marié. Jamais je l'ai oubliée, ma tante Donatienne.

L'après-midi passa dans le plus grand des désordres, Émilia, Germaine et Dolorès s'amusant à prévoir des scénarios et des situations burlesques. L'une promit de prêter un livre à l'autre; la suivante de lui enseigner à faire de la tarte à la farlouche, la dernière de lui offrir des vêtements de bébé. C'est ainsi que les regroupements de femmes se bâtissaient et qu'elles apprenaient à passer du bon temps sans les hommes.

• • •

Le lendemain, alors qu'Émilia terminait son dernier arceau de dentelle d'Irlande, unissant les jours, les mailles et les reliefs en se piquant parfois avec la pointe de la navette, elle entendit Dolorès crier comme si elle était en train d'être assassinée. Émilia redouta ce qu'elle allait entendre puisque le facteur venait de pousser le courrier dans la petite porte grinçante du vestibule. Elle déposa son travail avec délicatesse sur la causeuse, puis se rendit auprès de sa belle-sœur qui pleurait, totalement défigurée. Dolorès tenait une lettre bleu pâle portant la date du 5 mai 1943. Ses larmes et ses gouttes de salive tombaient sur le papier, et à certains endroits, l'encre noire s'étirait en entraînant les lettres les unes contre les autres. Émilia prit la lettre et fut saisie d'un nouveau tremblement qui la secoua des pieds à la tête.

– C'est pas une lettre de Victor, ça! dit-elle en sachant très bien de quoi il s'agissait.

– Non... pas... Victor...

– C'est signé: le général Andrew Mc Naughton. Il écrit: «*Nous avons le regret de vous informer que le sergent Victor Trudel a perdu la vie quand son avion a été bombardé au-dessus de la Hollande*», lut-elle avec la lenteur des moments solennels.

Émilia était tellement convaincue que Victor et Louis allaient mourir lors d'un combat, qu'elle ne fut pas surprise. Les mots repassaient dans sa tête. *Le sergent Victor Trudel a perdu la vie quand son avion...* Victor Trudel n'allait plus craindre la mort puisqu'elle l'avait déjà brisé, concassé, englouti. Émilia n'avait désormais plus aucun lien avec son enfance, sa mère Adélina, Donatienne, mademoiselle Marguerite, la maison du boulevard Saint-Joseph et sa main qui poussait le tissu jour après jour. Elle se dit que c'était la nouvelle qu'elle attendait puisqu'elle l'avait tant redoutée.

Dolorès, elle, voulait mourir. Elle pressait son enfant au travers son abdomen à peine distendu, elle hurlait en pensant que l'enfant ne connaîtrait pas son père et pire, que son père n'avait jamais appris qu'il aurait un enfant. Elle l'attendait depuis que Mackenzie King avait parlé d'une fin de guerre probable. Dans sa dernière lettre, Victor avait parlé de l'ennui, puisque sa section ne participait pas aux raids et qu'il aurait aimé que ça bouge, que ça explose, tout ça. Jamais Victor n'avait parlé de la mort depuis ces quelques mois où il avait décidé de piloter un avion. Jamais il n'avait cru qu'un jeune Allemand serait assez misérable pour tirer sur son appareil.

• • •

Josaphat pleura comme il n'avait jamais pleuré. Il se lamentait parce qu'il était assailli de tous les côtés. Juliette, sa jeune maîtresse, ne voulait pas continuer de cheminer avec lui tant qu'il serait happé par sa vie familiale. Ils décidèrent donc de rompre. Et Josaphat dut se persuader qu'il était mieux pour lui de rester avec Délima et Gertrude. Deux femmes infirmes, l'une de sa jambe, l'autre de son âme. Son patron, monsieur Poirier, l'avait sermonné quand Josaphat lui avait dit vouloir quitter le domicile familial quelques mois avant sa retraite. Quand un employé de la ville, surtout un contremaître en récupération sous la surveillance de l'armée canadienne, agissait en mauvais chrétien, les retombées ternissaient aussi le milieu municipal. Lors de la soirée organisée pour remercier les vieux employés, il était normal que chacun se présente avec celle qui avait partagé sa vie de travailleur. Monsieur Poirier encouragea Josaphat à ne pas rompre avec Délima.

Quand il vit arriver Dolorès et Émilia, la figure triste à mourir, il sut que son fils avait été tué. Victor était mort à 33 ans, comme le Seigneur, les bras en croix, moulé à son avion. Et quand Dolorès a placé ses deux mains sur son ventre en pleurant, Gertrude a crié: «Elle attend un petit bébé!»

Josaphat n'avait jamais voulu que Victor s'enrôle. Il prétendait que quand un soldat était conscrit, enrôlé malgré lui, il pouvait toujours être contre la guerre, avoir des espoirs nobles, demeurer un être pacifique et ne pas vouloir tirer sur ceux que les chefs des gouvernements avaient déclaré être des ennemis. Mais que dire de celui qui, comme Victor, s'était enrôlé avec ambition, les épaules dressées et la tête haute?

• • •

L'ennemi. Qui était-il? Un jeune gars de 18 ans qui ne connaissait rien à la vie? Celui dont on avait rempli la tête en lui faisant des promesses de vie meilleure? Celui qui allait porter fièrement le drapeau de sa nation? Josaphat pensait que chacun était l'ennemi de quelqu'un d'autre. Les Allemands, ennemis des Anglais. Les Français, ennemis des Allemands. Qu'avaient fait les Alliés pour mériter le titre de martyrs?

Victor, son fils aîné, celui qu'il avait engendré dans la plus grande secousse avec celle qui avait été son seul amour, venait de mourir dans un crash d'avion.

Josaphat chercha dans son cinéma intérieur, puis il se vit en train de tourner dans le salon, avec Victor au bout de ses bras, Victor les bras ouverts, faisant l'avion. L'enfant de trois ans riait et faisait vroum vroum et puis criait: «Encore, popa! Encore l'avion!»

Josaphat n'avait jamais autant pleuré quand il pressa Dolorès et son enfant sur sa poitrine.

– J'ai de la peine, j'ai de la peine, Dolorès.

– Pleurez pas, monsieur Trudel. C'est vous qu'il va aimer. Mon père à moi, il aimait pas les enfants. Il pensait juste à sa business et les petits, ça lui tombait sur les nerfs. Pas vous.

Josaphat étreignit ensuite Émilia et lui rappela mille petits moments dont elle se souvenait et auxquels elle aimait rêver dans les moments les plus tristes. Tous les deux évoquèrent la tuberculose qui avait tenu Victor éloigné de la maison, ce fier-pet qui avait acheté son premier camion de plomberie après avoir travaillé pour son beau-père ; le coma dans lequel il avait été plongé après avoir embouti le tramway de Louis. Et d'autres souvenirs encore.

– Je lui en voulais, vous savez, mais je suis contente que vous soyez revenu avec Délima, dit Émilia. On ne pourra jamais la changer, c'est aussi bien qu'on l'accepte comme elle est. Elle a quand même pas mal réussi avec vos cinq autres enfants. C'est pas toutes les familles qui peuvent se vanter d'avoir deux garçons dans les Frères, deux filles bien placées et une jeune infirme qui vient juste de se trouver une job de réceptionniste chez le dentiste Boyer, à deux pas de la maison. Vous allez être bien avec Délima, popa ! Vous allez être récompensé pour votre générosité.

Gertrude n'avait qu'à sortir, descendre l'escalier, marcher avec ses béquilles quatre maisons plus loin, puis remonter trois marches pour aller gagner au moins 24 $ par semaine. Pour une infirme, Émilia trouvait que c'était une chance inouïe.

– J'ai pas de mérite. Tout le monde était contre moi pis Juliette voulait pas continuer si je gardais le moindre contact avec ma famille.

– Si c'était comme ça, popa, vous auriez dû jamais rien lui promettre. Je pensais que n'importe quelle nounoune était mieux que Délima Landry. Quand on la regarde comme il faut, on finit par trouver qu'elle n'est pas si pire. Elle est coquette, elle se coiffe bien...

– Faut pas qu'elle parle, ajouta Josaphat en riant.

– Vous avez juste à parler plus, popa. Les femmes, elles prennent la place qu'on leur laisse. Laissez-y en moins. Elle parlera moins.

– Je te dis que t'es smart, toi! Une vraie femme du grand monde.

– Oui, popa, et vous avez rien vu!

• • •

Cette remarque venant de son père lui avait fait un tel plaisir qu'elle ne sut comment réagir. Elle se sentit emplie de superbe et vit l'avenir comme un vaste champ doré auréolé de lumière qui avait remplacé la peine d'avoir perdu son Louis et son frère. À la radio, les commentateurs semblaient s'épandre sur ces hommes qui ne revenaient pas du champ de bataille, comme s'ils étaient convaincus que chaque individu était leur frère ou leur père. Une petite musique de cornemuse accompagnait les messages spéciaux qui ne cessaient de s'accumuler, interrompant celle de l'orchestre de Benny Goodman. Les hommes qui n'avaient pas été conscrits demeuraient assis, graves, devant leur appareil, en fumant solennellement leur pipe ou une cigarette. À tout bout de champ, on donnait des nouvelles de la guerre et une habitude d'écouter s'installa dans les maisons. Quand le père ordonnait aux enfants de cesser de courir, de s'asseoir et d'écouter, c'était pour *les nouvelles de la guerre*, comme il aurait dit : des nouvelles de votre tante Anna des États. On se calmait, on venait s'asseoir au pied de la radio et on écoutait les horreurs concernant les combats narrés par les correspondants de guerre, et on comptabilisait les morts. Chaque fois, Dolorès et Émilia pleuraient en se tenant dans les bras l'une de l'autre.

· · ·

Ce soir-là, quand Josaphat quitta *la maison de Dolorès* – qui s'appellera désormais ainsi –, Émilia se dit qu'une grande dame devait prendre une grande décision.

Chapitre quinzième

C'était un jour comme on en a l'été. Les *schizaea pusilla* que Michel avait trouvées dans une pinière de la Nouvelle-Écosse et dont il avait semé les spores en bordure de la forêt à quelques pas de l'herboristerie, avaient fini par dérouler leurs longs ramages parmi les fougères-à-faucilles. Comme il serait heureux de constater que son expérience avait réussi. Donatienne n'allait certes pas le lui faire savoir. Les *schizaea pusilla*, qui n'avaient pas encore d'appellation en français, pouvaient faire du père Michel une sommité si encore quelqu'un pouvait voir ces fougères d'une rareté extrême pousser à Oka.

Cette contrée de la rive nord de Montréal offrait de nombreuses plantes dont aucun autre endroit au monde ne pouvait s'enorgueillir. Le père Michel, Donatienne et madame Bemmans seuls connaissaient ces spécimens. Et quelques professeurs de l'École d'agriculture où le père Michel dispensait ses connaissances.

S'il eut fallu que le Jardin botanique sache que des *schizaea pusilla* poussaient à deux pas de la maison de Donatienne Crevier, certains de ses botanistes, le frère

Marie-Victorin en tête, seraient en train de couiner ou de mourir de jalousie. Donatienne tenait là une autre petite vengeance.

Les chatons des saules avaient éclaté et les clématites avaient commencé à grimper aux clôtures comme des petites filles aux cotillons mauves. Donatienne respira un bon coup en posant les yeux, en contre-bas, sur le pailleté du lac des Deux-Montagnes.

Mary Eagan sortit au même moment, enveloppée du châle rouge qui était toujours accroché à la patère, tenant sa tasse de café entre ses deux paumes. Elle paraissait heureuse, comblée par la vie, connaissant enfin la sécurité auprès de cette maîtresse-femme.

– J'ai fini le lavage. Je vais étendre dehors. L'herbe est pas mal sèche. Les nappes et les draps sécheront vite avec ce beau soleil, dit Mary.

– Écoute, on entend couler le ruisseau derrière l'appentis, ajouta Donatienne. T'as déjeuné?

– La petite dort encore. Elle grandit, on dirait. Les os lui étirent et elle a mal aux jambes sans bon sens. Toi, tu as bien dormi?

– Pas trop. Je trouve qu'Helmut tourne pas mal autour de Fleur-Ange. C'est pas de mes affaires, mais j'ai peur qu'il devienne trop excité pis qu'il manque de discrétion par rapport à la cachette des hommes. Hier, je le pensais bien installé à l'abri des curieux avec son ami Frank et le neveu de Carla Bemmans, mais quand j'ai regardé comme il faut, je l'ai aperçu en train de conter fleurette à Fleur-Ange sous les premiers pommiers du verger sud. Si une automobile de l'armée était arrivée, il n'aurait pas eu le temps de chercher quelqu'un pour aller pousser l'armoire devant la porte du bunker pis tous les autres se seraient fait embarquer. Il faut que je demande à Carla de le sermonner. C'est encore un jeunot, il n'a pas appris à vivre.

...

La petite Susanna sortit, les yeux collés, le pas lent mais le sourire d'une fillette heureuse. Elle courut s'accrocher à sa mère et quémanda une caresse qu'elle reçut au même moment. Donatienne aurait aimé avoir une fille. Les mémères du village disaient qu'avec des filles, la maison était toujours bien propre, mais Donatienne n'aurait pas voulu une fille pour la faire travailler, mais pour tous ces élans de tendresse, ces confidences par légers grappillages, ces baisers portés par de petites lèvres roses. Bien sûr, elle aimait Joseph comme sa propre vie, mais elle avait essayé de ne pas lui inculquer des gestes de fille et en faire un mou. Joseph était tout le contraire de Josaphat : il exprimait aisément sa tendresse envers ses deux fils. Lui aussi aurait aimé avoir une fille. Mais la vie en avait décidé autrement. Quant à Mary, elle devait à présent être grand-mère puisque Margaret, qui était sa véritable fille, avait plus de 25 ans. Elle s'était brouillée avec Mary et elles ne s'étaient pas revues depuis longtemps. Mary n'en parlait jamais. Margaret fréquentait Rick Kingsley qui avait été le proxénète de Mary durant de longues années, avec le sentiment que c'était lui son père.

– Vous venez manger ? dit-elle.

– On y va !

Comme Donatienne montait l'escalier bringueba-
lant, une voiture noire, encore une, montait la route
graveleuse et Cécile se mit à crier comme la vigie d'un
navire à la vue d'un bateau pirate. Une activité hors de
l'ordinaire débuta. Susanna et Mary entrèrent dans la
maison, tandis que Donatienne, complètement affolée,
cherchait ses hommes du regard. Elle aperçut Blaise,
Pierrot, Albert et Frank qui couraient vers l'herboristerie. Où donc étaient Helmut et Joseph ? Elle fut
prise d'un grand malaise quand elle aperçut la voiture
qui s'immobilisait dans l'allée de la maison et que les
portes s'ouvraient, laissant paraître deux militaires
dont l'un était armé. Une nausée monta, lui laissant un
goût âcre dans la bouche. Elle aurait voulu sauter sur
ces hommes et les tuer tous les deux. Il ne fallait
pas qu'ils trouvent Joseph et encore moins les jeunes
Allemands. Elle décida de jouer la femme en pleine
possession de ses moyens. Elle respira un bon coup,
puis s'avança pour les rejoindre devant la maison afin
de les convier à prendre une tasse de thé. Ainsi, Helmut et Joseph auraient le temps de courir jusqu'à l'abri
et elle allait demander à Mary de replacer l'armoire
devant l'entrée.

– Vous allez bien, messieurs ? Que puis-je pour
vous ? J'ai du thé chaud sur le poêle, ça vous dirait ?

Le premier regarda son collègue comme si l'invita-
tion lui plaisait. Le deuxième, plus fougueux, déclara :

– Madame, nous ne sommes pas en vacances. Nous sommes ici pour mettre la main au collet d'un dénommé *(il consulta son carnet de cuir usé)* Jos... *(Donatienne faillit s'évanouir)*... Jos H. Latour, un dénommé Claude Marinier et un autre, euh... Suzor Laramée. Nous venions voir si vous les auriez pas vus dans les parages, compte tenu que vous engagez beaucoup d'hommes.

– Je ne les connais pas. Peut-être que le petit Marinier est le fils d'Anatole. Mais je ne suis pas certaine. J'ai assez de m'occuper de mes affaires... sans me préoccuper de celles des autres.

Le premier militaire fit le tour de la maison en fouinant comme s'il était certain de trouver quelqu'un. Donatienne était en train de se convaincre qu'il y avait des traîtres parmi les gens du village. Elle regretta même d'avoir accepté de cacher le neveu de Clara Bemmans qui avait toujours eu du mal à fermer son clapet. L'attitude des deux hommes lui fit penser qu'ils avaient menti et qu'ils recherchaient Joseph.

En posant discrètement le regard au loin, du côté des vergers, il lui sembla que deux silhouettes brouillaient la tranquillité des lieux. Deux corneilles sortirent d'entre les pommiers fleuris, apeurées par une présence humaine. Donatienne reposa les yeux sur le carnet que tenait le militaire. Il n'y avait absolument rien d'écrit d'autre que *Joseph Crevier*. Elle avait donc raison. Ils recherchaient son fils et c'était pure tactique que tous ces noms qu'ils avaient fournis. Elle ne voulut pas paraître affolée, mais elle savait que Joseph et Helmut étaient dans les vergers et que, si les militaires ne partaient pas immédiatement, elle allait faire une crise de nerfs et les accuser de harcèlement. Le plus jeune fit mine de vouloir visiter l'herboristerie pendant que son collègue retournait dans son automobile. Donatienne se mit à trembler.

– C'est une boutique d'herbes médicinales, des huiles, des lotions, des tisanes, et notre fameux cidre de pomme *La Cuvée du givre d'automne*, qui arrose en ce moment les repas de nos soldats en Angleterre. Vous aimeriez y goûter ? Je vous en offre chacun deux bouteilles, si vous voulez. Il se fait rare depuis qu'on doit les expédier en Europe.

– Non merci, madame Crevier, je n'aime pas le cidre de pommes. Ça me donne des aigreurs d'estomac. Il faut faire attention aux petits cadeaux que vous offrez aux militaires. Nous sommes en guerre et il y a beaucoup trop de conscrits qui ne se présentent pas aux casernes.

Mary apparut sur le balcon et, du regard, chercha à savoir si Donatienne s'en sortait correctement.

– Mary, il faudrait fermer la porte de la boutique. Il fait encore trop frais pour la laisser ouverte, insista Donatienne pour que sa copine comprenne qu'il fallait replacer l'armoire devant l'abri.

– Quoi ? La porte de la...

– Oui, la porte de l'herboristerie.

Mary hésitait. Susanna, elle, avait tout compris. Elle passa par la porte de la cuisine et courut jusqu'à la boutique. Comme elle allait tenter de pousser toute seule l'armoire de pin devant l'entrée de la boutique, une main lui ferma la bouche sans qu'elle put voir son assaillant. Ce dernier se manifesta. C'était Helmut qui, d'un pas rapide, s'engouffra dans l'abri, puis fit signe à la petite de replacer l'armoire.

– Mais... mais Joseph, lui?

– Schnell! Pousser armoire! dit Helmut.

Susanna poussa le plus fort qu'elle put. Au bout de quelques secondes, elle posait l'étalage de pastilles pour la gorge au miel et au vinaigrier devant l'armoire et plus rien ne paraissait. Quand elle sortit enfin de la boutique, la scène qu'elle vit la fit trembler de peur. Le premier policier tenait Joseph en joue. Donatienne pleurait et criait en tentant de s'en prendre au militaire. Mary se tenait à l'écart et pleurait tout autant. Le deuxième policier dit:

– Si vous aviez collaboré, madame Crevier, tout se serait passé plus calmement. Votre fils ne vous appartient pas. Il appartient à la nation canadienne et il doit aller se battre pour elle. Notre job, c'est de trouver tous les zombies et de les envoyer à l'entraînement.

– Pourquoi vous acharnez-vous sur une bonne famille? Maudit Canada! Vous envoyez nos jeunes à l'abattoir! Je refuse que vous touchiez à mon fils. Il n'a pas de père. Si vous l'emmenez, vous aurez un suicide sur la conscience! Je ne vais pas pouvoir vivre sans lui! hurlait-elle.

– M'man! Laisse faire, dit Joseph. Ça ne vaut pas la peine. Tous les hommes du village sont partis. Je vais revenir, tu le sais bien. M'man!

Au même moment, on vit un démon surgir du verger derrière eux. Helmut se ruait sur les deux militaires, puis dans une parfaite synchronisation, Blaise, Pierrot et Frank surgirent eux aussi de l'abri et, poussant une série de hurlements, se ruèrent sur les deux représentants de la police militaire. Joseph resta figé de surprise tandis qu'Helmut arrachait le revolver que tenait l'un des policiers et les pointa. Interloqués, les deux militaires levèrent les mains en sachant qu'ils ne pouvaient rien faire pour se dépêtrer de cette situation. Donatienne reprit son calme et sut qu'à compter de cet instant, la guerre allait s'installer à Oka, car l'Armée canadienne n'allait certainement pas lâcher prise. Elle sut également qu'il ne fallait pas libérer ces deux hommes parce qu'ils allaient ameuter leurs supérieurs et que la foudre s'abattrait sur la petite colonie des Basses-Laurentides.

– Enfermez-les dans l'abri, dit-elle sur un ton inquiet. On va prendre le temps de réfléchir.

– Madame Crevier, vous ne devez pas faire ça! Vous savez que nos collègues vont nous chercher. Que...

Blaise, qui était le plus grand et le plus fort des hommes, saisit celui qui venait de parler tandis que Frank attrapa le second qui commençait à brailler comme un enfant. Les deux militaires furent enfermés dans le bunker, la porte bien verrouillée, l'armoire replacée devant l'entrée et tous les habitants de la petite route graveleuse de chez les Crevier retrouvèrent leur calme. Personne n'allait se battre en Europe.

Donatienne, elle, se demandait que faire avec les deux prisonniers. Une idée germa dans sa tête, et elle congédia tout le monde pour mieux y réfléchir. Mary et Susanna retournèrent dans la maison, l'une pour éplucher les patates, l'autre pour nourrir les trois minous de la grosse chatte jaune.

...

Cette nuit-là, Donatienne la passa dans son atelier, à deux pas de l'abri qui retenait prisonniers deux militaires canadiens, un francophone et un anglophone. Tous les autres hommes qui, en principe, se cachaient dans l'abri, étaient autorisés à passer la nuit avec leur famille.

Personne n'avait cependant l'esprit tranquille. Ils s'en remirent tous à Donatienne qui, elle, réfléchissait à une solution.

Il fallait d'abord cacher la voiture noire le plus tôt possible. Elle allait demander à Albert de la conduire jusque dans sa grange. Il fallait ensuite faire disparaître les deux militaires. Elle savait que l'Armée canadienne enverrait d'autres hommes, jusqu'à des centaines, pour récupérer deux de leurs compagnons disparus.

Mais comment les faire disparaître ?

Elle repassa dans sa tête toutes les plantes toxiques et, telle une sorcière gitane, elle consulta son grimoire personnel, constitué de deux petits carnets noirs en imitation de peau de serpent. Elle ne voulait surtout pas faire mourir les deux représentants de la Défense nationale, bien sûr. Juste les rendre inopérants.

Après avoir passé au travers de ses calepins, elle changea d'idée – elle n'en était pas à une mort près –

et opta pour l'intoxication à la stramoine. Cette plante appelée *datura stramonium Linné*, provoquait une soif intense et une peur morbide de la lumière. La vision devenait floue et la peau rouge et brûlante comme après avoir été exposée à une flamme vive. *Puis le sujet devient dangereux et il peut blesser dangereusement toute personne qui se tient près de lui, puis l'intoxiqué tombe dans un coma mortel. Quelques feuilles seulement peuvent tuer un enfant.*

Elle glissa son châle de laine sur ses épaules, puis attendit l'aurore déferlante pour s'engager sur le chemin qui menait au boisé de l'abbaye d'Oka où le père Michel lui avait signalé la présence de la plante éminemment toxique.

La datura stramonium. Qui trouble la raison. L'herbe aux sorciers.

Donatienne mit quelques heures avant de revenir, sa gibecière remplie de feuilles de stramoine qu'elle gardait bien fermée au cas où elle rencontrerait un quidam. Cette partie du boisé recelait des plantes rares et seuls les Indiens y chassaient le petit gibier en tout temps. À une centaine de pas de la route graveleuse, menant chez elle, Donatienne rencontra Taniata, l'ancienne femme de Bill Tiwasha, grosse d'au moins sept mois. Elle était très contente de revoir la Blanche aux plantes, comme ils avaient, dans sa communauté, surnommé Donatienne.

– Tu te lèves de bonne heure, lui dit Taniata.

– Toi aussi.

– Moi, pour avoir un fils, je dois voir sept lunes se coucher et sept soleils se lever.

– Si tu as un fils là-dedans, il y est depuis sa conception, ma pauvre Taniata. Bill, lui, ne croyait pas à ces légendes-là. Qui est le père de ton enfant?

– C'est Harvey Killeen. Son père est un ébéniste connu. Il fait des horloges sculptées qui sont prisées jusqu'à Ottawa. Dennis Killeen, tu le connais?

– Je ne le connais pas. Tu es heureuse avec Harvey Killeen?

– Heureuse, je n'ai jamais connu ça. Mais bien traitée, oui. Harvey ne boit pas trop et il est doux avec moi.

Donatienne pensa au peu de temps qu'il restait. Elle ne voulait pas non plus que Taniata puisse croire qu'elle était pressée ou mal à l'aise ou encore qu'elle cachait quelque chose.

– J'y vais. J'ai pas encore déjeuné. Mon ventre crie, tu l'entends?

– J'aimerais que tu me parles de l'accouchement. Me montre comment faire. J'ai pas très confiance en la vieille Janet. Elle en a perdu cinq depuis un an. Toi, tu sais faire.

– T'as combien de temps encore?

– Je commence le huitième.

– Viens me voir fin juillet. Je t'expliquerai. Je peux même aller t'accoucher, si tu le souhaites. Maintenant, je cours faire du café.

Elle courut jusqu'à l'herboristerie, ouvrit son sac et déposa les feuilles de stramoine dans le grand évier.

Elle se mit à penser aux légendes, aux rites anciens auxquels les Indiens croyaient encore malgré l'avancée de la science, malgré la radio et les journaux. Elle songeait à la vieille Janet en qui les squaws avaient confiance et aux cinq bébés qui étaient morts. Elle se souvint d'Adélina Trudel, la jeune femme de Josaphat et des grands yeux apeurés de la petite Émilia. Elle revit le sang, la sueur sur le front de la jeune femme, le désespoir dans le regard de Josaphat quand le docteur Lemire avait affirmé : *Dis-lui que sa maman a donné sa vie pour lui. C'est ça qu'il faut que tu lui dises, mon bonhomme.* Elle eut une pensée pour Victor. Qu'était-il advenu de ces deux enfants ?

• • •

Donatienne passa les feuilles robustes de la stramoine sous l'eau du robinet. Elle retira de chacune des ramifications les feuilles les plus souples et arracha les grandes fleurs blanches qui commençaient à poindre. Puis elle enveloppa cette salade dans un linge humide et se rendit à la maison. Mary était assise en train de boire un café et Susanna explorait un vieux catalogue de Dupuis Frères en découpant des jouets qu'elle aurait bien voulu posséder.

– C'est correct si la petite découpe dans ton catalogue ? demanda Mary.

– Tant qu'elle ne prend pas celui de cette année. Faut bien qu'elle s'amuse à quelque chose, pas vrai, ma petite ?

Donatienne se rendit dans la cave froide et attrapa un sac qui contenait de jeunes pousses de ciboulette, de mâche et quelques herbes tendres qui composaient d'excellentes salades. Elle prit ensuite quelques gousses d'ail, du sucre d'érable, du persil séché, de l'huile et quelques cuillerées de vinaigre de cidre. Elle sala et poivra généreusement. Puis elle mêla toutes les feuilles dans un grand bol et les arrosa de la vinaigrette. Pour n'alerter personne, elle se rendit elle-même jusqu'à l'abri, ouvrit la porte et y glissa le bol de salade.

– Voici, en attendant le rôti de chevreuil. Je vous ai fait une bonne salade.

Une main saisit prestement le bol et elle referma la porte sur une supplication avortée. Quelque chose comme : laissez-nous partir ou sortir. Aucune menace du genre : quand ils nous retrouveront... vous aurez affaire à nous autres. Rien. Donatienne les imagina en train de s'empoisonner. Elle pourrait suivre les étapes de leur intoxication.

Elle se rendit chez Albert pour lui parler d'une autre idée.

– Il faut plus que cacher l'automobile dans ta grange, Albert. Il faut qu'elle disparaisse pour de bon.

– Il y a Basile Saint-Denis qui achète des morceaux de voiture pour les vendre du côté de Como.

– Va nous chercher Basile Saint-Denis. On a une belle Oldsmobile pour lui. Faut pas que personne ne se doute de quelque chose. On va lui donner un morceau à la fois. Toi pis Joseph, vous êtes capables de la démancher ?

– Y a-t-il une chose que Joseph pis moi on peut pas démancher ?

Ils se mirent à rire tous les deux. Cécile descendit l'escalier en se frottant les yeux.

– Qu'est-ce que vous manigancez, vous autres ?

– Donatienne veut que nous fassions disparaître l'auto des deux types. Ils doivent être en verrat à l'heure que je te parle. Enfermés dans l'abri qu'on avait prévu pour se cacher d'eux autres. As-tu pensé qu'il va en arriver d'autres, ma chère ?

– Je me suis occupée de tout, laissa tomber Donatienne.

Puis elle passa chez Rosalie et Joseph pour bien leur rappeler de ne jamais parler des deux policiers de l'armée à qui que ce soit. Elle leur expliqua pour l'automobile noire et embrassa ses deux petits-fils qui couraient en pyjama dans le salon, portant chacun un petit avion rouge. Elle revint chez elle en respirant large. On aurait dit que le bonheur était descendu sur Oka par cette belle matinée de juin.

Elle était très fâchée contre Helmut. À cause de son attirance envers Fleur-Ange, qui était nettement trop jeune pour lui, le jeune Allemand avait causé l'arrestation de Joseph qui avait voulu le sauver. En effet, quand la voiture des deux policiers s'était pointée dans la petite agglomération du haut de la falaise, Joseph avait cherché du regard tous ses compagnons et avait constaté qu'Helmut était à un demi-mille de l'abri. La consigne disait que dès qu'une voiture était en vue ou s'engageait dans la route au bout du champ des Fréchette, tous les hommes devaient s'engouffrer dans l'abri. Cette fois, Helmut était hésitant et Joseph avait rebroussé chemin pour inciter son ami allemand à se cacher. Ils avaient manqué de temps, et la police avait attrapé Joseph.

• • •

Toute la nuit, elle veilla dans la boutique à la lueur d'une lampe à l'huile, son beau visage chichement éclairé et ses mains se tortillant à cause de la nervosité. L'intoxication à la stramoine avait l'habitude de mener rapidement à la mort. À une dizaine de reprises, elle entendit frapper sur la porte de l'abri. Les bruits étaient assourdis par l'armoire, mais les gémissements parvenaient à ses oreilles comme les lamentations d'une femme en train de donner la vie. Elle se mettait alors à fredonner. Ou à toussoter. Elle en voulait aux hommes. Ceux qui mentaient, ceux qui abandonnaient, ceux qui tuaient.

• • •

Vers quatre heures, alors qu'une lueur rose teintait l'horizon du côté des montagnes, elle n'entendit plus rien. Les deux hommes de la Défense nationale du Canada avaient fini de gémir.

Au moment où un coq chanta dans la basse-cour, poussin mâle oublié par Susanna, Mary entra dans la boutique, les yeux encore gonflés de sommeil. Elle savait que Donatienne aurait besoin d'elle. Elle rit en songeant qu'une fois encore, Donatienne et elle allaient être complices dans la mort. Deux vraies criminelles.

– Qu'est-ce que t'as à rire, Mary?

– Rien, rien... tu crois que c'est terminé pour eux?

– Aide-moi à pousser l'armoire au lieu de rire.

Les deux femmes trouvèrent les chasseurs de zombies morts tous les deux. Cette fois, pour s'en assurer, Donatienne leur mit un miroir sous les narines. Aucune buée. L'odeur était pestilentielle et il fallait aux deux femmes respirer derrière leur châle pour ne pas perdre connaissance. *La stramoine est violente et conduit le sujet à une violence incontrôlable.* Les deux policiers de l'armée allaient maintenant disparaître.

– Viens avec moi. Tu sais conduire le tracteur? demanda Donatienne à Mary.

– Joseph me l'a montré.

– J'ai installé la pelle. Tu vas nous creuser un trou juste au bout du verger. Un grand trou d'au moins six pieds.

– Quoi? Tu veux les enterrer debout? s'amusa Mary.

• • •

Ce n'est qu'à la fin de l'après-midi que la fosse fut complètement creusée, remplie de chaux et de milliers de pétales de pommiers, puis prête à recevoir les deux envoyés de la Défense nationale. Les deux cadavres furent dévêtus, leurs uniformes brûlés dans le champ où les cendres des fanes de blé d'Inde avaient laissé une accumulation sèche, leurs médailles enfermées dans une cassette de métal et cachée sous le lit de Donatienne par Susanna; puis les deux corps furent enterrés, dans le plus grand secret, sans sépulture et sans prières. Les deux femmes nettoyèrent toutes les surfaces qui auraient pu contenir des restes de la stramoine. Du hangar des Fréchette sortit, en pièces détachées, l'automobile gouvernementale qui fut embarquée sur la traverse menant à Como. À cinq heures, quand le soleil pénétra entre les arbres de la montagne, brûlant leur silhouette et leur feuillage naissant, il ne restait aucune trace des deux chasseurs de zombies.

Quand elle aperçut enfin Joseph, Donatienne lui ordonna de déplacer le tas de cailloux qui jouxtait l'herboristerie et de le verser sur la terre fraîchement tournée. Ce qu'il fit. À sept heures, quand elle sonna l'heure du souper pour les femmes – les hommes se rendant dans l'abri –, il était parfaitement impensable de se douter que deux chasseurs de déserteurs étaient venus à Oka. Où étaient-ils? Personne ne savait. Et c'est la réponse qui serait donnée à ceux qui questionneraient. Ni vus ni connus. Ils avaient parlé d'aller à Saint-Eustache. Ils y étaient fort probablement. «Allez donc voir. Il paraît qu'il y en a une grosse gang de cachée, là-bas.»

Chapitre seizième

Elles étaient au moins une vingtaine à attendre devant le petit bureau que l'Armée canadienne avait mis à la disposition des jeunes filles qui désiraient s'enrôler. La grosse femme vêtue d'un uniforme sévère, jupe étroite sur deux poteaux de téléphone, regardait ces futures soldates avec une froideur gagnée à la guerre. Au-dessus de sa lèvre supérieure, Émilia pouvait presque compter chacun des poils d'acier qui formaient une moustache. Quelques autres lui poussaient au menton. Elle n'avait qu'une petite poitrine qui se soulevait sous des toussotements nerveux et elle avait la mauvaise habitude de se lever et de se rasseoir à toutes les vingt secondes comme si elle était inconfortable ou atteinte d'un picotement là où l'on pouvait se l'imaginer. Elle portait de grosses bottines noires bien cirées et des bas de nylon beige. Ses mains avaient dû travailler fort parce qu'elles étaient rêches et ses doigts, fissurés autour des ongles. Son couvre-chef, tel qu'il était, penché sur le côté, avait l'air d'un char d'assaut sur ses cheveux noirs tirés, tellement il était énorme. Cette soldate avait tout de l'idée de la grosse pioupiou que se faisaient les citoyens des femmes militaires. Elle s'appelait Réjeanne Paquette et portait fièrement son nom au-dessus du cœur. Elle avait reçu quelques honneurs comme le témoignaient les galons qu'elle arborait au bras et à la poitrine. Émilia ne l'imaginait ni mariée ni fiancée, mais la croyait caporale de l'armée de libération. Son regard, pendant que sa voix projetait : *vous!* s'était arrêté au niveau de la poitrine d'Émilia.

– Votre nom?

– Émilia Trudel... euh... Turgeon.

– Trudel ou Turgeon, faut savoir.

– Turgeon. Je suis mariée.

– Et vous voulez quoi, au juste?

– Un poste dans l'armée. Qu'est-ce que je pourrais faire pour être utile?

La soldate fixa enfin Émilia dans les yeux, puis lui sourit avec une certaine ironie qui lui déplut.

– Utile? On peut tout faire pour être utile à son gouvernement, ma belle fille.

– J'ai... j'ai 38 ans. J'aurai 39 en novembre.

– C'est pas si mal, 39 ans. Que faites-vous dans la vie?

– Couturière.

– Vous faites des bords de robes, vous posez des boutons?

– Non, couturière. Je crée des vêtements. Haute couture, répondit Émilia avec orgueil.

Elle ne voulait pas coudre. Elle voulait aller au front et se battre avec les hommes. Elle voulait entendre le sifflement des bombes et s'étouffer dans la poussière des déflagrations, tenir un enfant contre sa poitrine en le consolant, affronter les Allemands, prouver à sa famille qu'elle était aussi forte que Victor à qui, au pire, elle consacrerait sa vie comme il avait offert la sienne pour son pays. C'est ce qu'elle pensait quand la caporale Paquette lui demanda ce qu'elle pratiquait comme métier.

– Je suis courageuse, forte...

– Je n'en doute pas, glissa la caporale en insistant longtemps sur les bras malingres d'Émilia.

– Je saurai quand je serai rendue en Angleterre, ajouta-t-elle avec fermeté.

– En ce moment, pas question d'aller en Angleterre. Vous êtes trop vieille. On a besoin de couturières, qu'est-ce que vous pensez! Tenez, vous vous présenterez à cette adresse le 6 juillet à 8 heures. Voici votre matricule. Vous me remplirez cette formule que vous remettrez à l'adjudant-chef! Suivante!

Émilia sentit ses yeux se remplir de larmes. Elle voulait partir en Europe, pas coudre des uniformes d'armée! Elle aurait réglé ses comptes avec Victor, avec l'ennemi, avec la mort. Elle aurait peut-être pu passer par Petawawa et régler ainsi ses comptes avec son mari. Elle lui en voulait pour tous ses mensonges et se dit qu'un homme qui accepte d'éliminer des Juifs à cause d'une haine démentielle ne mérite pas d'avoir des enfants. Elle mit donc une croix sur Louis Turgeon. Elle dut également rayer ses rêves de servir le Canada en Europe.

Elle se rendit chez elle à pied par un après-midi tiède de fin juin. Elle dut ainsi marcher durant trois ou quatre heures. Le Boardwalk grouillait de mannes qui vous empêchaient d'ouvrir la bouche. Ces éphémères étaient très dérangeantes et s'agglutinaient aux moustiquaires des portes et des fenêtres, aux bornes-fontaines, aux poteaux électriques et même, au pire de l'éclosion, formaient un tapis sur la chaussée. Mauditement dangereux pour les bicyclettes, se dit-elle.

Arrivée chez Dolorès, Émilia eut la surprise de sa vie : Dolorès n'était pas à la maison. Elle avait griffonné un mot sur un compte d'électricité pour dire que Josaphat était venu la chercher pour la mener à la maternité de l'hôpital privé de Crawford Park. *Le petit veut sortir aujourd'hui,* avait-elle écrit. Dans la salle de bains, des serviettes et des débarbouillettes souillées témoignaient de l'urgence. Une soupe avait été interrompue en plein début de cuisson sur le rond du poêle. Émilia sourit. Le logement allait désormais être habité des vagissements d'un petit bébé. Elle fixa le passage et imagina un petit bout d'homme rouler sur son petit tricycle le long de l'immense corridor de bois. Elle devint triste tout à coup : elle-même n'y serait plus.

Juste à côté de la note laissée par Dolorès, une lettre officielle avait été offerte à la curiosité de sa belle-sœur. Celle-ci l'ouvrit et lut :

Ministère de la Défense nationale
Ottawa, Ontario
Madame Victor Trudel

Chère madame Trudel
    Pour permettre à la Commission impériale des sépultures militaires – organisme dont le Canada fait partie – de recueillir tous les renseignements nécessaires, je vous demanderais de bien vouloir compléter dans le plus bref délai possible, la formule ci-jointe.
    La formule en question se plie en forme de lettre et peut ainsi être mise à la poste. Prière de L'EXPÉDIER DIRECTEMENT À L'ADRESSE INDIQUÉE SUR LA FORMULE: INUTILE D'AFFRANCHIR.
    Sincèrement,

W.R. Gunn,
Commandant d'escadre,
Officier préposé aux registres des morts,
blessés et disparus du C.A.R.C.
pour le chef de l'état-major de l'Air.

Le fameux formulaire était resté replié. Émilia songea : il est demeuré lettre-morte. Elle rit.

• • •

C'était une magnifique petite fille. L'accouchement n'avait pas été trop difficile et quand Émilia entra dans la chambre 202, Dolorès semblait reposée, mais elle se plaignait de la chaleur torride. Une infirmière installa la parturiente dans un fauteuil roulant et Émilia conduisit sa belle-sœur devant la vitrine de la pouponnière. Une jeune femme attendait que Dolorès identifie sa fille parmi la dizaine de nouveau-nés qui braillaient en chœur, dès que l'un d'entre eux donnait la note de départ.

– J'ai décidé de l'appeler Catherine. Je trouve ça riche comme prénom, tu trouves pas? Catherine Trudel, ça sonne bien, je pense. Tu vas être sa marraine, si t'es d'accord.

– Et le parrain, lui?

– Bah, je vais demander à mon frère Magella. C'est le moins pire de la famille. Magella n'a pas de blonde en ce moment. Il est fait pour rester tout seul. Je pense qu'il va finir chez les curés.

– C'est pas lui qui était bootlegger?

– Il s'est réformé. On avait un cousin aux États-Unis qui faisait le trafic du rhum. Magella l'a aidé un bout de temps. Quand j'ai commencé à sortir avec Victor, Magella a compris qu'il allait avoir des problèmes. Depuis, il est un parfait chrétien. Il fait la run de lait pour la Laiterie Léveillée. Il est bien content, mais c'est mal aisé pour lui de voir toutes ces belles femmes en déshabillés le matin, quand il passe le lait. Y'a une femme de la rue Stephen qui met sa carte dans la vitre pis qui y'a pas besoin de rien. Elle a un kick pour Magella. Lui, il la trouve trop agace.

– Bon, ça fait que ce sera lui le parrain, résuma Émilia, excédée.

– Je pourrais demander un de tes frères, je pense à ça. Mais j'aime mieux qu'il en ait un de chaque bord des familles. Toi pour les Trudel et Magella pour les Tournier. Ça va empêcher les critiques.

Les deux femmes se penchèrent sur la petite Catherine que tenait la jeune infirmière. Un bébé pas très joli, du nitrate d'argent dans les yeux, le visage rougi par les efforts de l'accouchement, la tête bosselée, mais une maman complètement éberluée.

– Elle ressemble à Victor comme deux gouttes d'eau, s'écria Dolorès.

– Je trouve qu'elle te ressemble beaucoup, ajouta Émilia, légèrement agacée.

– J'ai hâte de m'en occuper toute seule. Ils vont nous garder une grosse semaine. Je suis même pas supposée me lever pour venir voir ma fille.

– Tu vas la voir quand tu vas la nourrir.

– La quoi ?

– L'allaiter. Tu vas l'allaiter, j'espère.

– Le docteur me l'a déconseillé. Il dit que je vais prendre trop de temps à me remettre sur pied. Ça magane la poitrine, aussi.

– Et pis ?

– Et pis, et pis…

– Qui va s'en plaindre, dis-moi ? lança Émilia en songeant à son frère décédé. Je suis d'avis, ma chère Dolorès, que les tétons, c'est fait pour téter. Point à la ligne. Catherine a besoin de ton lait. Le lait de vache, c'est pour les veaux. Parles-en à ton docteur. Il doit être pas mal vieux pour te dire que tu vas prendre plus de temps à te remettre en le nourrissant.

– Il a 40 ans, peut-être bien.

– Réfléchis comme il faut, Dolorès. Victor, lui, il aurait voulu que tu donnes ton lait à la petite. Il faut que je te laisse, maintenant. Je vais aller faire la grocerie avant qu'il ne fasse une chaleur qui tue. Je vais revenir demain, si tu veux.

– Oui, pis apporte-moi donc des revues de mode. Je vais avoir le goût de m'habiller après toute cette affaire.

Émilia sortit de l'hôpital de Crawford Park alors qu'une activité anormale s'y déroulait. Deux ambulances arrivèrent et allèrent se poster derrière l'entrée des véhicules prioritaires.

. . .

Émilia revint le lendemain, puis le surlendemain. Mais elle ne revint pas les jours suivants. C'est le frère de Dolorès qui vint reconduire sa sœur et la petite Catherine à la maison. Émilia avait laissé une note sur la table.

Je ne reviendrai qu'après cette maudite guerre. Je vais travailler pour le SWAC. Mon matricule est le 449786 et je joindrai le centre de couture de l'adjudant Antonio Masse à Québec. J'espère qu'on m'enverra à Sainte-Anne-de-Bellevue pour un vrai entraînement puis qu'on m'expédiera en Angleterre. Je t'embrasse. Je fais ça pour Victor, pas pour Louis.

···

Personne n'avait été informé de sa décision. Ni Josaphat ni Jeanne ni Rosette. Mais tous, ils étaient inquiets. Dolorès se mit à pleurer, car elle voulait baptiser sa petite le plus tôt possible et la marraine était désormais le matricule 449786.

···

L'adjudant Antonio Masse était un couturier de haut calibre. Il possédait un grand raffinement et il chantait tout le temps, la tête penchée sur ses ballots de tissus kaki, son galon autour d'une nuque bien rasée, ses lunettes dorées bien appuyées sur un nez pincé, et ses craies à marquer dans la poche de sa veste. Il ne portait pas, lui, d'uniforme pour travailler, mais son veston vert d'armée, accroché à une patère, comportait une série de médailles militaires soulignées d'une devise quelconque.

Alors qu'elle observait le veston suspendu près de la table de coupe, une voix lui recommanda de ne pas déranger l'adjudant Masse :

– C'est lui qui a créé l'uniforme de l'Armée canadienne. Il a été récompensé pour ça. Tu t'appelles ?

– Émilia Trudel. Je suis une couturière de haute couture.

– C'est moi qui m'occupe des recrues. Tu as ta lettre ? demanda le soldat.

– La voici.

– Je m'appelle le lieutenant Mark Beurling. Viens, suis-moi, je te conduis dans les ateliers.

Quelle déception! Que des femmes. Une centaine de femmes assises derrière des machines à coudre dernier cri. Tout à coup, elle se retrouva dans l'atelier de monsieur Bernstein. Le lieutenant Beurling devait avoir quelques années de plus qu'Émilia. Il était beau comme un dieu et ses yeux bleus la fixaient avec appétence. Elle baissa le regard, puis s'avança vers l'immense atelier où giguaient des centaines de pantalons sergés, où s'agitaient des bras de vestons sans beauté particulière. Au fond, les couturières fabriquaient des calots de la même teinte, destinés à compléter l'uniforme des CWAK, comme les appelaient les militaires.

– Colonel, je ne peux pas! lança Émilia en respirant péniblement.

Le lieutenant Beurling se mit à rire.

– Je me suis engagée pour aller au front. Pas pour coudre des fonds de pantalons!

– Mais vous êtes une poète, ma chère.

– Ne vous moquez pas de moi. J'ai mis des années pour finalement devenir une créatrice de mode. Je ne vais pas finir dans un atelier de midinettes! Je veux autre chose, sergent!

– Je ne suis ni colonel ni sergent, madame. Mais je peux, si je veux, vous trouver un autre travail plus... plus enrichissant. Si vous voulez m'accompagner ce soir au Petit Paris, nous pourrons en discuter. Garde-à-vous!

Émilia porta la main gauche à plat sur son front, au lieu du salut militaire, et Beurling éclata de rire une seconde fois. Cette femme était très drôle et lui inspirait beaucoup de désir. Sur son dossier, il put lire qu'elle était considérée comme veuve, étant donnée la disparition de son mari. Une étoile rouge figurait dans le coin gauche du formulaire. Beurling ne pouvait pas imaginer Émilia en espionne ou en terroriste. Pourtant, les ordres avaient été clairs : lorsqu'un officier a des antécédents questionnables, on retrouve une étoile rouge dans le coin gauche de son dossier. Mark Beurling, au lieu de repousser le «cas» Émilia Trudel, celui-ci l'excita encore davantage et il se mit dans la tête de coucher avec elle. Quand elle marchait, sa jupe formait à chaque pas un pli audacieux qui retroussait sur son fessier. Mark Beurling aimait les étoiles rouges et les plis audacieux.

• • •

Émilia fut amenée dans une cellule froide, aux couleurs de l'armée, dans une vaste bâtisse jouxtant une espèce d'abbaye de pierres usées. Elle posa ses effets sur un petit matelas couvert de coutil jauni par l'usage. Sur un meuble carré, percé d'une porte sur presque toute sa devanture, il y avait une bassine et un pichet frustes et, sur une pôle de fer, était repliée une serviette blanche. Dans l'armoire, Émilia trouva deux draps de coton rêche et une couverture de laine du pays. Derrière la porte, il y avait trois cintres et un carton indiquant les horaires stricts du lever et du coucher. Elle songea au collège Marie-Anne où elle aurait aimé étudier quand elle était adolescente. Elle ne serait peut-être pas rendue dans cet endroit froid et lugubre à se demander si elle allait remplir le fameux formulaire qui l'engageait à servir son pays. Mark Beurling lui avait fait grand effet et juste pour cette raison – puisque le militaire semblait s'intéresser à elle –, elle relut attentivement la feuille officielle et la remplit avant que la lumière ne devienne trop pâle.

Elle se rendit compte qu'elle avait en sa possession la blouse du fiancé de Sylvia Lévis et qu'elle avait oublié, dans son excitation, d'aller la porter. Elle comprit du même coup qu'elle n'avait pas le goût de se rendre dans la famille qui l'avait rejetée à cause de Louis. Elle recoiffa ses cheveux, étendit un peu de baume rose sur ses lèvres, attrapa le sac contenant la blouse, puis désira se rendre au bureau de l'adjudant-chef pour lui demander de remettre la blouse du docteur Manzi au colonel Lévis. Elle n'attendait pas d'argent en retour. Elle devait réparer les affronts de Louis Turgeon envers les Juifs de Montréal, elle qui n'arrivait pas à comprendre comment un homme intelligent pouvait détester les Juifs à ce point. Les Lévis avaient été impeccables envers elle et lui parlaient toujours en français, même s'ils avaient souvent du mal à s'en sortir. Ils traitaient bien leurs domestiques et à observer l'âge de la cuisinière et celui de Jeanette, elles avaient dû être bien considérées par la famille. Sylvia était une jeune femme très brillante et son futur mari, le docteur Manzi, un homme très attachant.

Émilia prit le long corridor qui la mena sous une voûte, revint sur ses pas, puis traversa une grande salle entourée de bancs sculptés comme ceux d'une cathédrale. Sur les murs, d'étranges tableaux, représentant des saints avec les yeux levés au ciel, conféraient à l'endroit une atmosphère solennelle. Elle entendit des voix qui psalmodiaient derrière les grandes portes. Elle était égarée. Elle revint vers le corridor des petites chambres, repassa devant la sienne, la 316, puis emprunta un autre corridor qui la conduisit dans une grande salle à manger où l'odeur de ragoût et de sauce brune raviva son appétit. Portant toujours le sac contenant la blouse des Lévis, elle demanda à un soldat où elle pouvait trouver le colonel Lévis. Ce dernier lui indiqua une autre direction qui fit comprendre à Émilia que les nombreux corridors cerclant la cantine située au centre, formaient une étoile. Elle prit le quatrième corridor qui menait aux bureaux de l'état-major et des femmes militaires qui coordonnaient les travaux de couture. Là, à l'extrémité opposée au mess, on lui indiqua le bureau du colonel Lévis. Elle vit une luminosité diffuse derrière la vitre givrée de la porte. Elle frappa trois petits coups secs et n'attendit pas que son supérieur ouvre. Elle poussa la porte, le sac et la blouse la précédant, et elle faillit tomber à la renverse. Le colonel Lévis n'était pas seul. Émilia comprit que la règle de l'Armée est de ne jamais pénétrer dans une pièce sans attendre la permission, sinon pourquoi n'avait-il pas verrouillé ? Une jeune soldate se trouvait à moitié nue devant Émilia. Penchée vers l'avant, elle subissait l'assaut d'un membre dressé, et le mouvement de va-et-vient du colonel ne s'arrêta pas tout de suite, puisqu'il parvenait juste au même moment à atteindre l'extase. C'était un peu ridicule, pensa Émilia. Le colonel jouissait tout en glapissant :

– Émilia, mais qu'est-ce que vous faites ici ? *Get out of here immed... immed... immed...*

Il ne put prononcer la dernière syllabe. La jeune femme fixait Émilia avec une hargne de roquet en remontant sa jupe, et lui, encore essoufflé, rezippait son pantalon tout en poussant son appareil pour ne pas l'abîmer avec la fermeture éclair. Émilia songea encore à monsieur Bernstein et à ce joujou qui aurait dû comporter un mécanisme pour entrer tout seul après usage. Au lieu de s'affoler, elle se mit à rire à pleins poumons. Elle déposa le sac sur la chaise de bois, en continuant de rire, et sortit en refermant la porte. Elle détenait maintenant un argument très convaincant pour obtenir tout ce qu'elle voulait. Une cloche retentit. Comme celle de la petite école de Lachine. Une cloche vertueuse qui invitait amicalement les gens à un rassemblement. Toutes les portes s'ouvrirent autour de la cantine et des centaines de femmes soldats s'engouffrèrent en babillant. Du côté de la rue principale, le mess des officiers se remplit également. Ainsi, les femmes et les hommes ne mangeaient pas aux mêmes tables.

Le lieutenant Beurling entra et chercha du regard Émilia qui venait de s'asseoir à une table à moitié occupée. Quand il l'aperçut, il s'approcha d'elle et la salua en lui demandant si elle avait enfin signé le formulaire qui l'engagerait à servir l'armée.

– Je vais aller le porter après dîner. J'hésite encore. Coudre des culottes d'armée... me semble plutôt... euh... je sais bien que tout ce qu'on peut faire pour aider notre pays, c'est déjà ça de pris. Mon frère, lui, est mort au-dessus de la Hollande.

– Un pilote ?

– Non, d'après ce que j'ai compris, comme il était de petite taille, il était artilleur et son pilote, lui, a pu s'éjecter, mais pas Victor.

Elle se mit à pleurer en silence, se rappelant que sa mère lui répétait que les petites filles bien élevées ne doivent pas pleurer comme des veaux, mais laisser les larmes couler sans aucun bruit d'accompagnement. Beurling lui entoura l'épaule avec une extrême tendresse, puis s'agenouilla devant elle. Un groupe de soldats passait devant eux.

– Hep ! Beurling ! Tu consoles les petites poulettes ?

– *Good grief! She's not so young! Poor chick!*

Le fait que le soldat la trouva plutôt vieille sortit Émilia de son état de tristesse. Elle replaça sa jupe du revers de la main et avança sa chaise le plus près possible de la table. Beurling se releva et avant de se rendre au mess des officiers, il lui dit :

– J'ai trouvé un travail pour vous. Venez me rencontrer à mon bureau après le dîner. Avant d'aller porter votre formulaire, il va sans dire.

Il salua officiellement Émilia, puis quitta les lieux.

• • •

Une jeune femme d'environ 25 ans vint s'asseoir près d'Émilia qui reconnut la soldate qui était dans le bureau du colonel Lévis. Elle piqua sa fourchette dans une pile de tranches de pain puis, au passage, attrapa une cuillerée de beurre qui ne semblait pas nécessiter un coupon gouvernemental tant le beurrier était généreux.

– Tu t'appelles Émilia comment ? lui demanda-t-elle cavalièrement.

– Émilia Trudel.

– Tu connais le colonel, d'après ce qu'il m'a dit.

– Ouais. Il a échappé à la rage antisémite de mon mari, ça a bien l'air, répondit Émilia sur un air offusqué. Je connais sa fille et sa femme. Sylvia se marie dimanche. C'est la blouse de son mari que j'ai rapportée à monsieur Lévis. J'ai quitté mon job parce que...

– Oui, il m'a raconté.

– Ah, bon. Vous êtes juive ?

– Non, je m'appelle Stella Robert. Une petite Canadienne-française de Saint-Philippe. Je me suis engagée au début. J'aime ça, l'armée. Ma mère est fière en pas pour rire ! Sa fille qui est lieutenant dans l'armée. Elle ne sait pas tout, bien sûr.

– Tu veux dire qu'elle ne sait pas pour monsieur Lévis ?

– Pour Lévis et pour les autres aussi. J'ai été la blonde d'une demi-douzaine d'officiers supérieurs. C'est le seul moyen d'avoir des exclusivités, si tu comprends ce que je veux dire. Des bas de soie, des chocolats, des dessous affriolants. Je ne me gêne pas pour en demander.

La semaine passée, Lévis m'a offert du fil de soie pure, des aiguilles dorées, un service de vaisselle en porcelaine d'Angleterre. Rose et bleu...

– Avec des petites fleurs dorées pis des anses doubles pour les tasses? demanda Émilia se rappelant le joli service dans lequel elle avait mangé le soir où le colonel lui avait lu la lettre au sujet de Louis Turgeon.

– Comment tu sais ça?

– Je t'ai dit que je suis restée chez les Lévis plusieurs semaines. Sa femme est souvent perdue. Elle ne voit presque plus. Son mari lui a subtilisé son service de vaisselle. Il doit lui voler aussi ses bas de soie. Elle en reçoit des boîtes complètes d'un ami d'Outremont. C'est un maudit... quand même.

– Tu ne m'offusques pas, Émilia. Je me fous d'où proviennent les cadeaux qu'on m'offre. J'aime mieux des cadeaux que de l'argent. Je ne voudrais pas avoir l'air d'une fille de mauvaise vie. Lévis, lui, je l'aime.

– Tu as eu aussi... Mark Beurling? demanda Émilia en craignant la réponse de Stella.

– Non, lui, il est veuf depuis pas longtemps. Sa femme est morte en donnant naissance à un enfant mort-né.

Un éclair traversa la tête d'Émilia. Toutes les scènes de la naissance de Victor et les cloches de l'église qui sonnaient le glas pour la mort d'Adélina se bousculaient. Les cris, le sang, le visage ahuri de Donatienne et les larmes du médecin remontèrent dans sa mémoire avec une telle intensité qu'Émilia repoussa son assiette et réprima un flot de larmes. Beurling lui plaisait, cela lui parut évident. Elle aimait son sourire, ses belles dents blanches, ses cheveux courts qui venaient se rejoindre en une sorte de coq bien huilé, ses épaules larges et ses longues jambes. Elle s'imagina maintenant couchée aux côtés de Mark Beurling et une douleur longue et agréable fit son chemin dans son bas-ventre. Elle s'excusa, puis se rendit ensuite dans le mess des officiers et se posta à la droite de Mark Beurling en tentant de mimer le garde-à-vous militaire.

– J'ai besoin de vous voir, mon lieutenant.

– J'arrive, ajouta Beurling pendant que ses compagnons de table riaient aux éclats.

Il se rendit à son bureau suivi d'Émilia qui, elle, avait les jambes tremblantes.

– Installez-vous, suggéra-t-il en verrouillant la porte. Que vous arrive-t-il, Émilia ?

– J'ai besoin de savoir ce que vous voulez me proposer, sinon je pars pour Verdun tout de suite. Je retourne chez ma belle-sœur. Avec ce que j'ai vu et entendu ici...

– Qu'avez-vous donc vu et entendu de si terrible, mademoiselle ?

– J'ai surpris le colonel Lévis avec une jeune femme, celle qui était assise à ma gauche. Ils...

– Ils ?

– Ils faisaient l'amour. Là, sur la chaise du colonel. Ils n'avaient même pas verrouillé la porte. C'est terrible !

– Qu'est-ce qui est terrible ? Les militaires ne sont pas différents des autres êtres humains, vous savez. Ils vivent une forte pression, ils obéissent toujours à quelqu'un, sauf le colonel Lévis, évidemment.

– Mais j'ai travaillé chez lui. Je connais sa femme, sa fille qui se marie dimanche.

– On se marie le dimanche, maintenant. C'est bizarre, ne trouvez-vous pas ?

– Pas chez les J...

Elle s'interrompit. On lui avait demandé de ne jamais divulguer que la famille Lévis était juive. Elle avait promis. Cependant, elle tenait là une belle occasion de faire régner la justice et de régler ses comptes avec les hommes.

– Chez les quoi, Émilia ?

Elle prit une grande inspiration et lança, le plus calmement possible – comme si elle avait annoncé qu'il pleuvrait cet après-midi-là :

– Chez les Juifs, on peut se marier le dimanche.

– Lévis est Juif ? éclata Mark Beurling. Elle est bonne celle-là ! Jamais je ne me serais douté. Et vous l'avez vu avec Stella ? Elle couche vraiment avec n'importe qui, dis donc !

– Vous saviez ou non ?

– Stella couche avec tout le monde. Et tout le monde a attrapé des satanées maladies.

– Comment le savez-vous ?

– Oh, ne croyez pas que je couche avec Stella, ma chère Émilia. J'ai trop peur des morpions. Elle n'est pas du tout mon genre, de toute façon. Je les aime plus... plus vertueuses, disons.

– Vertueuses ?

– Des jeunes femmes innocentes. Comme vous, Émilia.

Il se leva et s'approcha d'elle en fixant ses lèvres roses. Émilia toucha son incisive avec sa langue puis se prépara à recevoir son premier baiser depuis qu'elle avait fait l'amour avec Louis avant sa disparition. Elle pencha la tête vers l'arrière et reçut de Mark Beurling le plus passionnant baiser de toute sa vie. Avec une langue ferme, Mark réussit à pénétrer entre ses lèvres comme un intrus, avec juste assez de salive pour humecter plutôt qu'envahir, avec un brin de respect au début jusqu'à l'ouverture complète du palais. Émilia se sentit mourir d'extase en se disant que si un baiser aussi chaste la transportait autant, la suite normale des choses allait la réduire en compote. Il la tenait dans ses bras fermement, et maintenant, sa langue explorait dans un va-et-vient explicite qui la rendait folle. Rien à voir avec l'inexpérience de Pierre-Paul Riendeau, la fougue de Bernard Gauthier ou la hardiesse de Louis Turgeon. Ce Mark Beurling allait lui redonner le goût d'aimer.

Il se détacha d'elle, puis retourna dans l'antre de la douceur. Émilia serait demeurée ainsi pour le reste de sa vie. Un baiser inoubliable.

– Mon Dieu, que c'est bon ! dit-il en la fixant dans les yeux. Ça fait si longtemps.

– N'essaie pas de me faire croire que beau comme tu es, tu n'as pas embrassé toutes les femmes soldats de l'endroit !

– Je n'ai embrassé personne depuis... depuis deux ans, ma chère. Depuis que ma femme Édith est morte, en fait. Elle est morte en donnant naissance...

– Oui, je sais.

– On t'a déjà raconté ça ? Bon.

– Qu'est-ce que tu voulais me proposer d'autre ?

Il rit. Son *d'autre* laissa supposer qu'Émilia attendait davantage, mais il n'allait rien précipiter de peur que l'image d'Édith vienne le hanter une fois de plus, comme chaque fois qu'il avait tenté d'établir une nouvelle relation amoureuse. Il aurait pu prendre Émilia, là, sur son pupitre, comme les autres faisaient avec Stella, chaque fois que des influx sexuels leur montaient dans la tête à n'importe quelle heure du jour. Il invita plutôt Émilia à s'asseoir pour lui parler de l'idée qu'il avait eue.

– Ça te dirait d'être la secrétaire de la colonel Margaret Eaton ? Jamais tu n'auras eu un travail aussi intéressant.

– Où elle est, madame Eaton ? s'inquiéta Émilia, tout à coup.

– À Ottawa. Mais toi, tu serais basée ici même, dans le bureau en face. Je vais tout te montrer. Tu as terminé ta septième année ?

– Oui, je suis allée jusqu'en neuvième.

– Tu parles anglais ?

– Je comprends tout, mais je peux apprendre si tu veux.

– Alors, c'est dans le sac, lieutenant Trudel.

Il se pencha et l'embrassa de nouveau jusqu'à ce qu'elle crie grâce. Il promit de la revoir le lendemain, encore et toujours. Émilia se rendit dans sa cellule et relut le formulaire d'engagement, puis le replia.

...

Elle avait hâte de parler à Rosette et de lui raconter tout ce qu'on peut réaliser dans l'Armée canadienne quand on embrasse un lieutenant.

Elle se dirigea vers le corridor des chambres des femmes et tomba sur un homme étrange, vêtu d'une robe de lainage beige et d'une chasuble brune. Il la salua et lui avoua la voir pour la première fois.

– Vous êtes l'aumônier de la caserne? lui demanda-t-elle à cause de son habillement.

– Étrangement, je suis un prisonnier de l'armée. Je suis le père Michel. Je suis un trappiste de l'abbaye d'Oka.

– Vous, prisonnier?

– Façon de parler. Je suis très bien traité car, heureusement, le ministère de la Défense nationale a un grand respect pour les moines. Mais j'ai voulu aider de jeunes garçons de mon village pour qu'ils n'aillent pas se faire tuer en Europe. C'est ainsi quand on contrecarre l'autorité du Seigneur.

– C'est tellement terrible, cette guerre.

– Et vous, que faites-vous ici?

– Je... je suis la secrétaire française de madame Eaton, la directrice générale des factions féminines.

– Vous avez l'air bien timide pour une si grosse responsabilité.

– Je commence demain.

Émilia se mit à rire. Elle se souvint de ce que Rosette lui avait dit un jour: quand on veut, on peut. Et elle tourna les talons, salua, puis entra dans sa chambre. Après tout, elle n'avait pas à s'abaisser devant un prisonnier de l'Armée.

Elle se coucha en songeant à Jeanne, à Rosette et à Dolorès. En posant la tête sur l'oreiller, elle s'endormit.

• • •

Le père Michel avait été remué par la rencontre de cette jeune femme. Elle avait un petit quelque chose de naïf qui l'avait sans doute conduite à s'enrôler. Elle ne lui avait même pas dit son nom. Il ne savait rien d'elle, mais il avait ressenti une très grande sympathie pour elle à cause de sa fragilité, peut-être. La gracilité de la fougère.

Il pensa tout à coup à ses fougères d'une qualité inestimable qu'il avait transplantées près de la maison de Donatienne. Il avait eu l'occasion de voir surgir leurs crosses de la terre et il avait su d'ores et déjà qu'elles avaient résisté aux froidures et aux gelées successives. Il allait faire rougir Victorin de jalousie quand il allait annoncer à la Société de botanique de Montréal qu'il avait réussi la transplantation de ses chères *schizaea pusilla.*

Il était aussi fier qu'un chirurgien qui aurait réussi une transplantation cardiaque, ce qui était peu dire. Il se mit à songer à une façon honorable d'aller récupérer ses spécimens et de les transplanter de nouveau dans son jardin secret de la Trappe, près de la fromagerie où personne n'avait accès. Il lui faudrait bien les protéger. Puis il eut un goût amer dans la bouche. Il fallait pour cela revoir Donatienne.

Avant de s'endormir, il pria durant plus de trente minutes. Et juste avant de sombrer, il baptisa la secrétaire de madame Eaton : Athyrie, comme ces fougères gracieuses qui poussaient librement dans la forêt, près du lac des Deux-Montagnes.

Chapitre dix-septième

Le calme était revenu sur les terres d'Oka. Chez les Crevier, les branches lourdes de pommes ployaient au-dessus de la tombe improvisée des deux envoyés du ministère de la Défense nationale qui s'étaient empoisonnés en mangeant les feuilles d'une plante fatale. Oh, les pauvres! Là où leurs corps reposaient, pas de traces, pas de bouquets d'herbe indisciplinés, pas de mouvement humide de la terre pouvant laisser soupçonner à un étranger qu'il s'était passé un événement étrange. Donatienne se disait que la différence était mince entre ces deux morts – elle pensait au mot meurtre, plutôt – et ceux qui, par milliers, mouraient en sol européen. Les deux débusqueurs de soldats voulaient *enrôler* Joseph dans la mort et elle l'avait sauvé, lui, le fils de l'amour.

Cécile Fréchette avait repris l'écriture de ses étiquettes après avoir reçu un manuel de calligraphie en provenance de chez Dover à New York dont l'adresse reposait au fond de la boîte d'une bouteille d'encre de Chine achetée au magasin général. Abondamment illustré, il n'était pas si dérangeant que le livre soit écrit en anglais. Cécile n'avait qu'à suivre les mouvements détaillés de la plume qui traçait une sorte de monographie pour la première lettre au début du nom.

Souvent, elle écrivait les étiquettes de *La petite Marguerite* et de *La Cuvée du givre d'automne* en surveillant ses deux petits-fils qui s'amusaient sur le plancher de la cuisine tandis que leur mère travaillait avec Joseph.

Les deux Allemands préparaient la boutique pour la nouvelle saison, nettoyant les boîtes de pommes – la plupart appartenant aux Trappistes –, consolidant les différentes tablettes, éclaircissant les vitres, tandis que Pierrot, le neveu de Clara Bemmans, entretenait la machinerie en apprenant la langue de Frank et d'Helmut tout en leur enseignant la sienne. Les gros mots, surtout. Il n'était pas rare d'entendre, au bout de la route qui menait aux vergers, un gros *ciboire* attaqué sur une note québécoise. Cela faisait rire surtout Joseph.

Cécile, de sa cuisine, pouvait également surveiller la route d'où pouvaient surgir à tout moment des voitures du gouvernement. La police militaire n'avait pas trouvé les déserteurs et les chiens qui avaient été entraînés pour les débusquer, non plus. On n'avait pas été capable d'embarquer Joseph Crevier.

Une odeur caramélisée hantait les vergers et nul n'aurait pu douter que le temps des récoltes allait se pointer, un bon matin, en même temps qu'un frimas de dentelle aux branches des arbres.

Donatienne se préparait à expédier à Montréal les spécimens des si précieuses fougères *schizaea pusilla* plantées par la main du père Michel à l'abri des regards curieux. Ainsi, la paternité de cette nouvelle plante ne reviendrait nullement au botaniste. Donatienne connaissait très bien la valeur inestimable de cette découverte et savait que la croissance de la fougère en terre okoise tenait du miracle. Pour rire, elle imagina Michel, agenouillé au pied de la statue de Saint-Augustin, en train de prier pour le succès de sa transplantation. Jamais ne se douterait-il que ce spécimen serait posté au frère Marie-Victorin en mains propres, et qu'il porterait le nom des Crevier. Manière de parler.

Elle attrapa une pelle carrée et découpa sur six pouces environ, tout autour de la plate-bande, au pied des arbres qui avaient protégé la *schizaea pusilla* des vents et des insectes nuisibles. S'enchevêtraient, haut et large, les fougères dentelées qui tanguaient sous le vent du nord. Donatienne transporta les précieux spécimens – sachant que le père Michel comptait sur eux pour établir sa crédibilité – aux confins de ses terres, et les remit dans le sol. Elle y planta, pour les camoufler, une lisière de bulbes de glaïeuls. Jamais Michel n'allait se douter. Il allait croire que sa plantation avait été un échec. Donatienne savait que cette découverte était essentielle pour son ancien amant et aurait pu récompenser toute une vie passée au service de la botanique.

Mais Michel avait choisi Dieu. Donatienne avait choisi de plaire au Diable.

...

Cécile sursauta. Elle vit grimper quatre voitures noires flambant neuves, toutes vitres ouvertes : des officiers en uniforme. Pourtant, certains commentateurs de la radio prédisaient la fin de cette guerre dans pas long. Elle sortit, puis cria de toutes ses forces pour que se cachent les hommes. Elle vit détaler Joseph, Pierrot, Blaise et Albert, et les vit entrer dans la boutique, aussitôt rejoints par Mary Eagan. Il manquait les deux Allemands. Elle balaya les alentours du regard et ne vit pas leur chevelure dorée. Elle vit cependant Fleur-Ange qui écossait des petits pois sur le balcon en compagnie de son chat gris. On entendait les cigales comme si l'été avait le goût de revenir.

De chacune des quatre voitures sortirent quatre soldats, munis d'un fusil mitrailleur. Ils avaient les dents serrées et le regard chargé de colère comme des chiens enragés. Peut-être même que Cécile les entendit grogner.

Donatienne accourut. Elle n'eut pas l'occasion de les accueillir puisque l'un des seize soldats pointa son arme sur elle pendant qu'une douzaine de ses hommes se rendirent tous du même côté, au bout du verger, comme s'ils avaient un rendez-vous près de la montagne. Un coup de feu retentit, puis un cri.

– Qu'est-ce qui se passe? demanda-t-elle.

– On a retrouvé nos deux espions allemands, m'dame! dit celui qui menait l'action.

– Des... des espions? Que me dites-vous là?

Elle faillit s'évanouir. Qu'allait-il lui arriver à présent? Combien prenait-on pour avoir caché des espions allemands? Frank et Helmut étaient des garçons si serviables et si gentils. Comment n'avait-elle pas deviné que

la présence à Saint-Jérôme de deux déserteurs ennemis était une chose très intrigante ? Personne ne s'était
douté de quoi que ce soit. Tout ce que Frank et Helmut
avaient raconté sur leur passé était très crédible et
avait attiré la sympathie des Crevier et de leurs voisins
alors qu'ils espionnaient pour le compte d'Adolf Hitler !
C'est elle qui les avait ramenés du marché, qui les avait
cachés. Même que Joseph avait failli se faire embarquer pour avoir voulu sauver Helmut des griffes de la
police militaire. Donatienne se mit à trembler comme
une feuille en tentant de repérer ses deux petits-fils
dont elle entendait les voix.

– Madame, faut pas trembler comme ça. Vous nous
les avez ramollis bien comme il faut. Mes hommes les
ont attrapés. Le pays sera fier de vous. Ces deux Allemands sont recherchés depuis 1942.

– Mais ce sont des petits gars !

– Ils ne sont pas si jeunes qu'ils en ont l'air, m'dame !
Ils ont réussi à quitter leur sous-marin à Carleton. Des
citoyens les ont aidés à se rendre jusqu'ici. Vous serez
une héroïne de guerre, madame.

– Laissez faire. C'est mieux que tout ça reste secret.
Je ne tiens à aucun honneur. Je les trouvais si gentils,
vos espions. Tout le monde les aimait, ici.

Trois officiers armés descendaient la butte en provenance du verger et s'immobilisèrent en plein sur le
tertre qui cachait les corps de leurs deux camarades.
Peut-être même avaient-ils participé à leur recherche.
Elle se prit à penser à son enfance, quand elle et sa
sœur Jeanne jouaient à la cachette et que, engouffrée

sous le lit, elle voyait passer et repasser les pieds de sa sœur en étouffant un rire sous ses mains. Les officiers qui marchaient au-dessus des corps des deux officiers de la police militaire. Donatienne éprouva un grand remords tout à coup : elle aurait dû les enterrer aux confins de ses terres. Mais c'est là, en premier, que les militaires qui les recherchaient avaient lancé leurs chiens. Personne n'avait songé à fureter si près de la maison.

– Le lieutenant Baril et trois autres s'en viennent, caporal. Ils les ont capturés. Ils étaient cachés dans une bâtisse en ruine. Nous avons trouvé ceci.

Il exhiba un télégraphe avec une grande fierté. Jamais Donatienne n'avait aperçu cet appareil ni ne savait ce que Frank et Helmut faisaient quand ils se rendaient du côté des Fréchette. Elle croyait qu'Helmut allait voir Fleur-Ange, mais il lui apparut évident que lui et son compagnon allaient écrire des messages à leur pays. Elle en avait la voix coupée. La télégraphie sans fil lui était totalement inconnue, mais elle avait vu un appareil, comme celui que tenait le soldat, dans un film au cinéma de Saint-Eustache.

Doucement, les autres commencèrent à arriver et assistèrent à l'arrestation des deux jeunes Allemands. Ces deux enfants, victimes de l'intolérance de leur pays, restaient de bons petits gars aux yeux de ceux qui les avaient fréquentés de près. Les hommes étaient toujours dans l'abri, mais Susanna alla leur dire, par le tuyau prévu pour les messages urgents et situé près de la cheminée du poêle, de ne pas sortir et que les Allemands étaient des *espignons*.

Donatienne n'était, à sa grande surprise, aucunement tenue responsable d'avoir accueilli deux espions allemands, mais fut félicitée de les avoir mis à la disposition de la police militaire. Cela la fit rire. Mais le départ des deux jeunes hommes, celui de Frank surtout, la rendit immensément chagrinée et elle se dit qu'ils allaient probablement subir de durs traitements de la part des autorités, lesquelles ne riaient pas avec les espions. Elle leur frotta les cheveux tour à tour et leur souhaita bonne chance. Helmut regarda du côté du bunker et fit comprendre à Donatienne qu'elle devait saluer pour lui ses amis canadiens. Il la remercia chaudement en français. Frank, lui, pleurait doucement, en fixant le ciel et en songeant à ceux qui avaient contribué à lui assurer une douce liberté. Il embrassa Donatienne, Cécile et Fleur-Ange qui venait de se détacher des bras d'Helmut.

Un autre officier arrivait du verger avec une liasse de feuilles, des chemises en écorce de bouleau, et le petit carnet noir dans lequel Helmut enseignait à Fleur-Ange les rudiments de la langue allemande. *Mein liebe* revenait souvent accompagné de cœurs et de baisers.

– On y va, maintenant, dit le chef de la mission qui avait déjà arrêté des espions ennemis beaucoup plus coriaces que ces deux jeunes hommes presque imberbes. C'est une très bonne prise, madame. Ils étaient recherchés par les hautes autorités depuis au moins deux ans. C'est eux qui renseignaient le chef nazi sur la position des navires en eaux fluviales.

– Comment savaient-ils cela, voyons donc! lança Cécile, toujours interloquée.

– Il y avait des codes spéciaux. Ils savaient où les trouver. Sûrement dans les annonces des journaux, affirma le policier qui tenait Frank par le bras.

• • •

Les automobiles s'éloignèrent et bientôt, les hommes sortirent de leur abri et durent se rendre à l'évidence : Frank et Helmut avaient profité de leur hospitalité pour renseigner leurs camarades allemands. Et ce n'est que quelques heures plus tard que Joseph sortit du bunker avec deux paires de ciseaux, et des revues qu'Helmut et Frank avaient découpées après avoir décortiqué les numéros et les codes qu'ils avaient identifiés pour le compte des Nazis.

– Mon Dieu! Mon catalogue de Morgan! Je le cherchais depuis des semaines. Ils me l'avaient volé, les petits maudits! s'écria Donatienne sans juger de l'ampleur de sa découverte.

• • •

Cet automne-là connut d'horribles événements qui laissèrent Donatienne et les siens résolument silencieux. Le 6 août, la radio résonnait des bruits sourds et chargés de haine qui accompagnaient la bombe larguée sur Hiroshima. Les gens d'ici se demandaient quand une chose aussi affreuse allait se produire au Canada. Les journaux montraient les enfants mutilés, brûlés vifs, et les regards hagards des femmes, prostrées dans le temps et le désespoir. La guerre n'était pas finie comme l'avaient pourtant raconté les gens de la ville puisque quelques jours plus tard, une autre bombe, provoquant un énorme champignon dévastateur, éclata sur Nagasaki pour que capitule le Japon, quelques mois après l'Allemagne. Puis on célébra, sans trop de conviction, la véritable fin de la Seconde Guerre mondiale. Des milliers d'enfants, de femmes et de pauvres innocents avaient donné leur vie pour que les États-Unis règlent la défaite de Pearl Harbour une fois pour toutes et fassent taire pour toujours les fusils nippons. Donatienne était heureuse. Les hommes pouvaient enfin vivre librement. Les fils de Joseph avaient enfin le loisir de trotter, accrochés à leur père, et de le suivre comme deux queues de veaux, disait Cécile en riant. Une nouvelle motivation gagna la population comme quand se règle enfin une grosse chicane qui a tenu deux amis séparés l'un de l'autre. L'air devint plus sain à respirer, la peur cessa de garder les enfants éveillés et les femmes nerveuses. On aurait dit un immense printemps qui faisait renaître la terre entière. Cécile avait fini de surveiller la route pentue au cas où le mal atteindrait leur petite communauté. Albert l'aida à changer le bahut et sa chaise berceuse de place en lui occultant la fenêtre. Désormais, Cécile regarderait du côté des champs et des vergers, c'est-à-dire du côté de chez Donatienne. Fini les respirations serrées chaque fois qu'elle voyait un des hommes en plein jour. Et fini les nuits entières passées seule sous son édredon froid parce que la police militaire arrivait chez les gens à n'importe quelle heure de la nuit ou du jour.

Personne ne songea à démolir le bunker. On le trans-forma plutôt en atelier de *traitement des bouteilles*. Là, on stérilisait les bouteilles et les flacons usagés, on écri-vait et on apposait les étiquettes, on emplissait les caisses de bouteilles vides, prêtes à être remplies à leur tour. Cécile proposa un cidre plus sucré qu'on appellerait *La sauterie de l'après-guerre* et les autres préférèrent aug-menter la production des valeurs sûres : *La Cuvée du givre d'automne* et *La petite Marguerite*. Mais cette idée qu'eut Cécile combla Donatienne de joie : les Fréchette faisaient réellement partie de ses alliés les plus sûrs.

• • •

On lut des nouvelles au sujet des deux jeunes Alle-mands qui avaient trouvé refuge à Oka, mais on ne nomma pas les gens qui les avaient cachés. Évidem-ment, au village même, la nouvelle circula comme une mèche allumée, et tout le monde admira Donatienne Crevier pour ses ambitions de commerçante et pour son courage.

Madame Bemmans vient plusieurs fois remercier la famille Crevier pour avoir caché Pierrot qui trouva, en plus de la liberté, un emploi permanent dans l'en-treprise de Donatienne et de Joseph.

• • •

Un matin, alors qu'elles étaient assises sous le pre-mier pommier de la première rangée du verger, Clara Bemmans finit par demander à Donatienne :

– Pis ? Les deux officiers de la police militaire qui ont bizarrement disparu, les as-tu vus, toi ?

Sachant qu'elles étaient directement assises sur leur tombe où avaient poussé du trèfle alsike, de la petite bardane et quelques silènes enflées, Donatienne sourit, puis répondit :

– C'est étrange. J'ai pas la moindre idée de ce qui a pu leur arriver. Tu parles d'un maudit beau coucher de soleil. Regarde les fruits de ce pommier. Ils sont deux fois plus gros que les autres !

On n'en reparla plus jamais. La guerre était bel et bien chose du passé.

• • •

Le frère Marie-Victorin était mort trop jeune, dans un accident de voiture, et les journaux parlaient abondamment de ses recherches. Donatienne s'était demandé si Michel avait regretté son idole et comment elle ferait, désormais, pour faire reconnaître sa fougère comme étant sa propre découverte.

Passées les célébrations entourant les obsèques du frère et les longs articles qui vantaient son importance, Donatienne écrivit au Jardin botanique en adressant l'enveloppe au *remplaçant du frère Marie-Victorin*, ce qui fit rire la secrétaire du bureau administratif du Jardin. Elle transmit l'enveloppe à Robert Ovila Provancher, un parent du célèbre botaniste Léon Provancher. Celui-ci retira, avec circonspection, les spécimens dont il était fait mention dans la lettre de Donatienne Crevier d'Oka, laquelle écrivait :

Vous serez heureux de constater que la culture de la schizaea pusilla *s'est avérée un succès et que désormais, le Québec pourra s'enorgueillir de compter cette espèce rare chez moi, à Oka. Je compte sur votre générosité et votre sens de la justice pour que cette fougère porte le nom de celle qui l'a reconnue et cultivée avec amour.*

Donatienne Crevier

Le botaniste sourit en apercevant la fougère. Elle viendrait s'ajouter à l'*eupatorium urticaefolium* du père Michel, plante vénéneuse qu'il avait découverte après que trois des taures de l'École d'agriculture se soient empoisonnées ; et aussi la *taenidia drude* qui, aux dernières nouvelles, ne poussait qu'à Oka. Le botaniste remplaçant se gratta la tête. Pourquoi cette femme ne lui avait-elle pas parlé des Cisterciens comme des premiers intéressés à la découverte des plantes ? Pourquoi Oka ? Il savait par son grand-oncle que ce petit village, lové entre une montagne et quelques collines verdoyantes sur le bord du lac des Deux-Montagnes, recelait de véritables trésors non répertoriés dans les manuels de botanique. Bien sûr, le père Michel nommait dans son livre la *schizaea pusilla*, mais n'en disait rien. À peine mentionnait-il la Nouvelle-Écosse. De son côté, le botaniste Auguste Loiseleur-Deslongchamps en avait découvert quelques spécimens en Normandie et avait soupçonné les descendants partis vivre en Nouvelle-France d'y avoir transporté de nombreuses variétés de plantes. Il était heureux de constater que de plus en plus, les gens reconnaissaient Conrad Kirouak comme la sommité dans le domaine de la botanique. Il posa la *schizaea pusilla* dans une vitrine de son immense laboratoire, se promit d'en discuter avec les membres de la Société de botanique de Montréal et d'écrire à cette dame Crevier pour la remercier chaudement. Il se rendrait pour sûr à Oka pour constater de visu qu'elle disait vrai. Et surtout, pour élucider sa relation avec le père Michel de l'abbaye d'Oka. Il trouvait étonnant que la dame n'en faisait aucune mention dans sa lettre. Chose certaine, elle semblait posséder des connaissances notables en botanique pour ainsi nommer la fougère de son nom latin. En effet, la plante était précieuse et l'homme posa un regard rapide sur la vitrine avant de vérifier le contrôle de la température, de refermer la lumière et de verrouiller les portes.

• • •

Le père Michel arriva à Oka en emplissant ses poumons de l'air du large. La traverse entre Oka et Como avait pris de l'ampleur et de plus en plus de voitures l'empruntaient pour passer de l'autre côté du lac des Deux-Montagnes. La vie avait repris son cours normal et on pouvait entendre le bourdonnement des gens au cœur du village.

Il avait hâte de retrouver les siens, mais ne put s'empêcher de penser à Donatienne, à Joseph, aux Fréchette et à leur marmaille. Le frère Stéphane vint l'accueillir devant le magasin Chéné et le salua timidement: il n'avait pas été capable de contrer la chaleur de l'été qui avait été mortelle pour le jardin potager, les glaïeuls et le *carré secret* comme on l'appelait. Plusieurs plantes avaient souffert de la sécheresse sous les rayons du soleil quand la température atteignait les 100 degrés et qu'il ne pleuvait qu'une fois par semaine, et de manière parcimonieuse. Un été chaud comme jamais en cinquante ans, de mémoire d'homme. Le frère Stéphane s'était servi tous les jours de son gros arrosoir pour imprégner chaque tige, là où la terre aride prenait possession de la plante, mais l'été très chaud avait eu raison de ses efforts.

La disparition accidentelle du Frère Marie-Victorin avait fortement ébranlé le moine qui perdait ainsi un précieux témoin de ses propres découvertes, et qui ne pourrait plus discuter, échanger, évaluer, et profiter des discussions avec le pape du Jardin botanique.

Bien sûr, il y avait à Montréal plusieurs émules du frère qui allaient prendre sa relève. Mais nul ne pouvait, comme le frère Marie-Victorin, parler des plantes avec autant de poésie, avec autant de langueur, comme d'autres parlent des femmes :

« *Lorsque la chaleur de la savane aura exalté les mille et une vies de la mousse et de la brousse, mûrissant les étamines, jetant au vent de la poudre fine des pollens, quelques grains invisibles s'agripperont à ces stigmates. Et le tube pollinique commencera son étonnant voyage, traversant les tissus du parasol, s'insinuant à l'intérieur de la colonnette pour pénétrer enfin jusqu'à l'ovule et le féconder* », avait écrit le frère.

Michel rit tout à coup, sachant qu'il ne pourrait pas partager sa pensée avec son vieux collègue. Il songea que la botanique avait tout à voir avec la sexualité des femmes. Il murmura : « L'anatrope est un ovule dans la chalaze, et le hile ne se correspondant pas, se trouvent réunis par un raphé. » Il pensa aussi aux fougères dont les organes reproducteurs s'appelaient les anthéridies. En botanique, on parlait encore d'aisselles, d'organes reproducteurs, de touffes de poils soyeux, de mamelons, d'aspérités, d'ovaires et de stigmates. Les parfums féminins étaient presque exclusivement tirés des fleurs et des plantes et existaient sans doute pour attirer le mâle. Michel sentit tout à coup comme des effluves sucrés, le parfum de Donatienne. Tout dans la botanique rappelait les gestes de la procréation et était constitué pour recevoir et distribuer la vie. Cela expliquait peut-être sa passion pour les plantes et son amour persistant pour Donatienne. Il avait offert sa rupture à Dieu pour expier ses péchés, mais il était très au courant que contrairement à ses chers amis contemplatifs, lui, il était né pour honorer la création de Dieu, peu importe qu'elle soit végétale ou animale.

La camionnette s'immobilisa. Michel sortit, puis posa ses poings sur ses hanches en observant l'abbaye avec admiration. Il ne possédait ni sac ni bagage, mais il avait dans la poche de son pantalon un plant séché de *lemma aristé du Canada* qui avait poussé entre deux pierres dans la cour de l'ancien prieuré qui servait de siège à l'Armée canadienne.

Dom Léonide attendait le père Michel dans son vaste bureau de l'autre côté de la chapelle. Droit, sévère, hautain, mais représentant de l'autorité de Dieu, le supérieur accueillit le père Michel avec un certain enthousiasme pour qui connaissait sa rigueur habituelle.

– Bonjour, père Michel. Je suis très heureux que cette terrible guerre soit enfin terminée. Vous avez payé pour nous tous qui avons toujours essayé de faire briller la volonté de Dieu chacun à notre manière. Moi, j'ai fait avorter certaines actions dangereuses pour les gens de ce village – il faisait sans doute allusion au feu dans l'entrepôt de calvados chez Donatienne –, et vous, père Michel, vous avez empêché que certains jeunes gens aillent se faire tuer dans une guerre insensible, alimentée par la haine des Allemands pour les pauvres Juifs. J'ai demandé souvent à Dieu qu'il vous bénisse pour cela. J'ai tenté de communiquer avec le premier ministre du Canada afin qu'il intercède pour vous, mais on m'a toujours répondu que vous n'étiez pas un prisonnier comme les autres et que votre présence à Montréal était un bénéfice pour les gens du ministère de la Défense. Vous avez créé, m'a-t-on informé, un groupe de botanistes en herbe, si le jeu de mots ne vous dérange pas.

– Je n'ai pas cessé de prier et de réfléchir à mes recherches. J'ai observé la flore de Montréal entre les murs de ma... bastide, dit-il en riant. Mais rien n'est meilleur que la terre okoise, Dom Léonide, croyez-moi.

– Je croyais que vous m'en vouliez à mort.

– Oui, je vous en ai voulu. Mais après avoir vu tout ce que cette femme a pu faire pour exercer sur moi sa vengeance, j'ai pensé que vous aviez agi pour le bien de cette petite communauté.

– Bien sûr.

– Je sais que mes recherches en botanique sont essentielles pour les Cisterciens. Je sais aussi que j'ai réussi plusieurs cultures qui sont jusqu'ici inconnues.

– Par exemple ?

– J'ai cultivé une fougère que je qualifierais de rarissime et je vais en faire profiter notre communauté religieuse. Elle s'appelle la *schizaea pusilla*. C'est une fougère de la famille des *osmunda*. Elle ressemble à l'*osmunda de Clayton*, mais ses frondes sont plus longues et ses crosses, beaucoup plus velues. La *schizaea* est chargée de diodanges presque mauves. On en trouve vers la mi-juin. Je m'en occupe dès la fin de cette semaine. Mais... il y a un hic, Dom Léonide.

– Je crois que nous devons arrêter ici. Votre grande connaissance des plantes vous porte à l'excès et rend votre présence, je dirais, volubile. Je vous verrai ce soir, si vous le voulez bien.

Le père Michel regrettait de s'être lancé dans un discours trop abondant. Ainsi, il ne put dire à Dom Léonide ce qui le tracassait le plus : la fameuse fougère poussait chez Donatienne.

Chapitre dix-huitième

É milia n'avait plus cet air sûr et hautain qu'elle affichait quand elle était partie pour s'enrôler. Trois mois! Elle n'était demeurée au bureau de madame Eaton que trois mois, apprenant à communiquer des directives aux responsables des troupes, répondant aux appels, vérifiant les commandes d'équipements et de matériel. Elle travaillait dans l'ombre bienfaisante du lieutenant Mark Beurling qui déployait son arsenal pour mieux la conquérir.

Une estafette vint poser cette missive sous sa porte, signée W.H.S. Macklin:

Au cours des cinq dernières années (trois mois, ouais, pensa-t-elle) *vous vous êtes constitué un dossier enviable de service dévoué et efficace, et au moment de quitter, vous avez tout lieu d'être fière de vos réalisations. Votre tâche accomplie, votre objectif atteint* (me trouver un amoureux, se dit-elle), *nous sommes confiants que vous ferez profiter vos familles et vos communautés de ce même esprit, de l'enthousiasme dont vous avez fait preuve dans l'Armée – vous souvenant toujours qu'en tant que*

citoyenne de ce grand pays, vous avez une responsabilité
égale dans la paix comme dans la guerre.

Émilia connaissait plusieurs des membres du CWAC qui auraient aimé demeurer au service de l'armée, mais les hommes en avaient décidé autrement. Par centaines, les Canadiennes qui, pourtant, avaient été de parfaites soldates, quittaient les casernes, leur sac sous le bras, pour retourner à la maison. Émilia était certaine que si les femmes célibataires avaient massivement occupé des postes importants, la société n'aurait pas été la même. Et la guerre aurait duré moins longtemps. Aucune parmi les trois mille soldates envoyées outre-mer n'avait trouvé la mort. Quatre furent blessées à Anvers par un missile allemand.

• • •

Émilia dut retourner chez Dolorès et en éprouva une certaine gêne. Bien sûr, la petite Catherine était la plus belle petite fille qu'Émilia n'avait jamais vue, mais maintenant que son cœur était pris, elle ne pouvait plus vivre dans la maison de la rue Moffat.

Quand elle entra, Émilia ramassa le courrier dans le portique et l'apporta à Dolorès qui nourrissait son bébé.

– J'ai bien pensé que tu arriverais ces jours-ci. T'es partie comme un coup de vent. Ton père est encore tout bouleversé. Une chance que la guerre est terminée, il aurait pris un tank pour aller te chercher.

– J'ai l'air fin. Trois mois que je suis restée dans l'armée. Ils m'ont offert de continuer, mais j'ai pas voulu, mentit-elle. J'ai essayé de trouver Louis en fouillant partout, pis j'ai pas été capable. Personne ne l'a vu et ils ont pas son nom nulle part. Tu trouves pas ça un peu étrange?

– Il est peut-être mort?

– Voyons donc, Dolorès! Quand Victor est mort, on l'a su de suite! Ils avaient son nom, son matricule et ils t'ont écrit. Non, je pense qu'il y a quelque chose de pas normal dans tout ça. Louis a été dans les Chemises Bleues contre les Juifs. Il a fait du mal à des gens qui ne méritaient pas sa haine. Il a dû payer et c'est bien correct comme ça.

– T'as l'air à t'en balancer un peu.

– Un peu, oui. J'ai… j'ai rencontré quelqu'un d'autre. Un Anglais qui parle français avec un petit accent. Il s'appelle Mark. Et je l'aime comme une folle. Il est resté dans l'armée. Il va prendre sa retraite dans une couple d'années. Il monte de grade bientôt.

– Dans ce cas-là, c'est aussi bien que Louis soit disparu.

– Même s'il revenait, je ne pourrais pas le reprendre. Je demanderais le divorce.

– Le divorce? Mais tu vas être excommuniée si tu fais ça.

– Pis après?

– Je sais bien que tu ne vas pas en mourir. Mais ce Mark, il t'aime autant que tu l'aimes? Il ne va pas te laisser tomber comme une vieille pantoufle? Et…

et si Louis revenait, c'est peut-être ton Anglais qui s'en irait.

– Ça fait trop longtemps qu'il est parti. Je ne le reprendrai jamais, tu peux en être sûre. De toute manière, on n'a plus de logement. Je vais aller rester avec Mark.

– Vous allez vous accoter ? dit Dolorès, les yeux exorbités comme si elle venait d'apprendre que sa fille était l'enfant du Diable.

– On va se marier dès que possible, voyons. À condition que Louis ne revienne pas d'Europe.

– Faudrait qu'il soit mort, pour ça.

– Il est mort, tu penses bien. Sinon, j'aurais entendu parler de lui avant aujourd'hui. Penses-tu que je serai la seule femme à être tombée en amour pendant que son mari est parti depuis 1939 à la guerre ? On n'est pas faites en bois, imagine-toi. Faudra que tu penses à rencontrer un nouveau père pour la petite Catou.

Elle se pencha au-dessus de l'enfant qui gazouillait dans les bras de sa mère et lui appliqua un baiser sur les cheveux.

– Tu en veux, un papa, mon petit chou ?

– Mon doux, j'allais oublier ta lettre. Ça a l'air d'une lettre importante.

Elle resta penchée au-dessus de Dolorès pendant qu'elle ouvrait, en tremblant, la lettre en provenance d'Ottawa. La jeune femme se mit à lire la lettre, froidement, sans démontrer le moindre sentiment. Elle avait du mal à lire cette lettre de sympathie du roi d'Angleterre, mais elle y arriva en baragouinant et en riant.

BUCKINGHAM PALACE

The Queen and I offer you our heartfelt sympathy in your great sorrow.

We pray that your country's gratitude for a life so nobly given in its service may bring you some measure of consolation.

George R.I.

– C'est impressionnant de recevoir une lettre aussi...

– ... aussi hypocrite, tu veux dire.

• • •

Le téléphone sonna et fit sursauter la petite Catherine qui s'était endormie dans la couverture de flanelle que lui avait offerte sa marraine. Émilia répondit. La voix au bout du fil était tellement attendue qu'une lueur de joie s'imprima sur sa figure, ce qui réconforta Dolorès.

– Ça y est. J'ouvre demain. Je t'attends à huit heures, criait la voix cristalline de Rosette.

– Je serai là, tu peux être sûre.

– J'ai rencontré un représentant de l'Association des entrepreneurs en confection de Montréal. Paraît que la création de mode entre dans une ère nouvelle. Les femmes se sont ennuyées de nous autres, ma chère. J'ai trouvé une nouvelle couturière qui termine chez Laurette Cotnoir. Il lui reste quelques semaines pour avoir son diplôme. Elle va faire les robes de mariées. Elle a été approchée par Gaby, tu sais, la grande Gaby Bernier. Mais, chez nous, elle aura toute liberté de créer ce qu'elle veut. Gaby est à deux pas du Ritz Carlton, mais quand tu vas voir les rénovations de Samuel! Tu vas te croire à Paris, ma chère.

– Je n'en doute pas un instant. J'ai hâte de commencer. J'ai surtout hâte de te raconter. Il m'est arrivé tellement d'affaires, Rosette.

– Un amoureux? minauda-t-elle.

– Je t'en parle demain. Je veux juste te dire que c'est toi qui as toujours été là pour moi, chaque fois que ma vie prenait un nouveau virage. À demain.

Elle déposa le combiné et mit l'eau à bouillir. Un thé fraîchement infusé allait faire toute une différence avec le thé poisseux, noir, fort, que Dolorès gardait au chaud toute la journée sur le poêle. Elle sortit une tasse Paragon en porcelaine qu'elle avait offerte à sa belle-sœur quand Victor était toujours en vie, et que Dolorès gardait précieusement enfermée dans le vaisselier, et versa le thé assez tôt pour qu'il ne soit pas âcre. Comme Mark lui avait enseigné à le faire, lui, un descendant de la famille Beurling de Liverpool: une eau chaude, mais pas bouillante, quelques minutes d'infusion, un nuage de lait.

Dolorès observait Émilia avec une grande admiration. Jamais n'avait-elle imaginé que sa belle-sœur deviendrait une grande dame et qu'elle boirait son thé du bout des lèvres, sans ces gros chuintements à l'entrée de la bouche comme le faisait Victor, qu'elle porterait les chapeaux d'Yvette Brillon acquis à force de travail, qu'elle parlerait un français plus châtié et qu'elle comprendrait même l'anglais.

Elle avait de la peine de la voir partir. Mais, en même temps, elle l'enviait. Émilia atteindrait bientôt la quarantaine et avait, malgré cela, toute la vie devant elle.

• • •

Jean-Lou était si triste au téléphone. Il avait réussi à joindre Émilia en fouillant dans les papiers personnels de Jeanne et avait longuement hésité avant de composer le numéro. Jeanne avait tellement insisté pour que ce soit Émilia qui vienne prendre soin d'elle.

– Jeanne a un cancer, Émilia. Elle a de plus en plus mal et la petite va aux études et ne peut pas s'occuper d'elle. Les jumelles ont des enfants. Jeanne veut que ce soit toi. Elle dit que vous avez encore quelques conversations à terminer. Tu ne peux pas nous refuser ça. Je vais te payer comme il faut.

– C'est que...

– Tu as du temps pour réaliser tous tes projets, Émilia. Je t'aiderai. Jeanne n'en a que pour quelques semaines, peut-être deux mois tout au plus. Je te paye 100 $ par semaine. Il y a ses médicaments à lui donner au besoin. Elle ne souffre pas avec ses pilules. Mais elle a besoin de toi. Je vais aller te chercher ce soir, si tu acceptes, évidemment.

Émilia s'assit sur le petit banc à côté de la table du téléphone, complètement abasourdie. Son étoile venait de s'éteindre. Ses ambitions, de fondre. Elle respira profondément. Dolorès était en train de coucher la petite dans son berceau et entendit le long soupir de sa belle-sœur.

– Pas une mauvaise nouvelle, toujours ? dit-elle en sortant de la chambre.

– Jeanne... réussit-elle à prononcer.

– Quoi, Jeanne est morte ?

– Jean-Lou s'en vient me chercher.

– Tout de suite ?

– Oui.

– Mais tu n'as pas l'air d'être contente, Émilia.

– Elle va mourir. Elle a un cancer. Elle ne veut pas mourir sans moi. Je ne peux pas l'abandonner. Elle a besoin de moi.

– Mais tu ne peux pas laisser tomber Rosette, voyons.

– Les Ateliers Rosette Dalpé peuvent attendre encore quelques semaines. Jeanne a été tout pour moi. Elle était là au bon moment.

– Émilia, j'ai été là moi aussi pour toi. Pourtant, tu t'apprêtes à me laisser toute seule avec la fille de Victor. Mais moi, je peux comprendre que tu as rencontré un homme qui devrait te rendre heureuse. Laisser l'autre libre, tu es d'accord avec ça ? Tu as la chance de devenir une grande créatrice de mode. Tu as la chance d'aller vivre avec ton amoureux, de vivre enfin une existence heureuse. Et tu vas aller t'encabaner avec Jeanne Daoust. Son mari est docteur, il peut payer une infirmière.

– Dolorès, Jeanne a demandé que ce soit moi. Je vais y aller. Le reste peut attendre. La mort elle, n'attend jamais.

Elle se rendit dans sa chambre et pour la centième fois, lui semblait-il, elle rassembla ses effets personnels. Pour se rendre auprès d'une mourante.

. . .

Rosette avait tout de suite compris la situation dans laquelle se trouvait Émilia et elle savait que sa meilleure couturière ferait la même chose si la maladie la clouait au lit. Elle était évidemment déçue, mais ne le laissa aucunement paraître. Émilia comprit cependant que les Ateliers Rosette Dalpé allaient être envahis par les clientes prêtes à payer les yeux de la tête pour une toilette, maintenant qu'étaient terminées la guerre et les injonctions restrictives du gouvernement King. Le nombre de mariages allait exploser, les femmes riches de Westmount allaient se masser devant les *Ateliers de mademoiselle Rosette*, comme elles se plaisaient à nommer la boutique de la rue Sherbrooke. Rosette avait dû importer de pleines boîtes de sequins, de paillettes et de perles pour ces robes de mariées que Rosette voulait confier à sa nouvelle couturière. Elle détourna les yeux. Puis la honte l'envahit : elle souhaita que Jeanne ne mette pas trop de temps à partir. Elle se signa, puis demanda pardon à Dieu.

●●●

Ce n'était plus Jeanne. La femme qu'Émilia avait devant elle n'était qu'un paquet d'ossements allongés au centre du matelas. L'odeur de putréfaction se mêlait à la bruine parfumée que Jean-Lou avait généreusement vaporisée dans la chambre. Elle dormait au moment où Émilia s'approcha d'elle en versant des larmes grosses comme des têtes de clous. Sans ouvrir les yeux, Jeanne dit :

– Je sais que c'est toi, Émilia.

– Oh, Jeanne ! Qu'est-ce qui t'est arrivé ?

– Un maudit cancer qui a finalement pris tout l'espace. Le docteur Tranchemontagne, un collègue de Jean-Lou, m'a tout expliqué. Il a dit que je monterais au Ciel avant Noël. Moi qui voulais fêter Noël avec les petits. Ils ne connaîtront pas leur grand-mère et c'est ça qui me tue, Émilia. Et ne plus te voir, toi. Et Jean-Lou, je n'en parle même pas. Chaque fois qu'il vient prendre ma pression, et me donner mon injection, je pense à toutes ces belles années que j'ai passées avec lui. Pas assez, je trouve.

– Arrête de parler. Repose-toi.

– J'en ai pour des siècles et des siècles à me reposer. Quand bien même qu'il me resterait que deux heures à vivre, je voudrais parler encore et encore. Il faut profiter de toute l'énergie qui reste pour dire tout ce qu'on veut. Quand je serai plus capable, je me tairai.

– Tu as raison, Jeanne, lui concéda Émilia en pleurant de plus belle.

– Ne braille pas, toi. Tu dois être courageuse pour m'aider à passer de l'autre bord. Assieds-toi! Allez, assieds-toi et parle-moi de ce qui t'arrive. Ça fait presque un an que j'ai pas eu de tes nouvelles.

– Pas tant que ça.

– N'obstine pas une pauvre mourante, Émilia, ordonna Jeanne en riant. Ça fait longtemps que j'ai pas eu de tes nouvelles.

Émilia lui raconta pêle-mêle que Louis n'était pas revenu, qu'elle avait été obligée de quitter la famille Lévis parce que Louis avait fait partie d'un mouvement d'anarchistes qui voulaient éradiquer tous les Juifs de Montréal, que lorsque Victor est parti voler dans son avion, elle est allée vivre avec Dolorès, qu'elle avait joint l'armée, qu'elle y avait fait la connaissance de Mark Beurling et que la guerre avait cessé trois mois plus tard. Jeanne écoutait religieusement en poussant de temps à autre d'étranges balbutiements mêlés de borborygmes sonores.

– Ça va, Jeanne? lui demandait chaque fois Émilia.

– Je t'écoute, continue. Je suis très intéressée par ce que tu me racontes. Ça me change des maudites maladies que me raconte Jean-Lou et des problèmes quotidiens des enfants de mes filles.

– Comment va Estelle? Elle a encore Moustache?

– Non, Moustache est morte. Estelle étudie encore. Jamais je n'aurais cru faire du monde avec celle-là. Elle termine son nursing à l'hôpital Maisonneuve.

Puis Jeanne se mit à tousser. Avec sa main gauche, la droite étant plutôt mal en point à cause de toutes ces injections qu'on lui administrait, elle désigna le haricot de métal pour qu'Émilia le lui place sous la gorge. Puis elle vomit bruyamment de longs caillots de sang. Émilia se rendit à la cuisine pour tout nettoyer. Elle se mit alors à pleurer comme il ne lui était pas souvent arrivé de le faire. Elle souhaita très fort que Jeanne meure le plus vite possible. Elle ne pourrait pas endurer bien longtemps la mort qui veillait. Elle ne pouvait rien faire pour l'éloigner. À voix basse, elle lui offrit son amie Jeanne en pâture comme les impies offraient des animaux en sacrifice.

•••

Après une semaine de soins, d'odeurs âcres, de va-et-vient aux cabinets en soutenant sa bonne amie, Émilia se sentit plus courageuse. Jean-Lou enseignait à la faculté de médecine de l'Université de Montréal et quand il revenait à la maison, il discutait longuement avec Émilia lorsque Jeanne finissait par s'assoupir. Elle accepta alors de lui parler de Mark Beurling qui était désormais le chef des activités militaires à l'Auditorium de Verdun. La ville avait consenti à interrompre l'accès de la patinoire de l'Auditorium aux usagers et avait signé un bail jusqu'à la fin de 1946. Les amateurs de hockey étaient entrés dans une grande fureur et ils conspuaient les militaires qui entraient et en ressortaient. La guerre était terminée et l'Armée continuait ses activités au grand dam des Verdunois.

Jean-Lou parla de son premier mariage et de sa rencontre avec Jeanne. Il se rappelait, en riant, les entourloupettes que sa profession lui avait permis d'inventer pour que ses deux relations puissent bénéficier l'une et l'autre de sa présence. Il y avait tant de regrets dans sa voix, tant de remords dans ses yeux, qu'Émilia parvenait à comprendre comment il avait mené deux barques en même temps. Ni l'une ni l'autre n'avait souffert de son absence puisque toutes les deux avaient une admiration sans bornes pour sa profession de médecin. Pourtant, Émilia était certaine qu'avant de retrouver définitivement Jean-Lou, le matin même du mariage double de ses jumelles, Jeanne souffrait en silence. Elle seule connaissait l'existence de l'Autre. Savait que l'Autre avait Jean-Lou pour elle toute seule à son anniversaire, à Noël, à la Saint-Valentin. Qu'il était près d'elle quand elle avait besoin de soins. Jeanne avait enfin partagé la vie de son amoureux durant à peine quelques années. Elle allait mourir en lui tenant la main. Jean-Lou allait la remplacer comme on change de cravate. Émilia éprouva une grande tristesse.

– Tu dois te demander comment j'ai fait pour en aimer deux à la fois ?

– Oui.

– Je me le demande aussi. J'ai aimé Jeanne plus que tout. Elle était mon oasis. Elle ne tenait pas le même rôle que ma femme, tu sais. C'est difficile à expliquer. Je... je les aurai perdues toutes les deux.

Jean-Lou se mit à pleurer en attrapant la main bleuie de Jeanne qui sortit soudain de sa léthargie.

– Jean-Lou, tu m'as promis.

Jean-Lou se tourna vers Émilia.

– Elle m'a demandé de ne pas brailler devant elle. Cela voudrait dire que le médecin en moi a abdiqué, raconta-t-il à Émilia.

– Abdiqué?

– Abandonné. Que je ne serais plus là pour me battre avec elle.

Jeanne se leva sur ses coudes et les fixa tous les deux.

– Vous êtes deux beaux complices, vous deux! Parlez pour que je vous comprenne! Pas de messes basses. Pas tout de suite, en tout cas. Attendez que je meure!

– Tu ne mourras pas, Jeanne.

– Pourquoi t'es là, d'abord?

À cette question embêtante, Émilia ne sut que répondre. En effet, depuis plusieurs mois, elle n'avait pas donné de nouvelles à Jeanne. Elle avait éprouvé une grande gêne après avoir mis Jean-Lou dans le pétrin lorsqu'il lui avait fixé cette incisive qu'Estelle lui avait brisée lors d'une bataille amicale. Elle regrettait d'avoir cru que Jean-Lou avait essayé de la séduire. Elle avait mis tout le monde dans l'embarras et avait passé pour une faiseuse de troubles. Elle songea, en observant sa pauvre Jeanne, combien elle avait dû la décevoir. Elle pensa aussi que comme les hommes de sa vie avaient été des abuseurs dans chacun leur domaine, pourquoi Jean-Lou aurait-il été différent des autres?

L'image de Mark Beurling lui traîna dans la tête longtemps alors qu'elle changeait les draps de la malade, retapait coussins et oreillers, aidant Jeanne à enfiler une nouvelle robe de nuit et lui apportant une carafe d'eau fraîche.

– Tu ne couds plus, Émilia ?

– Pas... pas pour le moment. Je retournerai chez Rosette Dalpé plus tard, quand...

Elle s'interrompit. Comment lui dire qu'elle attendait l'étape suivante qui lui permettrait de reprendre sa vie de couturière ? Elle se mordit la lèvre inférieure en attrapant le balai pour terminer le ménage de la chambre. Elle fit brûler du papier d'Arménie pour désinfecter la pièce, pour chasser les odeurs de la maladie et repousser ainsi celles de la mort.

– Je ne pense pas que je durerai encore une semaine, laissa glisser Jeanne dans un souffle imprégné d'éther. Je n'aimerais pas, en tout cas. Est-ce que la petite a téléphoné ?

– Je pense que non. Tu veux que je la rejoigne ?

– On dit : joigne, Émilia. *Tu veux que je la joigne.*

Même à l'agonie, Jeanne reprit Émilia parce qu'elle faisait une entorse à la langue française. Auprès d'elle, Émilia avait tant appris pour enfin se sortir de la médiocrité dans laquelle elle avait vécu toute sa jeunesse. La famille Trudel émanait d'une bonne société, mais avec Adélina, et encore moins avec Délima, la langue n'avait jamais été une priorité. Les mots qu'elle croyait entendre devenaient siens et souvent, étaient fautifs et faisaient rigoler les gens qui constituaient ses rares relations.

– Tu peux l'appeler à la résidence des étudiants. Le numéro est sur la petite table du téléphone. Appelle Armande et Yolande. Juste elles, pas leurs maris. Je veux mes trois filles à côté de moi. Qu'elles viennent demain. Je serai prête. Tu veux bien, mon Émilia ?

– Tu demandes quoi, au juste ?

Une douleur lente et tenace monta à la tête d'Émilia. C'est la première fois qu'elle vivait une émotion aussi vive depuis la mort de sa chère maman. Elle avala avec difficulté et des crampes montèrent du milieu de son abdomen.

– Je veux leur dire adieu. Je suis prête à partir.

Jeanne se mit à tousser comme un marteau-piqueur. Émilia lui présenta le récipient qui récolta du sang noir et épais. Cela lui fit lever le cœur et Jeanne s'en aperçut.

– Tu vois, ma fille, quand on est rendu là, il est temps qu'on s'en aille. Le moindrement qu'on a un peu d'orgueil. Vaporise la chambre avec le sent-bon, tu veux ?

Elle lui indiqua un flacon de parfum sur la commode.

– C'est du Chanel n° 5, c'est impensable ! Ça coûte trop cher pour le gaspiller dans l'air.

– Je ne m'en servirai plus. Je te donne le reste de la bouteille. Tu penseras à moi.

– J'ai pas besoin de Chanel n° 5 pour penser à toi, tu sais. Tu as tellement été bonne pour moi. Tu iras où tu voudras, Jeanne, moi, je t'aimerai toujours.

Jeanne ferma à nouveau les yeux et s'assoupit.

Quand Yolande, Armande et Estelle vinrent se poster au pied du lit pour faire leurs adieux à leur mère, celle-ci n'arrivait qu'à expulser de longs râlements et n'avait plus la force de soutenir leur regard désespéré. Quand Émilia et Jean-Lou entrèrent dans la chambre, les trois filles pleuraient, la tête penchée sur Jeanne. Puis Estelle s'épancha dans les bras de Jean-Lou qui pleurait lui aussi.

Émilia se retira de la chambre pour les laisser tous ensemble. Elle entendit Jean-Lou dire que le cancer était une maudite maladie que la médecine n'arrivait pas à contrer ni à guérir. Il prononça aussi le nom d'Émilia avec tendresse. Elle se rendit dans la cuisine et pleura à son tour.

. . .

Le soir, Émilia avait rejoint Mark Beurling chez lui. Elle n'avait été partie que dix jours. Il s'était ennuyé comme si elle avait été absente des mois entiers.

– Ton amie a dû être très heureuse de t'avoir auprès d'elle. Je t'ai attendue patiemment, mais il était temps, mon amour.

C'était la première fois qu'un homme l'appelait ainsi. Devait-elle, comme le lui avait affirmé Jeanne en des temps plus anciens, se méfier des hommes qui donnent du «ma chérie, mon amour» ou, pire, «*honey*» ou «*darling*»? Émilia savait qu'à 39 ans, elle ne devait pas commencer à analyser chaque mot, chaque attitude, chaque geste de celui qu'elle aimait. Mark Beurling était un bel homme et il allait prendre sa retraite de l'armée d'ici quelques mois. Et il bénéficierait d'une solde enviable jusqu'à sa mort. Et surtout, Mark était de cette race d'hommes qui acceptaient que leur conjointe ait un travail et réalise ses rêves.

Émilia se lova entre les bras de son amoureux, et soupira de bonheur. Mark avait attendu plus d'une semaine pour enfin faire l'amour à celle qu'il avait choisie parmi des dizaines de soldates. Véritablement lui faire l'amour. Les autres filles représentaient de la camelote sexuelle. Des filles faciles, comme les appelaient les prêtres à l'église. Des filles qui se promenaient en short dans la rue et qui roulaient du popotin comme les actrices américaines. Dès qu'il était revêtu de son uniforme, les filles lui tombaient dans les bras comme des mouches au-dessus d'un bol de miel. Avec ses compagnons de caserne, Mark avait souvent discuté des minettes qui attendaient à la porte de sa chambre, se vantant d'être un tombeur de femmes, juste après le colonel Lévis. Mais il n'avait jamais accepté les avances des filles.

Samuel Lévis, quant à lui, avait très peur d'Émilia. Elle savait trop de choses à son sujet.

– Tu m'as dit que Lévis était juif ? J'ai fouillé dans le classeur du secrétaire général et j'ai trouvé. Le colonel a deux noms de famille. Levy et Lévis. Il est né à Rishon Le Zion en Palestine, en 1899. Il a émigré à Paris à l'âge de sept ans. Le reste, je n'ai pas eu le temps de le lire. Tu avais raison, mon amour, le colonel est un Juif.

– Et après ?

– Rien.

– Alors ? Tu n'as que ça à faire que de mémèrer sur les collègues ? J'ai autre chose à te proposer.

Émilia commença à déboutonner la chemise de Mark. Il déglutit avec difficulté, si peu habitué à ce genre d'autonomie chez une femme de bonne famille. Elle le renversa sur le couvre-lit et s'assit sur lui comme sur une monture. Elle retira ensuite sa blouse, et baissa les bretelles de son jupon noir. Mark était fou du noir, surtout celui qui se coulait sur une peau de pêche. Le tussah avec lequel Émilia avait fabriqué son corsage était d'une qualité rare et il offrait une grande douceur. Elle ne se serait jamais contentée des sous-vêtements montrés dans le magazine *Bonnes Soirées*. Elle trouvait que la femme qui devait se déshabiller de temps à autre devait être très désirable. Le shantung, la soie, et même la belle rayonne, faisaient partie de ses choix. Mark semblait, lui aussi, l'apprécier.

Au bout de quelques minutes, le lieutenant Beurling se sentait d'attaque. Il retourna sa maîtresse, souleva le jupon d'Émilia, et l'aida à faire glisser sa culotte ornée de dentelle. Elle haletait déjà et grognait devant la fébrilité de son amant. Bientôt, il poussa son sexe dans le plus doux des antres. Émilia gémit de béatitude. Elle croisa ses jambes derrière les reins de Mark et se joignit au tempo, se retenant par moments pour mieux engloutir celui qu'elle aimait plus que tout. L'extase ne mit que quelques minutes à monter. Contrairement à Louis, Mark s'exprimait sans jurons et sans gros mots. Mais il n'était certes pas impassible, juste né pour *tirer un coup et canarder* disait Victor au sujet des gars qui couchaient avec des filles seulement pour le plaisir. Émilia se mit à rire nerveusement.

– Pourquoi tu ris, mon petit lapin? demanda Mark. Je suis essoufflé comme une locomotive!

Puis il reprit de plus belle, inondé de sueur et couinant de plaisir.

Émilia s'était convaincue qu'elle ne sentirait pas cette jouissance dont les femmes parlaient avec timidité. Il ne le fallait pas. Elle sentait que le va-et-vient ne lui apporterait rien de bon. Elle prit la main de Mark et, rendue au bout de la montée, elle la plaça sur son petit pétoncle et lui demanda de rouler, rouler, rouler. Ce qu'il fit. Aussitôt, Émilia se mit à respirer rapidement. Elle raidit les jambes et sentit monter en elle cette chose phénoménale qui allait faire d'elle la femme la plus heureuse du monde. Cela dura au moins une minute, pas plus, et valait tous les efforts qu'elle y avait mis. Encouragé, Mark jouit à son tour, secoué par cette force de la nature qui faisait de l'acte amoureux un moment éternel. Certains pouvaient tuer pour ce moment inexplicable. Et d'autres allaient mourir sans le connaître. Les deux amants tombèrent côte à côte sur les draps froissés, haletants, heureux et se promettant un avenir à deux.

...

Mark Beurling habitait un logement vaste et éclairé au-dessus d'une petite quincaillerie de quartier. Lorsque sa femme et son bébé étaient morts, Mark avait préféré quitter sans bruit son logement d'Outremont pour un plus petit, rue Rachel, face au Parc Lafontaine. L'été, en arpentant les sentiers du parc, il avait l'impression de vivre à la campagne. Émilia et lui y seraient très confortables si elle acceptait de vivre en dehors du mariage.

– Je t'aime, mon amour. J'avais si hâte à cet instant, glissa-t-il dans l'oreille d'Émilia qui somnolait presque.

– Toute cette gymnastique pour trente secondes de bonheur intense! C'est... c'est la première fois, Mark.

– Quoi? La première fois que tu...

– La première fois que j'arrive à l'état de grâce.

– Avec Louis?

– J'ai peut-être un peu fait semblant. Il était pesant et violent.

– Et les autres?

Elle réfléchit. Bernard avait été le premier. Et elle n'arrivait à se souvenir que de très peu de détails. Elle avait eu mal, mais elle était contente d'avoir expérimenté cette relation sexuelle dont toutes les filles parlaient au travail, mais qu'aucune d'entre elles n'était parvenue à expliquer clairement. Des sous-entendus, des mots prononcés derrière une main ouverte, des rires, des expressions tordues. Émilia se dit que la meilleure chose était l'expérimentation. Après, on n'avait plus besoin de faire des blagues ou d'échafauder une théorie invraisemblable. Josaphat disait toujours que ceux qui parlaient le plus de sexe étaient ceux qui n'en n'avaient pas.

Ce soir-là, Émilia entra dans une ère de bonheur. Elle déménagerait ses affaires rue Rachel et quitterait Dolorès et Catherine. Puis elle téléphonerait à Rosette Dalpé. Elle avait hâte de retourner au travail.

Chapitre dix-neuvième

Quand elle posa le regard sur les champs mor-dorés qui moutonnaient entre les vergers, Donatienne était loin de s'imaginer ce que sa vie allait devenir. Elle passait de longues journées à extraire les puissances curatives des plantes dont elle avait expérimenté les propriétés. Elle avait mis la main sur de nombreux cahiers manuscrits dans lesquels leurs auteurs avaient noté d'anciennes recettes pour guérir les maladies courantes. Elle constata que la majorité soignaient les affections rénales, les maux de tête et les problèmes de lactation chez les Indiennes. Elle remis le nez dans son propre manuel de remèdes médicinaux qu'elle avait rempli de tous les cas de personnes qui étaient venues lui raconter avoir été guéries grâce à sa vigilance.

Durant toutes les années que dura la guerre, Dona-tienne Crevier ne pratiqua aucun acte thérapeutique, cherchant surtout à protéger Joseph des capteurs de zom-bies. Le père Michel avait, lui aussi, caché des jeunes hommes pour les préserver de l'enrôlement, affirmant que l'Homme était libre d'aller ou non défendre ses idéologies jusqu'à se faire tuer par une bombe.

Cécile Fréchette avait peint une affiche de bois sur laquelle elle avait écrit: *L'abri des Allemands*. Tout le monde avait applaudi quand la pancarte avait été installée au-dessus de la porte de l'ancien bunker. Puis Fleur-Ange avait dit: « Pauvre Helmut », et un long silence suivit.

• • •

Il y avait bientôt un an que la guerre était finie. L'Herboristerie Donatoka tenait les Fréchette, Blaise, Pierrot et la famille de Donatienne de plus en plus occupés.

– C'est quand même étrange que durant une guerre, le monde évite de penser à la maladie, dit Albert Fréchette. J'espère qu'astheure, le monde va venir pour acheter des herbes pis des tisanes.

– Mais tout le monde voulait du cidre, juste parce que le gouvernement l'envoyait en Europe. Pareil pour le fromage d'Oka, approuva Pierrot.

– Il ne me viendrait pas à l'idée de faire voyager une meule d'Oka, moi. Imagine ce que ça devait sentir après le voyage! Ils devaient s'en servir pour tuer les Allemands, ajouta Joseph en riant aux éclats.

– Fallait tout de même nourrir nos soldats! Astheure, il y a des milliers de familles qui vont venir chercher notre cidre. Joseph, as-tu vérifié les livres de *La petite Marguerite*? demanda Donatienne.

– Reste que c'est *La Cuvée du givre* qui se vend le mieux, ajouta Rosalie.

– Y'en a dans quelques groceries à Montréal et au marché de Saint-Jérôme. J'ai assez travaillé pour les décider à en vendre, dit Albert.

– Est-ce qu'on devrait pas ajouter sur l'étiquette : *Le cidre de nos soldats* ? Ce serait pas mal d'écrire ça, pis ça nous aiderait à en vendre plus, dit Fleur-Ange. Ça peut être les soldats canadiens comme ça peut être nos deux soldats allemands.

– Fleur-Ange, faut que t'en reviennes de ton Helmut ! Y'était bien trop vieux pour toi, répliqua Pierrot en riant à son tour.

– Je me suis fiée à l'âge qu'il m'a dit, bon ! répliqua le jeune fille.

– On se met à l'ouvrage ? Y'a des barriques qui attendent qu'on les embouteille ! conclut Donatienne en s'ébrouant tout en se dirigeant vers les entrepôts.

Elle mit la main sur sa poitrine en humant les effluves âcres et sucrés du cidre qui s'affinait. Elle regarda au loin toute la bande qui continuait à rire et à s'agacer et sut à quel point elle était choyée, qu'ils étaient tous choyés d'avoir échappé à la misère de la guerre, au mal de la ville, comme elle se plaisait à le dire souvent. Et à l'envie. Tous, Albert, Cécile et leurs filles, Pierrot, Blaise, Joseph et Rosalie et même leurs deux fils, tous s'attelaient à la tâche et regardaient dans la même direction : offrir le meilleur produit au pays.

Enivrée par ses pensées lentes et assidues, Donatienne arrivait même à trouver que la présence d'un homme dans sa vie était devenue futile. Il lui arrivait de regretter Michel, de se rappeler sa naïveté sexuelle, ses mains chaudes, sa tendresse, ses nombreuses connaissances botaniques, son amour de la nature qui l'entourait, son respect des êtres humains, mais elle faisait aussitôt fuir ces pensées, indignes de la femme déterminée qu'elle était.

Après s'être consolée de sa trahison, et après sa vengeance, la veuve noire tissait sa toile ailleurs. Elle n'allait pas s'arrêter là.

• • •

Soudain, Donatienne entendit un hurlement suivi d'une plainte. Elle sortit prestement de l'herboristerie et reconnut la sauvagesse Taniata, tenant un jeune enfant dans ses bras.

– Mon Dieu! Donatienne, aide-moi, s'il te plaît!

Elle déposa l'enfant – une petite fille, ce qui fit naître un éclair dans la poitrine de Donatienne – sur la table de séchage en repoussant quelques spécimens de framboisiers, et posa sur le front de l'enfant un long baiser.

– Tu sais ce qu'elle a? demanda Donatienne.

– Elle fait beaucoup de fièvre. Jusqu'à hier, elle toussait et ce matin, elle est comme paralysée. Je t'en prie, il faut que tu la sauves.

– Et le docteur Corriveau?

– Il n'a pas voulu venir.

– Pas pu?

– Je t'ai dit: pas voulu. Sa femme a répondu qu'il avait assez à faire à Saint-Eustache pour ne pas prendre de patients à Oka. Surtout les Sauvages qu'elle a rajouté. Tu es la seule à pouvoir la guérir. Tu as souvent aidé les Mohawks.

Donatienne prit un linge javellisé et fit couler de l'eau froide.

– En attendant que je trouve ce qu'elle a, tapote-lui le visage et le haut du corps, les bras et les aisselles avec ceci. N'arrête pas, même si elle pleure. Il faut faire baisser la fièvre.

Elle prit son livre noir et l'ouvrit aux mots : *poumon, pulmonaire.*

Fièvre entre 102 et 105 degrés.

Défervescence : plonger le malade nu dans une baignoire d'eau fraîche, pas froide (entre 80 et 90 degrés) ou le rafraîchir avec un linge imbibé d'eau froide.

Préparer une décoction de marrube et de tiges d'acchilea fraîche et ajouter après 15 minutes de trempage, six gouttes d'huile de camomille des chiens, deux gouttes d'huile de gaulthérie ; miel au goût.

Faire boire le malade aussi souvent que possible jusqu'à ce que les voies respiratoires soient tentées de se dégager (toux). Deux gouttes du médicament 030333.

Madame Aurélie Bernier 09-35.

Madame Clara Langford 10-37.

Enfant Jean-René Poulin 03-38.

– Tu es bien tombée. Les acchilea ne sont pas toutes séchées. Tu m'attends ici. Continue à faire baisser la fièvre sinon elle va y passer. C'est qui, cette belle petite fille ?

– Levita, la fille de ma sœur. C'est moi qui la garde pour un mois. Je t'en prie, Donatienne, dépêche-toi. Elle a les yeux quasiment revirés.

– Il y a de l'achilée le long du chemin. C'est de l'herbe à dinde, tu connais ça. Ça nettoie et guérit. Attends-moi deux minutes.

Donatienne attrapa son panier de cueillette et courut vers le sentier herbu, le cœur tout chaviré. *Marguerite. Marguerite. Marguerite.* Elle revoyait sa petite-fille qui ne pouvait plus réagir même sous les bouillonnements de l'eau fraîche qui coulait dans l'évier. Et les yeux effarés de Rosalie et le cri, ô ce cri, de son fils Joseph. Et ses mains tremblantes qui remirent la petite à sa mère, muette devant l'inavouable. On ne se remet jamais de la mort d'un enfant, se dit-elle.

Elle amassa une gerbe d'*acchilea* et revint vers Taniata en espérant que la petite Levita résisterait à la fièvre. L'Indienne avait pleine confiance dans les pouvoirs de guérison des plantes et comme le faisaient la plupart des Okois, elle n'était pas venue, elle, vers Donatienne en dernier recours.

L'enfant semblait sortir de sa torpeur. La fièvre avait baissé. Ses yeux commençaient à vraiment regarder au lieu de demeurer fixes comme lorsque sa tante l'avait emmenée. Elle râlait toujours, livide et immobile.

Donatienne écrasa les tiges d'*acchilea* et le marrube et versa l'eau qui bouillait sur le boxstove. Puis elle vécut les cinq plus longues minutes de sa vie. Il fallait attendre que les plantes libèrent leurs agents médicinaux. Taniata continuait à rafraîchir l'enfant avec de l'eau pour maintenir la température du corps en bas de 99 degrés. Elle posa la joue sur l'abdomen de Levita pour constater que la fièvre ne revenait pas.

Lorsque le remède fut prêt, Donatienne prit un compte-gouttes, ouvrit les lèvres de la petite et y laissa couler deux onces du liquide encore chaud. Puis elle enveloppa l'enfant dans une couverture propre en la berçant et en lui chantant une berceuse. *Marguerite.*

Elle remit une fiole à Taniata et tira une feuille d'une espèce d'ordonnancier avec une en-tête de l'Herboristerie Donatoka et écrivit : *deux onces à toutes les deux heures.* Rien d'autre. Pour que jamais quiconque ne lui reproche de vouloir remplacer *le médecin blanc qui n'avait pas voulu se rendre chez les Sauvages.*

Taniata retourna chez elle avec son précieux chargement. Donatienne pria longtemps le dieu de Michel pour que la guérison s'installe.

• • •

Deux jours plus tard, inquiète, Donatienne prit le petit bois pour se rendre, au beau milieu de la pinède, chez Taniata. Elle n'y était pas retournée depuis la disparition de Bill Tiwasha et c'est la tête remplie de souvenirs douloureux qu'elle frappa à la porte. Ce qu'elle vit d'abord la combla de satisfaction. La petite Levita jouait avec une vieille poupée au crâne lisse et agaçait en même temps un petit chat noir qui devait être né durant l'été. Taniata souriait. Elle prit les mains de Donatienne et y posa son visage avec douceur et une infinie reconnaissance.

– Jamais je n'oublierai ce que tu as fait pour moi, Donatienne. Tu es le meilleur chaman que j'ai connu depuis que le vieux Morris est mort, dit-elle en riant.

Donatienne se pencha au-dessus de la petite Levita et lui caressa les cheveux, boucles aussi noires que les plumes d'un corbeau. La bambine respirait bien malgré les quelques stridulations ressenties par la main experte de l'herboriste, aussi surprise que Taniata d'avoir pu redonner la vie à cette enfant. Lors de la visite de l'Indienne, Donatienne ne donnait pas cher de la vie de la petite. Désormais, elle savait que sa passion pour les plantes, sa connaissance de leurs nombreux pouvoirs, et la confiance de Taniata, étaient venues à bout de la maladie. Elle n'allait plus jamais craindre à l'avenir. Après tout, la nature avait tout prévu pour l'homme. À lui de s'en approcher davantage. Ce serait pour lui la meilleure façon de prier.

Après avoir accepté une tasse de tisane de sapin, elle apprécia la présence de celle qui avait été la première épouse de Bill et qui faisait partie des femmes qui tentaient de s'approcher des Blancs alors que les hommes, eux, étaient constamment sur le qui-vive, accusant les Blancs de nuire à la chasse, à la pêche et à leur émancipation. Les Sulpiciens avaient pourtant entraîné leurs ancêtres, Agniers, Algonquins et Nipissingies, dans ce coin de la Seigneurie des Deux-Montagnes pour leur permettre de se mêler à la population des Visages Pâles, de cultiver la terre et d'accéder aux mêmes droits. Selon Donatienne, c'était mal connaître ces fils de la terre, ces chasseurs sans malice, ces êtres spirituels respecteux de l'âme de leurs ancêtres. En les arrachant à leurs coutumes, les prêtres de Saint-Sulpice n'avaient pas compris qu'ils leur volaient aussi leur âme. Taniata croyait cela dur comme fer. C'est ce qu'on lui avait enseigné. Grâce à la guérison de sa nièce, qu'elle voyait comme un miracle, elle voua à Donatienne Crevier une grande admiration qui allait s'étendre bien au-delà de la pinède.

Quand Donatienne reprit la grande route pour retourner chez elle, son cœur était rempli de joie et de confiance. Elle n'avait pas quitté Lachine pour rien. Josaphat serait fier d'elle.

• • •

Il fallait maintenant préparer les caisses de *La cuvée du givre d'automne* et de *La petite Marguerite* pour l'exportation. Ce mot venait de prendre toute sa signification lorsque Cécile revint avec la nouvelle étiquette. Elle avait ajouté *Le cidre de nos Troupes*. Donatienne ne savait pas comment réagir. Mais quand les autres virent le joli prototype d'étiquette et l'écriture admirable de Cécile Fréchette qui était passée maître dans l'art de la calligraphie italique, ils trouvèrent que cela allait faire vendre davantage le produit de leurs vergers. Donatienne allait garder ses deux petits-fils tandis que Joseph et Rosalie allaient se rendre à Saint-Eustache-sur-le-Lac chez l'imprimeur Desaulniers et lui confier l'impression de cinq mille étiquettes sur du papier Japon comme celui utilisé sur les belles bouteilles de vin importées de France.

Lorsqu'ils regardèrent dehors, ils virent, comme à l'habitude quand venait le temps de cueillir les pommes, une foule d'une vingtaine de personnes massées devant la barrière de bois à une dizaine de pieds de l'herboristerie.

– Ils viennent de plus en plus de bonne heure! lança Donatienne.

– Comme si on allait manquer de pommes dans la région, ajouta Mary en regardant la horde de gens et les voitures qui se rangeaient le long de la route.

Elles virent Pierrot Bemmans aller parler avec les gens, lever les bras, regarder du côté de chez Donatienne deux fois, se gratter le cuir chevelu, puis faire signe aux gens de patienter.

– Bizarre, ça. Il devrait les servir. Les caisses et les paniers de pommes sont tous parés. Il connaît tous les prix. C'est bien étrange, ça! s'impatienta Donatienne.

– Ils veulent peut-être autre chose.

– C'est quand même pas normal, dit Donatienne en voyant arriver deux autres automobiles et en sortir quatre personnes de chacune d'elles.

Pierrot s'approchait de la maison. Il semblait tout retourné.

– M'dame Donatienne, m'dame Donatienne! Ils veulent tous vous voir.

– Me voir?

– Ils veulent des remèdes.

Donatienne soupira. Le piaillage avait fait son travail. Taniata avait dû raconter la guérison presque miraculeuse de la petite Levita et le reste avait suivi.

Elle retira son tablier, fixa sa mèche grisonnante qui flottait toujours sur son nez, puis regardant Mary qui tressait de l'ail, elle lui dit d'un ton bref :

– J'y vais ! Mes patients m'attendent.

Lorsqu'elle se rendit à l'herboristerie, elle vit des enfants dans les bras de leur père ou de leur mère. Certains pleuraient, impatients ou souffrants. Donatienne songea : *me voici encore les pieds dans un piège à sorcières*, en admettant qu'elle ne faisait rien de mal. Il s'agissait de ne rien demander et de proposer un remède comme le faisaient les médecins. Elle n'était qu'herboriste. Elle n'allait rien charger pour la guérison mais elle vendrait ses mixtures : des lotions, des baumes, des huiles, des décoctions et des infusions à fort prix. Elle avait toujours pensé que quand les produits sont chers, les gens y croient davantage.

· · ·

La première cliente amenait son mari parce qu'il avait une affection cutanée des plus déplaisantes. Il ressemblait à un vérolé. Sa peau présentait sur toute la figure des bosses et des segments séchés qui craquaient lorsqu'il parlait ou riait. Quoiqu'il ne riait pas souvent, ajouta sa femme.

– Vous parlez d'un agrès ! Quand je l'ai marié, y'était beau comme Gérard Philippe ! J'sais pas ce qu'il a bretté, mais il s'est levé un matin, y'avait la face comme un champ de mines. Je sais, madame, que vous pouvez lui donner un remède pour qu'il reprenne sa figure de chérubin. Je payerai le gros prix, promis !

Donatienne examina l'homme qui n'avait pas encore placé un seul mot. Il était dans la trentaine et semblait être bien distingué, contrairement à sa bourgeoise. Sa condition le rendait très timide.

– Ça pique?

– Des fois.

– Vous avez mis quelque chose sur votre visage après le rasage? De l'eau de Cologne, de l'eau de Floride, de la lotion à barbe, je ne sais pas, moi?

– J'ai mis une mixture que ma femme m'a concoctée avec des herbes. Le lendemain, j'avais toute la face comme vous la voyez en ce moment.

– Bon, une allergie, probablement, dit Donatienne en observant le grain de l'épiderme de son client.

Elle se rendit dans ses officines et attrapa une lotion prévue pour les irruptions cutanées dues à l'herbe à puces, à l'eczéma et aux piqûres d'insectes. Elle le tendit à son client – même si sa femme avait la main tendue – en lui recommandant d'ajouter le contenu d'une fiole d'huile d'amande et d'appliquer le remède sur toute sa figure matin et soir. Elle lui offrit également un pot d'herbes séchées qui allaient servir de tisane dépurative et lui recommanda d'en boire trois tasses par jour. Elle était persuadée qu'il fallait nettoyer tout son système avant tout.

– Revenez me voir si ça ne se passe pas. Mais ça devrait disparaître d'ici une semaine, ajouta Donatienne avec confiance.

– Merci, madame. On vous doit combien?

Donatienne lui tendit une facture officielle sur laquelle elle inscrivit : 2 $.

– Rien que deux piasses ? Le docteur qu'on a vu en ville, il a chargé 3,50 $ rien que pour nous dire que mon mari mangeait probablement trop de tomates. C'est acide, les tomates. Nous, on les aime avec une cuillerée de vinaigre, du sel pis du poivre, c'est tout. La semaine passée...

Donatienne se leva et tendit la tête vers l'autre couple qui lui amenait un enfant, geste qui la débarrassa de la dame et du mari qui aimaient les tomates.

. . .

L'enfant devait avoir environ trois ans. C'était une belle petite fille rousse avec de grands yeux pers et un teint pâle comme un cierge de Pâques. Elle parvint à peine à sourire lorsque Donatienne lui parla avec douceur.

– Qu'est-ce qu'elle a, cette belle enfant ? demanda-t-elle aux parents avec douceur.

– Elle est pâlotte, et ne mange pas. Elle a perdu toute sa belle humeur. On est ben découragés, lui dit la mère.

Donatienne, comme elle avait vu faire le docteur Lemire quand il lui était arrivé de le croiser chez ses parturientes, examina la paume tendue de la petite. Elle était aussi blanche qu'un pétale de lys, signe d'anémie sévère.

– Posez-la ici.

La mère coucha le bébé sur une table recouverte d'une nappe de lin et tâcha de l'empêcher de pleurer en lui faisant des marionnettes avec ses doigts et en lui chantant un air pour la distraire.

Donatienne ouvrit son carnet noir et se mit à chercher parmi les plantes qui avaient donné de bons résultats dans les cas d'un manque de fer. Elle se souvint alors que le père Michel avait soigné un vieux moine de cette affection en lui faisant boire du sirop d'oignon. Mais elle n'avait aucune recette précise. Elle vit s'approcher un autre couple venu s'ajouter à la demi-douzaine de personnes qui attendaient encore devant l'herboristerie. Elle vit l'angoisse sur leur visage et dès qu'elle croisait leur regard, elle reconnaissait l'espoir qu'ils mettaient en elle. Elle posa son carnet et dit aux parents :

– Dans une pinte d'eau, vous ferez bouillir une demi-douzaine d'oignons tranchés jusqu'à ce que la pinte d'eau ait réduit de moitié. Vous allez filtrer puis ajouter un verre de gros gin et une tasse de sirop d'érable. Vous ferez bouillir environ trois minutes. Vous laisserez refroidir et en donnerez une cuillerée à tous les repas. Je vous l'ai tout écrit sur cette feuille. Puis vous lui donnerez aussi une cuillerée de cette bouteille matin et soir, dit-elle en leur tendant un gros flacon.

Donatienne aimait cet élixir presque magique dans les cas d'anémie. Il consistait en trois caboches de sumac, une demi-mesure de miel de l'année, une bouteille de cidre, quatre plants entiers d'angélique séchée.

– Vous allez lui donner du chou à tous les repas. Cru, cuit, en soupe, comme vous voudrez. Et du lait de chèvre si vous en trouvez.

– On va pas trouver de lait de chèvre, vous savez bien.

– Arrêtez-vous à Saint-Joseph-du-Lac chez Yvan Trottier. Il a des chèvres et du lait à vendre. La petite s'en tirera d'ici deux à trois semaines si vous faites ce que je vous dis.

– Merci, merci madame, dit la mère de la petite en lui pressant les mains. Ce sera combien ?

– Ah, le prix d'une bouteille de cidre et la fiole de sirop. Deux piasses, je vous l'ai dit.

– Vous êtes un ange, madame. On va venir vous montrer Rina dès qu'elle ira mieux, c'est promis, conclut le père avant de retourner à sa voiture.

Entra ensuite un homme avec un garçon d'environ huit ans qui se tordait de douleur en se tenant le ventre.

– Je lui ai fait avaler la pierre éternelle, mais il l'a gardée. C'est bien la première fois que quelqu'un ne l'évacue pas.

– De quelle pierre parlez-vous ? demanda Donatienne, amusée.

– C'est une petite roche que je tiens de mon père qui l'a eue de son père. On l'avale avec un grand verre d'eau pis on l'attend à l'autre boutte, si vous comprenez ce que je veux dire. On évacue la pierre éternelle, on la lave comme il faut, pis on la garde pour le prochain.

– Le prochain quoi?

– On la garde dans la pharmacie pour le prochain qui va être constipé, mâme Crevier! Mais Benjamin, il n'a pas évacué la pierre. Elle est restée en d'dans de lui.

Jamais Donatienne n'avait entendu parler de cette méthode bizarre qui consistait à avaler une pierre pour se soulager de la constipation. Elle nota tout de même: constipation: *pierre éternelle*. C'est en dressant une liste des remèdes utilisés par les natifs de l'endroit qu'elle pourrait enrichir sa pharmacopée personnelle.

Elle proposa au père de l'enfant de lui faire boire une infusion de camomille (têtes écrasées), des pétales de mauve et de l'oignon râpé. Elle lui recommanda de manger beaucoup de laitue.

– Ma femme lui fait manger plein d'épinards. Il veut devenir aussi fort que Jos Montferrand. Merci, merci beaucoup, mâme Crevier.

– Au revoir. J'y pense, si vous retrouvez la pierre éternelle, faites-la tremper dans de l'eau de Javel. C'est important.

Il y eut ensuite un autre cas de manque d'appétit, un autre de maux de ventre menstruels et un d'acné juvénile. Une douzaine de clients pour les pommes, trois pour le cidre, et un homme pour un ballot de paille à étendre sur son jardin potager. Une journée étonnante.

• • •

Donatienne avait amassé une dizaine de dollars qu'elle alla porter dans la boîte en argent que lui avait offerte sa sœur Jeanne. Cet argent allait peut-être lui être utile un de ces jours.

Elle s'encouragea et se remit à la consultation du manuel du père Michel avec autant d'attention qu'une étudiante de médecine. Il manquait quelque chose aux descriptions du moine : à quoi servaient les plantes décrites et surtout à qui pouvait être utile une étude aussi minutieuse des plantes, si son auteur n'avait pas rigoureusement décrit leurs propriétés médicinales ? Elle se convainquit qu'elle allait pallier ce manque et produire un jour un livre qui aiderait les gens à se soigner avec ce que la nature leur offrait.

• • •

En fin de journée, ils étaient tous rassemblés dans la maison de Donatienne, adultes et enfants, pour déguster un cuissot de chevreuil aux airelles que Mary avait concocté avec le cadeau que lui avait offert Blaise Tousignant, accompagné d'un sourire qui en disait long. Il n'était pas exclu qu'il fut amoureux de Mary. Il avait des papillons dans les yeux quand il la voyait, et même si elle accusait au moins quinze ans de plus que lui, il soignait son apparence, se coiffait à la brillantine, et mâchait des feuilles de persil pour tuer l'odeur de tabac à pipe qui s'insinuait dans sa barbiche. Mary ne parlait plus de quitter Oka. Mais elle ressentait le besoin de s'installer ailleurs. Elle attendait le meilleur moment et persistait à se complaire dans cette cour que lui faisait Blaise.

Les voix fusaient comme autant de bouchons de liège qui sautent. Joseph se leva et porta un toast au nouveau docteur Crevier et se moqua des patients :

– Madame, j'ai un bouton su'l bout d'la langue qui m'empêche de turluter...

Blaise Tousignant enchaîna en se moquant cette fois de la dame qui aimait les tomates :

– Mon mari, avant, ressemblait à Gérard Philippe, ouille, ouille, ouille.

– Arrêtez donc de gouailler ! Ces gens-là ont confiance en moi. Et vous seriez surpris de savoir le nombre de plantes que les docteurs ne connaissent pas et qui peuvent guérir les maladies. Moi, je lève mon verre à Mary pour son souper savoureux !

La fête improvisée se termina vers onze heures. Les deux fils de Joseph dormaient sur le canapé, Susanna ronflait sur la dernière marche de l'escalier, Rosalie somnolait sur sa chaise.

– J'pense que la famille va s'agrandir, diagnostiqua Donatienne en riant.

– Ah, toi, ma sorcière ! ajouta Cécile qui semblait connaître quelque secret.

– On n'est pas encore certains, glissa Joseph en titubant.

Dix minutes plus tard, Donatienne se retrouva seule dans la cuisine. Mary avait promis de remettre la cuisine en ordre le lendemain matin. La lune était ronde et la nuit était éclairée plus qu'à l'habitude. Elle sortit dehors pour prendre une goulée d'air frais avant de monter se coucher quand elle perçut une présence derrière un buisson de pimprenelles. Elle crut que c'était un chat et l'appela en se penchant; le froissement des feuilles séchées s'arrêta. Elle imagina un animal sauvage, puis sa peur entraîna son imaginaire jusqu'à croire que c'était un Indien armé jusqu'aux dents qui lui en voulait. Le guérisseur de la communauté mohawk. Prostrée, elle n'arriva pas à écouter sa conscience qui lui dictait de retourner dans la maison et de verrouiller à double tour. Elle saisit une pierre qui se trouvait au bord du chemin et fit un pas à l'intérieur du buisson. Une silhouette longue et empâtée recula, puis s'engouffra entre deux groupes de jeunes arbres. Le cœur de Donatienne battait à tout rompre et elle ne put s'empêcher de crier:

– Qui est là? Dis-le moi, sinon je t'assomme.

Elle brandissait la pierre au bout de son bras. Elle s'avança vers la forme humaine qui ne semblait pas vouloir déguerpir.

– Ah, mon maudit voleur! dit-elle en projetant la pierre à deux pas. J'aurais dû me douter que tu viendrais un jour par ici.

– Je... je venais vérifier l'état des fougères.

– Tes fougères, hein? Elles n'ont pas survécu, tes fougères, mentit-elle. Belle idée de venir chez les gens la nuit. Ton Dom Léonide sera fier de toi quand il apprendra ça. Je pourrais aussi appeler la police. Je l'ai fait une fois, je peux le faire encore.

– Donatienne... tenta le père Michel, la voix empreinte de regrets.

– Qu'est-ce que tu veux?

– Donatienne, il faut que tu comprennes. Je ne voulais pas venir ici pour que tout le monde me voie. Tu sais combien je tiens à cette plante. C'est le seul spécimen qu'il y a au Québec. J'ai transplanté la fougère ici, près du grand bois. Elle était luxuriante, avant que... avant que je...

– Avant que tu quittes la place en douce pendant que je payais les dettes de tout le monde en Ontario. Avant que tu échanges notre amour contre de l'argent. Il s'est bien vendu, ton manuel des plantes du Québec ? Et ton bon Dieu, il est gentil avec toi, au moins ?

– Donatienne, je t'en prie.

– J'ai tout recommencé toute seule. J'ai passé soixante ans. Les hommes m'ont pris toute ma jeunesse en me faisant des promesses qu'ils n'ont pas tenues. J'ai bâti l'Herboristerie Donatoka avec Joseph et les gens arrivent de partout pour que je les guérisse. Et toi, tu t'es renfermé dans un hôtel de luxe et tu veux être célèbre avec une fougère venue d'Asie ou d'Europe. Oubliez ça, mon père ! Elles n'existent plus, vos fougères. Je les ai détruites. Tu as compris, Michel ? Je les ai arrachées, tes *schizaea pusilla*.

Michel savait que Donatienne mentait. Il était certain que si elle se rappelait le nom latin de cette plante, elle ne l'avait pas éradiquée. À l'endroit où il avait transplanté les *schizaea pusilla*, il y avait une bande très touffue de fougères-à-faucille et aucune maladie ne les avait atteintes. Ses précieuses fougères avaient été plantées ailleurs. Valait mieux pour le moment ne pas alimenter la colère de Donatienne qui grondait depuis dix ans. Il reviendrait.

...

Donatienne se coucha et ne fit pas d'insomnie comme il lui arrivait d'en être victime quand les choses tournaient mal. Cette fois, elle tomba endormie, heureuse d'avoir réglé une partie plutôt triste de sa vie de femme. Même qu'elle se mit à rêver qu'elle s'affairait dans son laboratoire, vêtue d'un costume de sorcière, les yeux dans son grimoire, parlant à un vieux crapaud posé sur le rebord de la fenêtre. Elle pressait des feuilles, ébouillantait des tiges et des boutons de fleurs, brassait des pétales dans un bol d'huile, versait des extraits dans ses fioles, et regardait par la fenêtre les centaines de personnes malades qui venaient lui demander de les guérir. Elle dit au Dieu de Michel : vous voyez, moi, je ne me contente pas de donner mon nom aux plantes, je soigne les gens.

Et son esprit sombra dans le noir le plus total.

...

Cécile offrit à Donatienne le plus beau des cadeaux : une petite boîte contenant une centaine de cartes d'affaires qu'elle avait fabriquées elle-même. On y voyait des plantes à la manière des gravures de Léonard de Vinci, et on pouvait y lire : *La santé par les plantes*. Le nom de Donatienne y apparaissait et même l'adresse de l'herboristerie, que Cécile avait inventée en ajoutant un B à l'adresse postale de son amie. Comme pour la rendre plus officielle.

Donatienne recevait, depuis le début de l'automne, de nombreux visiteurs et Joseph lui avait offert une machine à écrire toute neuve afin qu'elle puisse officialiser ses recherches, ses découvertes et ses recettes, comme il appelait les plantes médicinales de sa mère. Plus un seul rhume, panaris, furoncle, abcès ou mal de tête n'étaient pas l'objet d'une consultation de la part de Donatienne. Parmi tous ceux qui vivaient dans son entourage, on l'appelait docteur Crevier et cela la faisait rire.

. . .

Donatienne Crevier connaissait le pouvoir des plantes et admettait que si le Créateur avait décidé qu'elles devaient pousser dans les endroits les plus insoupçonnés, c'est qu'il fallait les découvrir. Ce que le frère Marie-Victorin et le père Michel avaient fait. Leurs découvertes ne devaient pas seulement être dessinées, collées dans un herbier, ou faire partie de manuels savants, mais elles devaient être utilisées pour aider l'homme à mieux vivre. Sinon, *pourquoi s'intéresser à toutes celles qu'on qualifiait de mauvaises herbes?* se demandait souvent Donatienne. Le plantain, qui poussait partout le long des routes, le pissenlit que les campagnards, venus des villes, arrachaient à la sueur de leur front, l'ortie, la ronce, le gléchome, la violette du Canada et toutes les plantes que l'on foulait aux pieds étaient si nombreuses qu'il devenait évident pour les herboristes de les employer à bon escient.

Donatienne n'avait aucune prétention et ne demandait jamais un sou pour soigner les gens qui venaient la consulter. Tous les matins, alors que le soleil ouvrait l'œil derrière les collines, elle faisait la cueillette des herbes de la saison. Seule ou avec Mary qu'elle voulait initier à l'herboristerie. Mary, qui connaissait l'anglais et qui pouvait traduire pour son amie tous les noms de plantes qu'elle découvrait jour après jour dans des manuels américains ou canadiens-anglais.

Parfois, elles amenaient Susanna avec elles ; souvent, Achillée et Adrien qui étaient heureux de tirer la *voiture de mémère* sur les chemins rocailleux en s'imaginant conduire de la grosse machinerie de ferme. Ils reconnaissaient l'ail des bois, la gentiane, la camomille, et s'empressaient de les jeter pêle-mêle dans la voiturette. Parfois, ils en profitaient pour préparer un bouquet de fleurs sauvages pour offrir à leur mère ou pour prendre à la forêt ses petits fruits sauvages et s'en mettre plein la bouche. Ils revenaient les cheveux en broussaille, des herbes leur piquant les oreilles, la bouche aussi rouge qu'une catherinette.

Donatienne y retournait souvent seule, à la barre du jour, quand elle prévoyait que la clientèle serait nombreuse. Après le souper, elle s'enfermait dans son antre de sorcière et écrasait les herbes fraîches qui serviraient aux cataplasmes et en extrayait le jus pour les élixirs. Elle faisait bouillir l'eau et attendait qu'elle soit tiède pour préparer ses décoctions ; tirait ses huiles et ses teintures, emplissait méticuleusement ses fioles et apposaient les étiquettes qu'elle complétait, celles-là, de sa belle main d'écriture.

Elle avait l'impression de redonner la vie aux malades qui la consultaient, et surtout, prenaient des notes dans son cahier en tenant chaque guérison pour un miracle de la nature.

Chapitre vingtième

Les Ateliers Rosette Dalpé avaient repris leurs activités de plus belle quelques mois seulement après la fin de la guerre et le retour de Mademoiselle Émilia, ce 15 avril 1946, fut d'abord annoncé dans *Le Devoir* et dans *La Presse*, mais aussi dans les magazines de mode : *La Revue moderne* et *Jovette*. Samuel Wildman, le mari de Rosette, engagea une fortune dans la promotion de l'entreprise. Les lieux, à la suite du massacre des Chemises Bleues contre Samuel – événement qui l'avait laissé constamment sur la défensive – avaient été remis à neuf, bien sûr, mais ils étaient de surcroît dix fois plus somptueux qu'avant. Les frises avaient été conservées, des feuilles d'acanthe et des volutes avaient été installées tout le tour du salon principal et des demi-colonnes cannelées soutenaient le plafond aux quatre coins de la pièce. Un grand tapis de haute laine et de soie courant d'une pièce à l'autre faisait couiner d'envie les dames de Westmount.

Rosette s'était départie de deux employés qu'elle ne trouvait pas à leur place, et en perdit deux autres qui avaient décidé d'aller offrir leurs services chez *Madame Pompadour*.

Ses relations avec Darius Finkel, qui avaient fait aboutir Rosette chez une avorteuse, avaient pris fin avec l'assaut sur Samuel Wildman. Mais Rosette avait l'impression d'avoir une dette envers lui et embaucha sa sœur Lilly qui démontrait une créativité sans faille.

En plus de Liliane Finkel, Rosette ne put s'empêcher de donner sa chance à un jeune homme efféminé, avançant que les femmes aimaient ces couturiers qui avaient des manières parce qu'elles avaient l'impression qu'ils faisaient davantage attention à leurs désirs. Celui-là s'appelait Gérard De Vaudreuil et avait traversé l'Atlantique, disait-elle, avec une douzaine de rats dans la cale d'un navire de guerre. Avec Samuel en relations avec les sous-traitants et les fournisseurs de riches tissus, Rosette pouvait compter sur une équipe administrative, l'incluant elle-même, de cinq personnes. Dans la salle de coupe, dans le magasin et au service à la clientèle, se mouvaient une douzaine d'employés heureux de leurs conditions de travail s'ils comparaient avec les autres qui œuvraient dans le même milieu.

· · ·

Mark Beurling se leva très tôt, ce matin-là, sachant qu'Émilia dormirait au moins jusqu'à huit heures. Il s'habilla comme pour une journée de congé. Après avoir enfilé son pantalon, il posa un regard énamouré sur cette femme merveilleuse qui comblait tous ses désirs. Puis il balaya du regard la chambre qui s'était enjolivée sous la main experte et raffinée d'Émilia. Sur le rebord de l'unique fenêtre qui donnait sur la rue, elle avait installé trois petits pots chinois dans lesquels de jeunes citronniers avaient commencé leur vie à partir de pépins enfoncés dans la terre du bout de l'index. Elle avait entreposé la vieille horloge des Beurling dans la tourelle et l'avait remplacée par un pot de verre soufflé d'Italie acheté chez Birk's, posé sur une pièce de dentelle au crochet fabriquée de sa main quand elle avait vingt ans.

Sur chacune des tables de chevet, elle avait installé de jolies petites lampes de cuivre, dont le pied représentait un angelot à peine vêtu qui semblait soutenir la lumière du monde. Émilia avait cousu les tentures qu'elle avait choisies blanches et traversées de roses pourpres pour égayer la pièce. Elle avait également fabriqué le couvre-lit et les trois coussins du même tissu. Sur sa commode, un miroir, le chapelet d'Adélina, trois flacons de parfum et une parfumeuse de Murano.

Mark, dont le père était Anglais, avait conservé une certaine froideur face à la décoration d'une chambre à coucher. Émilia, elle, était raffinement et douceur : son engouement pour les beaux objets n'avait rien à envier à personne. Quand elle entrait dans un grand magasin, chez Ogilvy par exemple, son regard se dirigeait invariablement sur le Val Saint-Lambert, le verre de Murano ou le sterling de McCall. Elle avait des goûts exclusifs et arrivait toujours à se procurer les vases, les coutelleries, ou le cristal qu'elle avait aperçus dans une vitrine chic. Quand une cliente exigeait qu'elle lui crée une robe dans une étoffe de mauvaise qualité, Émilia pouvait refuser de la lui faire.

...

Mark s'assit sur le bord du matelas pour enfiler ses chaussettes, puis se pencha vers Émilia pour la regarder dormir. Elle ne faisait pas ses quarante ans. On lui en donnait à peine trente, surtout quand elle dormait, le visage paisible et lisse comme celui d'une statue d'albâtre. Les couvertures n'avaient pas été déplacées. Émilia, silencieuse dans son sommeil... comme les gisants du Cloître de Londres, pensa Mark.

Lorsqu'il se leva, le matelas grinça et l'endormie ouvrit délicatement les yeux. Apercevant Mark, elle posa sa tête sur son genou en émettant les langoureux sons du réveil. Il se pencha pour l'embrasser.

– Non, arrête, mon chéri, je ne me suis pas rincé la bouche !

– Je t'aime avec toutes tes odeurs, mon amour, répondit-il.

– Où t'en allais-tu ? Tu es tout habillé et il est six heures et demie.

– J'arrivais plus à dormir. J'ai dû faire des cauchemars.

– Moi, j'ai avalé des centaines d'épingles. Je crachais, puis j'en avais toujours qui tombaient dans le creux de ma main. Je rêve à ça souvent. Monsieur Gérard à l'atelier dit que lorsqu'on rêve qu'on a des épingles dans la bouche, c'est parce qu'un événement inattendu va survenir. Il a dit : « Un événement inopiné va survenir. » C'est un Français.

Mark l'embrassa de nouveau, puis se dirigea vers la porte. Au moment où il allait passer le seuil, un bruit de ferraille, suivi du tintamarre de portes qu'on referme avec fracas et de cris stridents d'une femme apeurée, montèrent jusqu'à la fenêtre de la chambre. Émilia s'extirpa de sous les couvertures et alla rejoindre Mark à la fenêtre. Elle vit un attroupement devant la petite quincaillerie du rez-de-chaussée, mais ne pouvait pas réellement voir ce qui s'y passait. Le laitier immobilisa son cheval devant la porte ; un camion de plombier ralentit, puis s'arrêta à son tour. Un chien jappa. Son maître l'appela, mais l'animal était résolument attiré par ce qu'Émilia croyait être un accident de voiture.

– Un accident devant la maison, dit Mark.

Émilia noua sa robe de chambre et ouvrit la porte, suivi par Mark. Aussitôt, elle fut atteinte d'une peur indescriptible. Elle reconnut le corps ensanglanté et presque méconnaissable de Louis Turgeon. Elle n'était pas familière avec les sentiments qui s'opposaient dans sa tête. Louis avait les yeux tuméfiés, le visage couvert d'hématomes, les lèvres sanguignolentes, les vêtements élimés et les pieds dans de vieilles chaussettes. Pas de chaussures. Au cou, il portait un affreux médaillon surmonté d'une croix gammée, celle que portait Adolph Hitler.

Devait-elle l'ignorer et rentrer ? Devait-elle lui porter secours ou appeler la police ? Qui était responsable de cette affaire? Qui les avait informés de l'adresse de Mark Beurling, et aussi, qu'Émilia y habitait? L'armée était-elle à la source de ce règlement de compte évident?

Mark la rejoignit auprès de Louis qui semblait inconscient.

– Il est mort? demanda-t-il.

– Non, ses paupières bougent, lui répondit un curieux.

– C'est qui?

Mark regretta aussitôt sa question. En examinant l'homme qui gisait dans une impressionnante mare de sang, il comprit qui il était.

– Tu te demandais où il était passé? Eh bien, ils te l'ont ramené, dit Mark avec tristesse.

– Appelle la police, Mark. Toi, ils vont te prendre au sérieux. Les policiers n'écoutent pas trop les femmes brisées. Ils pensent que c'est toujours de leur faute, tout ce qui arrive aux hommes. Appelle la police, s'il-te-plaît.

Louis Turgeon se mit à gémir. Il chuchotait:

– Milia! Milia! Pardon!

Elle ne savait pas quoi faire. Et quoi dire à Mark, surtout. En revoyant cet homme à qui elle était toujours liée par la loi, dans un état lamentable, elle ne sut plus quoi penser. Éprouvait-elle pour Louis une certaine compassion? Avait-elle pour lui un certain attachement? Elle songeait à la suite des événements, à la police, aux interrogatoires, aux journalistes, à sa famille. Après tout, personne n'allait passer sous silence un ancien chauffeur de tramway, fasciste, anti-sémite, membre des Chemises Bleues, qui avait tenté de tuer Samuel Wildman. Les journaux étaient friands de ce genre d'histoire, surtout s'ils pouvaient compter sur un témoin aussi crédible que la célèbre Mademoiselle Émilia des Ateliers Rosette Dalpé.

Mark retourna à l'intérieur et quelques instants plus tard, trois voitures de police encerclèrent le trottoir et endiguèrent la mer de curieux, la plupart en pyjama, qui s'étaient massés devant la maison.

Louis, lui, nageait entre le rêve et la réalité.

– Milia! murmura-t-il encore en vomissant sur la chaussée.

Un policier s'avança vers Émilia.

– Vous le connaissez? demanda-t-il avec une voix autoritaire.

– Il s'appelle Louis Turgeon.

– Rapport avec vous?

– Il est... il était mon mari, répondit-elle avant qu'on vérifie son identité. Il y a longtemps qu'il a disparu.

– Vous avez une idée de ce qui a pu lui arriver?

Émilia regarda Mark en quête d'un conseil. D'un seul geste, il lui conseilla de collaborer. Elle songea à ces quelques mois passés avec son mari dans le logement de la rue Van Horne, aux secrets qu'il gardait précieusement, à la violence qui coulait dans ses veines, à son regard fou. Elle décida de ne pas mettre le pied dans l'engrenage. Elle n'allait pas parler des Chemises Bleues, du propriétaire de la bâtisse sur Van Horne, de l'affaire Samuel Wildman.

– Je ne suis plus avec mon mari. Il avait disparu depuis cinq ans. Aucune nouvelle de lui. Je le pensais à la guerre. J'ai refait ma vie. J'ai l'intention de demander le divorce.

– Le divorce ? Y avez-vous pensé ? glissa une voisine qui surveillait la scène.

Émilia ne releva pas l'affaire et continua à répondre sommairement aux questions du policier sans tenir compte des gens qui réagissaient bêtement.

– Aucune idée sur qui l'a jeté devant votre porte ? Enfin... devant le magasin de fer ?

– Aucune idée.

– Milia ! feula Louis Turgeon.

Elle frissonna de pied en cap, se demandant pourquoi la vue de son mari la secouait autant. Mark n'était pas son mari et elle l'aimait à la folie. Louis était son mari et elle en était venue à le détester franchement et à oublier jusqu'à son existence. Son amour s'était transformé en un profond dégoût.

L'ambulance arriva. Deux infirmiers bien baraqués en sortirent, saluèrent les policiers qu'ils semblaient connaître, ouvrirent les portes arrière et en extirpèrent la civière.

– Vous avez ses papiers ? demanda le premier.

– On a rien trouvé sur lui. Sa femme dit qu'il s'appelle Louis Turgeon et qu'il est né...

– ... le 14 avril 1904, ajouta Émilia.

– Elle pensait qu'il était mort, ajouta le policier.

– Je crois qu'on l'a enlevé il y a quelques années. Mais je pensais qu'il s'était enrôlé. J'ai essayé de le retrouver, j'ai posé des questions. Je travaillais pour la famille du colonel Lévis. Des pinottes! Tout ce que je sais au fond, c'est qu'un jour, mon mari est disparu et que je l'ai plus revu. Sauf aujourd'hui.

– Vous avez pensé que votre mari a été enlevé. Pourquoi?

Émilia connaissait parfaitement la réponse, mais fit mine de chercher.

– Louis avait beaucoup de relations douteuses. Je ne sais rien de plus, conclut-elle.

Le policier nota le nom d'Émilia, son adresse et son numéro de téléphone. Elle donna celui des Ateliers Rosette Dalpé. Après tout, rien de cela ne concernait Mark.

L'ambulance repartit avec Louis à son bord comme un déménageur avec son chargement anonyme. Sa sirène stridente déchirait le silence encore palpable du petit matin. Émilia savait qu'elle n'en n'avait pas terminé avec les interrogatoires des policiers. Ils essayeraient de savoir pourquoi Louis Turgeon s'était retrouvé, presque mort, au pied de l'escalier, devant la petite quincaillerie.

Les badauds s'éloignèrent et retournèrent à leurs activités. Le cheval de la Laiterie Léveillé reprit sa lente démarche, ses sabots claquant sur l'asphalte. Le camion de la Plomberie Saint-Laurent quitta sans bruit. Le chien retourna arroser ses bornes-fontaines et poser sa truffe sur le pas d'une porte. Deux femmes – des voisines sans doute, l'une ayant alerté l'autre – s'éloignèrent en jacassant avec moult gestes.

– Madame Turgeon, on va revenir vous poser des questions d'ici la fin de semaine. Vous habitez... euh... ici, tout le temps ? demanda le policier avant de refermer son calepin de dépositions. Vous en faites pas, madame. Il y en a des tonnes de femmes qui croyaient leur mari mort à la guerre et qui en fréquentent un autre. Y'a un de mes voisins qui s'est trouvé une jolie petite Belge en Europe pis il n'est jamais revenu. Il avait deux flos. Vous en faites pas. D'après ce que j'ai compris de votre histoire, vaut mieux se tenir loin des faiseurs de troubles. Ceux-ci risquent de recommencer quand votre moineau va sortir de l'hôpital, si jamais il en sort. Vous êtes sûre que votre Louis Turgeon n'était pas actif dans un mouvement quelconque ?

– Je ne suis pas au courant, murmura Émilia.

– On garde contact. Madame... – il rouvrit son carnet de notes – ... madame Trudel.

Mark passa son bras sous celui d'Émilia, l'aidant à retourner dans la maison. Il attrapa un jeté de laine, l'enveloppa, puis la força à s'asseoir sur le canapé du salon.

– Je veux pas que tu te tortures avec ça. Je vais m'en occuper si tu veux, mon amour. J'ai des contacts dans l'armée. Je veux aussi que tu saches que, peu importe ta décision, je t'aimerai toujours.

– Je ne veux plus jamais avoir affaire à Louis Turgeon ! cria-t-elle. Promets-moi que j'aurai plus jamais affaire à lui !

• • •

Elle retourna se coucher, pour anesthésier son mal. Chaque fois qu'elle se livrait au bonheur, un monstre horrible s'extirpait d'un nuage noir. Pierre-Paul Riendeau, Bernard Gauthier et désormais, Louis Turgeon. Qu'arriverait-il à Mark Beurling?

Elle se tourna encore et encore entre les draps froids, n'arrivant pas à se rendormir. Il n'était pas huit heures encore. Elle entendait la voix éraillée de Louis: Milia!

– Émilia, je vais au coin chercher le journal. Je t'ai fait un bon café. Je t'aime. Tu veux que j'appelle ta patronne?

– Non, je me lève. Je vais aller travailler.

Elle entendit la porte se refermer. Elle allait être en retard. Rosette comprendrait. Ce n'était pas tous les jours qu'on vous débarquait votre mari à moitié mort devant chez vous; un mari disparu depuis cinq ans dans des circonstances nébuleuses.

Elle se leva et se rendit dans la salle de bains et donna un concert sous la douche. Quand Mark revint avec son journal sous le bras, il sut qu'Émilia était hors de danger. Il décida de toujours veiller sur elle.

• • •

Monsieur Gérard caquetait en louvoyant entre les clientes à moitié vêtues, l'une subissant l'assaut du ruban à mesurer, l'autre procédant à l'essayage de sa robe de noces, une autre encore discutant avec Rosette du choix du tissu pour un costume de voyage. Quand il aperçut Émilia – il était 9 heures 10 – se pointer en retard, il exécuta quelques pas gracieux en sa direction pour lui annoncer que la femme du ministre Charrette avait exigé d'être servie par Mademoiselle Émilia. Elle serait là à onze heures pile. Rosette était occupée. Impossible pour Émilia de la mettre au courant de ce qui venait d'arriver à Louis Turgeon. De toute manière, Rosette applaudirait, après ce qu'il avait fait à Samuel.

Elle était devenue plus juive que juive et, par amour pour son mari et par respect pour sa belle-famille, elle suivait scrupuleusement les rites, les cérémonies, les jours fériés de la religion juive. Elle refusait de manger le sandwich au porc frais salade-mayonnaise-cornichons que lui préparait Émilia – comme elle lui en offrait une moitié pourtant depuis leur passage chez Bernstein –, ne sachant trop pourquoi. Puis elle finissait toujours par le manger en s'étouffant de rire.

Émilia croyait que c'étaient les femmes qui se conformaient toujours aux goûts de leur mari, qu'elles leur fricotaient les repas que leur cuisinait leur mère en Pologne, en Hollande ou en Angleterre. Si Mark se trouvait trop jeune pour la retraite, peut-être devrait-il opérer une petite épicerie offrant un éventail de produits pouvant convenir aux douzaines de représentants des divers pays migrés à Montréal. Bien sûr, il y avait le Chinatown, les quartiers italien et portugais, mais un petit commerce situé dans Outremont saurait vite attirer une foule d'immigrants désireux d'acheter des aliments leur rappelant l'odeur et les saveurs de leur pays. Mais parmi eux, il y avait aussi des communistes. Sûr que leurs femmes ne fréquentaient pas les Ateliers de

Rosette Dalpé. Elles choisissaient plutôt les pawn shops du bas de la ville. Maurice Duplessis avait décrété que le communisme était une maladie plus grave que la tuberculose. Émilia avait une autre idée là-dessus. Elle et Mark croyaient sincèrement que tout le monde était égal dans ce pays. Émilia était certaine que l'idée d'une épicerie de produits importés lui plairait bien. Elle allait lui soumettre son idée pas plus tard qu'à son retour à la maison.

. . .

Madame Charrette se pointa, légèrement en retard à son rendez-vous. Le chauffeur qui l'avait aidée à sortir de la voiture lui promit de l'attendre le temps qu'il faudrait. En l'apercevant au travers de la vitrine, Gérard se lança dans une description comme il les avait entendues lors d'un défilé au Ritz Carlton.

– Madame Antonio Charrette porte un tailleur de lainage et de soie brute jaune moutarde avec surpiqûres noires autour d'un col châle et des poches. La jupe, portée quelques pouces au-dessus du genou, est dotée de trois plis italiens sur le devant, lui procurant une amplitude laissant une liberté à sa démarche. Un fichu pure soie, aussi léger qu'une aile de papillon, offre...

Il se tut et les employées cessèrent de rire quand madame Charrette s'approcha. Tout près d'elle, un mannequin portait justement, telle une voilure, une vaste robe jaune moutarde et noire.

– Où est passée madame Charrette ? Où donc êtes-vous ? dit Gérard sous le rire discret des autres.

Madame Charrette trouva que l'on était de bien bonne humeur chez Rosette Dalpé.

Émilia salua sa cliente avec courtoisie, réprimant elle aussi un fou rire. La dame entama un long soliloque au sujet du salaire horaire que son mari allait faire augmenter pour tous les travailleurs du Québec, de la fermeture dramatique de la Montreal Cotton Limited de Valleyfield, de la phobie du communisme du premier ministre qui, selon elle, empêchait la société d'avancer. Quand on passe son temps à regarder vivre le voisin, on perd le nôtre, dit-elle.

Elle voulait une robe pour assister au bal annuel de la ville de Montréal : un corsage sans manches cousu de fleurs et une jupe ample, faite de deux tissus vaporeux superposés, venant glisser l'un sur l'autre à chaque mouvement des hanches. Émilia entraîna sa cliente dans l'atelier de couture où des centaines de verges de tissus somptueux attendaient qu'on les choisisse. Madame Charrette opta pour un organza greige souligné de petites branches de lilas et un chiffon de Chine vert tendre pour la jupe. Elle choisit un large ruban de soie pour souligner sa taille de guêpe. Émilia fabriquerait elle-même les fleurs pour le corsage et agrémenterait le décolleté de perles de couleur lilas.

– C'est Gaby Bernier qui m'a envoyée chez vous. Vous devez être très talentueuse pour que Gabrielle elle-même vous recommande à ses amies ! Elle a aussi parlé de vous à madame Rey Atherton, l'épouse de l'ambassadeur américain. Gaby est très occupée chez Pompadour Shoppe. Elle a dit que vous étiez la seule à aimer travailler directement sur votre cliente au lieu de vous échiner sur un mannequin de bois.

Ni Rosette ni Émilia ne connaissaient intimement Gabrielle Bernier, mais elles étaient conscientes qu'une telle recommandation de sa part était un velours.

Émilia sourit. Rien ne l'énervait autant que de faire venir une cliente bavarde pour de nombreux essayages, préférant de loin un mannequin silencieux qui ne sursautait jamais au contact d'une épingle droite.

Au bout d'une heure, l'Atelier Rosette Dalpé était investi d'une atmosphère joyeuse – tous les employés y travaillant avec beaucoup d'enthousiasme – et chaque vêtement était l'objet d'une longue préparation, d'une entente parfaite avec les clientes – et souventes fois avec le mari –, d'une confection méticuleuse et était doté d'une facture salée. Étonnamment, les femmes riches préféraient payer cher pour leurs vêtements. Jusqu'à 300 $ parfois. Plus une toilette coûtait cher, plus la réputation de la maison de couture prenait de l'ampleur. Ainsi, Rosette augmenta-t-elle le prix des créations Rosette Dalpé.

• • •

Le lundi matin, les *Nouvelles artistiques* parlaient de la magnifique toilette de madame Antonio Charrette, épouse d'un ministre du gouvernement duplessiste. La journaliste citait les Ateliers Rosette Dalpé et plus précisément Mademoiselle Émilia.

Le mercredi, le téléphone sonna sans arrêt. Les épouses des ambassadeurs de France et des États-Unis avaient quitté Madame Pompadour pour s'attacher à Mademoiselle Émilia.

Le vendredi soir, Rosette et Émilia buvaient du champagne dans la salle à dîner du Ritz et levaient leur verre à madame Charrette et à son cher mari. Elles promirent de voter pour l'Union nationale aux prochaines élections. Samuel les rejoignit, il était presque neuf heures, porteur d'une nouvelle qui allait bouleverser la vie des deux amies.

– On déménage! C'est trop petit où on est, annonça-t-il en levant le verre qu'on venait de lui offrir.

– Tu es fou? Tu veux agrandir? demanda Rosette en s'accrochant à son cou.

– Pourquoi pas? Le 1524 Drummond est libre. C'est trois fois plus grand, c'est bien éclairé et c'est facile de se parquer. Je fais une offre cet après-midi.

Émilia demeura perplexe. Elle aimait le luxueux édifice de la rue Sherbrooke.

– On va être collés sur Holt Renfrew, ma chérie. Ça attire une grosse clientèle, vous verrez.

Rosette leva de nouveau sa coupe de champagne qu'elle avait pris soin de rafraîchir et fixa Émilia avec un large sourire.

– Ainsi, je pourrai compter sur une nouvelle associée.

Émilia faillit s'étouffer. Ainsi, sa meilleure amie allait lui faire faux bond et s'associer avec quelqu'un d'autre. Elle avait le goût de pleurer et elle cessa de sourire dès cet instant, convaincue qu'elle était de nouveau victime de l'attachement trop généreux qu'elle concédait aux gens de son entourage.

– Qui, ça ? demanda-t-elle, au bord des larmes.

– Mademoiselle Émilia en personne ! Je laisse Samuel t'expliquer tout ça, moi je m'en vais à la maison pour préparer le ragoût d'agneau aux olives.

. . .

Le samedi matin, Émilia fut réveillée par la sonnerie stridente du téléphone. Une voix de vieille chèvre la supplia, sans préambule aucun, de venir à l'hôpital Hôtel-Dieu visiter Louis qui, selon madame Turgeon mère, n'allait probablement pas s'en sortir. Il avait de nombreuses fractures, une perforation au poumon gauche et une commotion sévère. Comment cette femme avait-elle eu le numéro de téléphone de Mark Beurling ?

– Qui vous a donné...

– J'ai appelé votre père. Ça n'a pas été très difficile d'obtenir votre numéro. Entre parents, on s'est compris. Il faut venir à l'hôpital. Émilia, juste une fois, je vous en prie. Ses docteurs aimeraient savoir s'il vous reconnaîtra. En ce moment, il est très confus. Ils ont été obligés de lui brocher la mâchoire et ils le nourrissent avec des tubes. Mon fils... va peut-être mourir.

– Il a dit mon nom plusieurs fois quand ils l'ont jeté sur le perron de mon escalier.

– Il n'a fait que ça, prononcer votre nom. C'est le seul mot qu'il arrive à dire.

– Il était où, toutes ces années, quand moi je l'attendais, madame Turgeon ? Je l'ai espéré, je le voyais dans mes rêves. Je le pensais dans les tranchées en Europe. Il était devenu... euh... pas mal étrange quelque temps avant de disparaître. Il agissait drôlement, il était violent.

Madame Turgeon se mit à sangloter au bout du fil.

– C'est un bon petit gars, vous le savez. À un moment donné, il avait de drôles d'amis qui l'ont entraîné je ne sais pas dans quoi. Il ne venait plus me voir. Il était comme un étranger pour nous.

– Il n'était pas obligé de faire partie d'un groupe de fascistes. Il avait une belle job, un bon salaire et une bonne femme.

– Je le sais, Émilia !

– Il a tout lancé en l'air, comme un bébé gâté pour s'en prendre à de pauvres gens, juste parce qu'ils n'étaient pas de la même religion que lui. Je travaille chez un Juif, madame Turgeon. C'est le mari de ma meilleure amie et il est le plus extraordinaire des hommes d'affaires que je connais.

Madame Turgeon ne parlait plus. C'est à peine si Émilia parvenait à entendre le mince filet de sa respiration à l'autre bout du fil. Elle finit par murmurer :

– Émilia, je... je... je ne sais pas de quoi vous parlez. Des Juifs ? Qu'est-ce que mon fils avait à voir avec des Juifs ?

– Il les détestait, madame Turgeon. Il voulait tous les éliminer avec les membres de son groupe.

– NON ! Pas ça !

Émilia ne voulut pas briser les illusions de sa pauvre belle-mère en lui affirmant que son « Tit-Louis » s'était laissé embobiner par les théories raciales d'Adrien Arcand et de ses Chemises Bleues et pire, qu'il s'était pris d'admiration pour Adolf Hitler, celui-là même qui avait brisé le monde.

– Je suis malade depuis quelques jours. Je voudrais pas que Louis attrape ma grippe, mentit Émilia.

– Mais ce sont les docteurs qui...

– Je dois vous laisser, il faut que j'aille faire ma grocerie. J'ai juste le samedi matin pour y aller. Bonne chance, madame Turgeon.

Et malgré les protestations de sa belle-mère, Émilia posa le combiné. Non, mais ! Cet homme avait tout jeté en l'air. Elle l'avait cherché partout, risquant de passer pour une complice de sa haine envers les Juifs. Quelqu'un s'était chargé de lui faire regretter ses agissements. Elle songea au colonel Lévis et à cette lettre qu'il lui avait lue lors du dernier souper qu'elle avait partagé avec lui et sa dame, se rappelant l'angoisse qui l'avait tenaillée. Il y avait eu des contacts, des accusations, des règlements de compte. Soudain, tous les morceaux du casse-tête prirent leur place: le colonel Lévis qui était Juif – il s'appelait Levy en réalité – avait tout organisé. Et elle était responsable de tout ce qui était arrivé à Louis Turgeon. Elle était le contact entre Samuel Wildman et le groupe de Louis, et elle comprit qu'elle avait été attirée dans un guet-apens par la famille Lévis afin de mieux punir ce petit fasciste et ses acolytes. Tout concordait. Jacques Lebrun, son propriétaire de la rue Van Horne, avait lui aussi été mêlé à cette affaire. C'est lui qui avait ouvert la porte aux hommes qui avaient tout viré à l'envers dans leur appartement et qui avaient aussi enlevé son mari. Louis avait payé pour avoir été trop naïf. Il avait besoin d'elle pour s'en sortir. Mais c'était tant pis. Tant pis.

Émilia retourna sous les couvertures où ronflait Mark Beurling.

Chapitre vingt-et-unième

À soixante-deux ans, Donatienne était encore aussi lumineuse qu'un rayon de soleil. Les stries malicieuses du vieillissement n'avaient pas encore gravé sa figure et elle pouvait rivaliser avec n'importe quelle mère de 40 ans d'une famille nombreuse. Elle gardait ses cheveux très longs et, certains soirs, quand la lune montrait sa forme entière, elle s'asseyait sur la galerie et les brossait avec langueur, se rappelant les longues mains de Bill Tiwasha qui s'amusait avec ses mèches souples en lui bécotant les paupières. Elle possédait en elle, tel un engramme, la lenteur, l'intensité et l'énergie sensuelle du passé. Persuadée que la femme qui avait été, plus jeune, aussi charnelle que possible, continuait, plus vieille, à ressentir l'envoûtement, Donatienne resterait une femme voluptueuse jusqu'à sa mort. Elle lavait ses cheveux à la camomille et les rinçait à la lavande. Son parfum était fait de concentrés de fleurs et elle laissait sur son passage de longs effluves inaltérables. « Quand on sent bon, les gens aiment se coller à soi ! » disait-elle souvent aux femmes de son entourage.

Bill avait fait d'elle une femme pleinement sexuelle. Michel avait tenté d'éteindre ce feu qui la torturait. Désormais, elle se contenterait d'être la reine de la ruche.

Mary Eagan ne parlait plus de quitter Oka, mais Susanna, elle, voulait aller au Couvent de Saint-Benoît pour devenir ensuite maîtresse d'école. Après les vérifications d'usage, Mary apprit qu'elle inscrivait automatiquement sa fille dans un pensionnat, même si elle habitait à dix minutes à peine du Couvent. Les Sœurs Grises tenaient à libérer *leurs jeunes filles* des influences néfastes de leur famille.

Il fut donc décidé que Susanna serait maîtresse d'école.

• • •

Cécile acceptait des travaux de calligraphie artistique pour plusieurs entreprises de Saint-Eustache, de clercs notaires, de fabriques de paroisses, tout en continuant à inventer de nouvelles étiquettes pour les deux cidres de pommes qui avaient fait la réputation des entreprises Donatoka.

• • •

Les hommes avaient transformé la boutique en cabinet de consultation avec salle d'attente, depuis que la réputation de guérisseuse de Donatienne s'était répandue comme une traînée de poudre dans toute la région et même dans le grand Montréal. Ils venaient de partout chercher la guérison auprès de cette belle dame qui leur parlait fermement, leur offrait *des remèdes qui ne rendaient pas malades*, disaient ses clients. Certaines journées, Donatienne voyait des malades jusqu'à la tombée du jour, et n'avait rien mangé de toute la journée. Elle disait qu'elle ne soignait pas. «Ce sont les plantes qui guérissent», répétait-elle cent fois par jour. La menthe poivrée, la monarde, la lavande, le thym, la mélisse, la myrrhe, et des douzaines d'autres venaient en inhalation ou en application locale, parvenaient à guérir les cas les plus *populaires* de bronchite, sinusite, angine, rhume, toux et catarrhe aussi efficacement que les pilules des médecins officiels. Le malade qui s'assoyait devant Donatienne Crevier était un être entier et s'établissait alors une relation amicale entre elle et lui. Elle lui parlait de ses vergers, de son cidre, de ses petits-enfants, et recevait les confidences de son patient de la même manière. Les gens aimaient Donatienne Crevier. Et les dollars s'accumulaient dans la boîte de métal sous son lit. Des deniers pour ses petits-fils.

• • •

– Un nouveau docteur vient de s'installer au village! cria Albert Fréchette en descendant du camion. Y'en a qui vont être contents en maudit! Paraît qu'il est pas trop jeune en plus et célibataire.

– Où y va s'installer? demanda Pierrot en déchargeant les caisses de bois en ahanant.

– Direct en face du magasin général, dans l'ancienne maison Désilets.

Donatienne écoutait distraitement en continuant à nettoyer ses officines et à replacer les flacons fraîchement remplis d'huile de thym et de menthe. Elle admirait les jolies étiquettes fabriquées par Cécile qui les peignait avec tellement d'amour, les agrémentant de fioritures et de feuillages, de petites fleurs et de lettres graciles. Donatienne soupira en pensant qu'elle était très choyée par la vie. La présence des Fréchette tout autant que celle de Mary et de Susanna la comblait et lui apportait une sécurité tout à fait enviable.

. . .

Un nouveau médecin au village n'allait certes pas nuire. Donatienne ne craignait pas une certaine concurrence puisque la majeure partie de sa clientèle provenait de Montréal et des villages environnants. Dans le plus récent numéro de la revue *New medecine,* elle s'était arrêtée sur une publicité concernant un cours de trois semaines – un workshop – sur la guérison par les plantes, qui se donnait en Nouvelle-Angleterre. On offrait, pour loger les étudiants, plusieurs maisonnettes donnant sur la mer, et un transport gratuit pour assurer l'aller-retour. Le prix était convenable. Le seul pré-requis était une bonne connaissance des plantes et, surtout, de la biologie humaine... sans oublier l'anglais.

Sa connaissance de l'anglais était très rudimentaire et c'est Mary Eagan qui lui traduisait presque toutes les lettres et les articles écrits en anglais. Celle-ci répondait également aux appels d'anglophones qui désiraient un rendez-vous avec Donatienne.

Chez les Indiens, on la considérait plutôt comme un chaman ou une guérisseuse. On avait confiance en elle, parce qu'elle aimait les Mohawks et qu'elle était au courant de leur propre pharmacopée. Elle les aimait parce qu'elle avait aimé Bill et Taniata et tous ceux qui avaient établi avec elle des liens amicaux. Bien sûr, Donatienne craignait certains individus responsables de périodes sombres de sa vie, mais dans l'ensemble, elle était acceptée comme l'une des leurs.

· · ·

Pendant qu'elle se préparait à recevoir trois dames qui avaient pris rendez-vous avec elle, Donatienne leva les yeux sur la route graveleuse et aperçut Dom Léonide suivi d'un jeune convers qui lui collait aux fesses en piétinant. Elle se dit que cela n'augurait rien de bon à voir le visage sévère du directeur de l'abbaye. Elle rangea sa tablette de factures sur lesquelles elle inscrivait surtout les remèdes à prendre, replaça sa mèche grisonnante, redressa les épaules, puis s'avança vers les deux moines.

– Belle journée, n'est-ce pas ? dit d'emblée Dom Léonide avec un faux sourire. Je vous présente le frère Stéphane. Il est l'associé de... du père Michel dont vous vous rappelez sans doute, ajouta-t-il avec une ironie calculée. Il est son apprenti. Le père Michel a fondé *Le club des jeunes naturalistes d'Oka* et la préparation de ses activités lui demande beaucoup de temps. Il avait besoin d'une personne pour le seconder, vous comprenez?

– Les activités du père Michel ne me disent rien qui vaille. Maintenant, qu'est-ce que je peux faire pour vous, ce matin?

– Le frère Stéphane et moi-même aimerions connaître l'emplacement des fougères qu'a transplantées le père Michel. Il a travaillé très fort pour faire connaître le fruit de ses recherches.

– Les fougères n'ont pas survécu, vous le savez sûrement.

– Le père Michel affirme que si les fougères à faucille ont survécu, les siennes ont dû survivre également. Il a des raisons de croire, par l'observation minutieuse du sol à l'orée de la forêt, près de votre maison, que ses fougères ont été arrachées. Elles ont été arrachées par une personne qui savait qu'il fallait conserver aux fougères leurs précieuses racines...

– Pour en faire quoi?

– Pour qu'elles repoussent ailleurs, dans un lieu à l'écart des curieux, madame Crevier.

Donatienne allait perdre patience pour sûr. Elle respira un bon coup et ajouta:

– J'ai de la visite, vous m'excuserez. Dites au père Michel que ses fougères se sont évanouies comme notre... notre relation. Je ne sais pas ce qui leur est arrivé.

– Nous avons eu des nouvelles d'un certain monsieur Provancher du Jardin botanique. Il dit que vous auriez découvert une variété très rare de fougère. Pensez-y, madame Crevier, il est toujours temps d'avoir des regrets et de dire la vérité. Le Seigneur a toujours pitié des repentants.

— La vérité, je vous l'ai dite : les fougères n'ont pas survécu. Un point c'est tout.

— Nous allons nous en aller, madame Crevier. Mais dites-moi, vous pratiquez l'art de guérir les gens ? Serait-ce du charlatanisme ?

— C'est la nature qui reprend sa vérité sur la maladie, monsieur !

D'un pas assuré, elle retourna à la maison où Mary sirotait un café tout en traduisant un extrait de la revue *Nature's Power*, dirigée par le révérend John Sallinger de New York, qui suggérait à son tour aux amants de la guérison par les plantes d'assister à l'atelier de trois semaines à Rockport, dans l'état du Maine.

— T'as jamais pensé qu'on pourrait aller aux États-Unis, toutes les deux ? lui demanda Mary. Rockport, c'est pas loin d'ici.

— De quoi tu parles ?

— Je parle de ce workshop de trois semaines auquel tu penses souvent. Ça te démange, hein, ma Donatienne ?

— J'y pense, oui. Mais c'est trois semaines.

— Trois semaines, c'est pas long. Susanna rentre au Couvent de Saint-Benoît. Je pourrai y aller avec toi et te servir d'interprète. Ça va être bon pour moi d'assister à ces cours-là. Tu vas finir par attirer des patients anglais, et je serai au courant de tout. Allez, Donatienne, dis oui! Je paye mes dépenses et on y va toutes les deux.

– Mais la business... le cidre...

– T'as passé ta vie à taper sur les nerfs de Joseph parce que tu voulais qu'il fasse les choses à ta manière, jamais je croirai qu'il n'est pas capable de mener la ferme pendant trois semaines? Y'a les Fréchette, Blaise et Pierrot. Tu peux te fier à eux. Donatoka, c'est aussi leur vie. Allez, on remplit le formulaire pis on y va. C'est du 1er au 22 octobre. Rockport est sur le bord de la mer. J'en rêve depuis que je suis née. La mer, Donatienne, imagine! *Porland on the sea*!

Donatienne sourit et s'exclama:

– Remplis-le. On y va!

Le reste de la journée coula comme l'eau claire du ruisseau des Chiens. Mary se rendit à la banque pour y faire imprimer un mandat de 50 $ pour les deux inscriptions, puis à la poste pour y déposer l'enveloppe prometteuse. Elle rencontra Clara Bemmans qui sortait du magasin général et lui annonça la bonne nouvelle. Celle-ci se contenta de dire:

– J'ai appris que le père Michel a fait une crise cardiaque. Ils l'ont envoyé à l'hôpital à Montréal. Il n'en mène pas large.

– Pauvre homme! se contenta de répondre Mary.

– Il s'est fait voler une découverte qui l'aurait placé au faîte...

– Au quoi?

– Ça veut dire à la même hauteur que le frère Marie-Victorin. On lui a volé sa découverte.

– Ils savent qui ?

– Ils ont leur petite idée là-dessus, chuchota madame Bemmans.

– Donatienne a eu la visite de deux moines, y'a pas très longtemps. Le plus vieux avait l'air très fâché. Vous pensez que…

– Je ne pense rien. Y'en a des *ceuses* qui vont avoir à s'expliquer quand elles vont être rendues devant Saint-Pierre, c'est juste ça que j'ai à dire.

– On va prier pour le père Michel. Que son bon Dieu lui redonne la santé. Je vois pas autre chose. Bonne journée, Clara.

. . .

Mary Eagan continua sa route. Longeant le champ d'avoine des Marcoux, elle imagina la mer avec ses vagues déferlantes, ses crêtes mousseuses, son poudrin chargé de sel et le visage souriant de Donatienne. Elle respira une goulée d'air de fin d'été et songea au bonheur qu'elle connaissait depuis qu'elle avait rencontré Donatienne Crevier entre les murs de la prison pour femmes de Kingston. Elle aimait les matins brumeux d'Oka, le lac aussi noir qu'un morceau de charbon, les champs coupés comme une vaste courtepointe dont les verts étaient aussi multiples que les teintes des plantes qu'elle avait appris à reconnaître ; les collines qui s'élevaient si près du ciel qu'on aurait dit des seins de femmes frôlant la bouche de leur nouveau-né ; les maisons entourées de petites clôtures comme autant de soldats les protégeant des intrus ; et la paix qui souf-flait sur ce petit village bigarré.

Donatienne et elle allaient partir pour les États-Unis. Les *States*. Et elles verraient la mer salée, la vraie. Elles ne seraient pas comme toutes ces femmes qui ne faisaient rien de leur vie, enchâssées qu'elles étaient entre leur vie de bonne chrétienne, leur douzaine d'enfants et leur benêt de mari.

• • •

Quand elle arriva enfin à la maison, remontant le chemin pentu bordé d'achillées et de longues fleurs de céleri sauvage, Mary observa longtemps Donatienne penchée au-dessus de son jardin d'herbes, débarrassant celles-ci des mauvaises sujets, coupant celles-là pour en faire un bouquet aromatique. De temps à autre, elle levait la tête comme pour s'assurer que le soleil n'avait pas l'intention de disparaître derrière une bande de nuages, puis replongeait dans ses fleurs de fenouil, ses têtes de ciboulette, ses longues feuilles d'oseille. Plus loin, au pied d'un escarpement, entre des roches pla-tes, Mary pouvait admirer les massifs de physostégies, de rudbeckies et d'échinacées qui n'achevaient plus de fleurir et d'attendre que l'automne s'installe pour de bon. Plus loin, des framboisiers tardifs offraient en-core, comme des sapins de Noël, des grappes de fram-boises et des feuilles vertes ourlées d'argent.

Elle savait que Donatienne utiliserait toutes ces fleurs, leurs tiges et leurs caboches pour préparer ses huiles et ses sachets de tisane en prévision de l'hiver. Elle admira à cet instant même la générosité de son amie à qui elle devait tout. Elle se pencha, arracha une grosse touffe de sédum, s'avança et l'offrit à Donatienne qui la reçut en souriant.

– Y'a que toi pour penser à m'offrir un bouquet. Je vais le faire sécher dans un pot de grès dans la cuisine. C'est si beau, le sédum. Rien de neuf au village ? demanda-t-elle.

– Pas grand-chose. J'ai rencontré Clara Bemmans.

– Et ?

– Bien, elle m'a dit que le père Michel est à l'hôpital. Il a eu une crise cardiaque.

– Ah, bon !

– Elle a dit qu'il a manqué sa chance d'être célèbre.

– Comment ça ?

– Quelqu'un lui aurait volé une découverte, ajouta Mary en faisant un clin d'œil. Je me demande qui a été assez crasse pour voler ses plantes au père Michel...

– Arrête, Mary ! Personne ne lui a rien volé. Il les a plantées dans un jardin qui ne lui appartenait pas. Quand on plante dans le jardin d'un autre, on prend un grand risque. Ne m'en parle plus. Viens, on va aller parler de notre voyage et commencer à préparer nos affaires. Joseph va s'occuper de la ferme. Achillée et Adrien sont assez grands maintenant. Ils vont pouvoir aider leurs parents.

Joseph et Rosalie étaient très heureux pour Donatienne. Ils allaient prendre en main les étapes de la préparation du nouveau cidre et avaient tramé une sortie plutôt spéciale pour la cuvée 1947. Il avait plu juste assez pour ne pas diluer le sucre dans la chair des pommes. Les nuits étaient fraîches et les journées, gorgées de soleil. Après la première gelée, ils allaient secouer les branches. Adrien et Achillée adoraient grimper dans le haut des pommiers et faire tomber les pommes. Au loin, les cloches de l'abbaye tintaient pour annoncer les prières auxquelles étaient conviés les moines. Chaque fois, Joseph tendait l'oreille, essayant de distinguer le glas parmi les sons des cloches que les Okois avaient l'habitude d'entendre. Pierrot tenait de sa tante Clara que le père Michel allait mourir bientôt. Dom Léonide avait déclaré au responsable du magasin que le malade n'allait pas revenir à la Trappe. Il allait sûrement mourir pendant que Donatienne serait aux États-Unis avec Mary Eagan.

• • •

L'infirmière entra, ses semelles à peine perceptibles sur le plancher ciré. Elle saisit le tube fin qui reliait son patient à une existence à peu près normale. Elle souleva la main du père Michel et l'examina pour la centième fois. Elle avait un aspect bleuté et les veines, plusieurs fois transpercées d'aiguilles, étaient si gonflées qu'on aurait dit les nervures des feuilles d'un chêne. Le bon moine lui avait raconté qu'il n'avait aimé que deux femmes: sa mère et la botanique. Aucune mention de Donatienne.

Le médecin entra et vint s'asseoir près du lit du malade, comme s'il venait se reposer au bord d'un étang tranquille.

– Alors, comment vous sentez-vous ce matin, mon père ?

– Je suis fatigué. Si fatigué.

– Vous avez de l'eau dans les poumons. Et – *il souleva la première page du dossier de l'infirmière* – vous n'avez rien mangé depuis six jours. Vous trouvez que c'est raisonnable ?

– Regardez les oiseaux du ciel : ils ne sèment ni ne moissonnent, et ils n'amassent rien dans les greniers, et votre Père céleste les nourrit.

– Père Michel, vous n'êtes pas un oiseau et d'après ce que je vois, votre Père céleste ne vous nourrit pas. Vous faites de l'anémie pernicieuse, vous ne pouvez même pas faire quelques pas, vous ne parlez presque plus.

– Mais je parle dans mes rêves, vous savez.

– Il parle beaucoup en dormant, en effet, dit la garde-malade.

– À quoi rêvez-vous donc ? demanda le médecin.

– Je... je rêve à une femme que j'ai aimée.

– Tiens donc ! Vous parlez de mademoiselle Botanique ou d'une femme plus... humaine ?

– C'est une femme que j'ai aimée. Je l'ai délaissée pour une question d'orgueil, docteur. J'ai voulu ce que les pêcheurs désirent le plus : de l'argent et de la reconnaissance. Plus je m'approche du visage de Dieu, plus je me rends compte qu'Il n'existe peut-être pas tel que je me le suis imaginé. Valait-il que je sacrifie l'amour de cette femme ? Elle habite Oka et elle cherche éperdument une manière de se venger de moi. C'est la meilleure botaniste du canton. Une très belle femme.

Le médecin s'assit au sur le pied du lit.

– Avec tous les pauvres innocents que je vois mourir ici, à l'hôpital, j'ai perdu la foi en Dieu, père Michel. Si Dieu est partout et s'il voit tout, comme les religieux nous l'ont appris quand nous étions enfants, il serait interné dans notre département de psychiatrie. Il y a tant d'injustices, si vous saviez. Des enfants, des jeunes femmes, des...

Le père Michel devint aussi livide que les draps de son lit. Il porta la main à sa poitrine et fut atteint de soubresauts incontrôlables. L'infirmière se rua sur son patient en soutenant le regard inquiet du médecin.

– Bonne Sainte Anne! Il en refait une autre, docteur Larin.

Les yeux révulsés, la bouche grande ouverte, le souffle imperceptible, le père Michel mourait. Sa pensée convergeait toute entière vers Donatienne Crevier. Il aurait tant voulu la voir avant de quitter cette terre dont ils avaient tous les deux aimé chaque brin d'herbe, chaque oiseau, chaque secret.

– Je crois que c'est fini. Le pauvre homme. Il n'aura pas eu le temps de régler ses comptes avant de partir.

– Il était apaisant et doux... je peux pas croire qu'une femme n'a pas su demeurer à ses côtés, ajouta Estelle Daoust, la jeune infirmière du deuxième.

– Il a préféré les fleurs. C'est quand même touchant, non? ajouta le médecin, en fermant le dossier de son malade.

Chapitre vingt-deuxième

Émilia souffrait – même si le bonheur faisait partie de sa vie par petits à-coups – d'une profonde mélancolie. Depuis la mort de Jeanne Daoust, elle était d'avis que son existence était peuplée de pleurs, de hurlements et d'événements qui y jetaient de l'ombre. Elle n'avait d'amie que Rosette et elle faisait tout pour la conserver précieusement. Maintenant, elles étaient deux propriétaires à parts égales. Samuel Wildman prélevait sur les gages d'Émilia un montant forfaitaire qui, après cinq ans, devait lui assurer 50% de tous les profits et de toutes les dépenses, bien entendu.

C'était tout de même la joie au travail et Rosette avait proposé à Émilia la responsabilité d'embaucher les nouveaux employés. La tâche devenait de plus en plus ardue, car il fallait une couturière ou une patronière de plus à chaque mois. Émilia avait le flair pour choisir la meilleure personne parmi les nombreux candidats qui répondaient aux annonces placées dans les magazines pour femmes et *Le Devoir*.

– Émilia, faudrait appeler Farmer pour les moulins à coudre. Il y en a deux qui grincent et un qui a la pédale de travers, plus moyen de coudre avec. Faudrait aussi faire aiguiser les ciseaux de coupe. Faut se dépêcher pour la robe de mademoiselle Trudeau, elle se marie dans trois semaines, criait Rosette à l'endroit d'Émilia.

Émilia n'avait pas besoin de répondre ou même de poser d'autres questions. Elle avait l'entière confiance de son associée et c'était suffisant. Samuel passait tous les jeudis avec la paye des employés, chacune dans sa petite enveloppe brune, et il en profitait pour tenir les livres pour chaque entreprise à qui les Ateliers avaient eu recours : les réparateurs de machines à coudre, les importateurs de perles et de boutons de luxe, les laveurs de vitres et les distributeurs de menu fretin, comme il le disait : les boîtes d'épingles, les galons à mesurer, les trépieds pour mesurer le bord des robes, les craies, le *ric-rac*, le ruban de satin, et tout le reste. Pas une semaine ne passait sans que Rosette ne commande des tas de brimborions qui, pourtant, étaient absolument indispensables. Les employés travaillaient en s'amusant et rares étaient les absences. Tout un chacun s'occupait de l'état de santé de sa voisine d'atelier : une ponce de gros gin et de citron pour celle qui tousse, une tisane de fenouil pour les douleurs menstruelles, un baume de pâte de thé des bois pour les épaules ou le dos, et même quelques massages pour les épuisées de la couture.

Le nom Ateliers Rosette Dalpé fut changé pour Rosette et Émilia, haute couture. Une enseigne lumineuse fut installée. Les nouveaux locaux étaient remplis de lumière, et la décoration somptueuse, de style italien, ayant précédemment servi de siège à une autre maison de couture, attirait les dames riches. Rosette et Samuel

Wildman avaient fait transporter les tapis, les meubles et tout l'atelier de couture sur la rue Drummond. Émilia fut responsable de la papeterie, des cartes d'affaires et de la réinstallation des couturières dans l'atelier. Gérard de Vaudreuil avait préféré prendre congé puisque toutes ces allées et venues le mortifiaient et lui emplissaient le nez de cette poussière qui le faisait éternuer sans arrêt. Rosette et Émilia, haute couture ouvrit ses portes le 7 juin 1947.

. . .

Mark Beurling prenait soin de sa couturière, et quand elle revenait à la maison après une journée épuisante, il l'attendait avec un bon repas et un bain chaud. Jamais n'avait-elle pu imaginer vivre un amour aussi comblant. Mark riait quand Émilia revenait du travail, le col de son chemisier rempli d'épingles droites.

– Tu veux me tuer ? disait-il en l'embrassant.

– Non, je veux juste t'épingler !

. . .

Depuis qu'il avait pris sa retraite, Mark ne regrettait pas l'Armée canadienne, mais il ne pouvait pas s'empêcher de se rendre, deux après-midi par semaine, dans un centre pour anciens combattants où l'alcool coulait à flots et où les camarades, qui avaient participé à la guerre d'une façon comme d'une autre, se rencontraient pour pleurer la perte de leurs amis, traiter les

Boches de tous les noms, et critiquer vertement le gouvernement de Duplessis. Et jouer aux fléchettes. Boire, surtout, avec l'assentiment du gouvernement canadien. La plupart des anciens combattants sortaient de leur repaire complètement éméchés, au grand dam de leurs épouses qui les attendaient encore après l'avoir fait durant toutes les années qu'avait duré la guerre.

• • •

Un matin de juillet, Émilia sortit de l'autobus, puis entreprit la montée de la rue Drummond en chantant. Une voiture noire semblait la suivre très lentement. Quand elle atteignit l'atelier, la voiture fila jusqu'à la rue Sherbrooke, emballée comme une panthère. Émilia ressentit alors un grand frisson. Le chauffeur ressemblait à Louis comme une goutte d'eau à une autre. C'était impossible. Il avait dû mourir au bout de son sang, comme l'avait pressenti sa mère, madame Turgeon. Le chauffeur de la voiture lui ressemblait, pourtant. Émilia ne se sentit pas rassurée.

Quand elle ressortit le soir, en même temps que la cohorte d'employés des ateliers, elle se détacha du groupe pour se diriger vers la rue Sainte-Catherine. La voiture noire l'attendait au coin de la rue, silencieuse, avec à son bord cet homme qui ressemblait à s'y méprendre à Louis.

Il n'était pas question pour Émilia de reconnecter ses liens avec Louis. Elle connaissait tellement de tendresse, de générosité, de confiance de la part de Mark, qu'elle refuserait même de parler à Louis, ne désirant aucune explication. Il avait été tellement violent lorsqu'il l'avait surprise en train de fouiller dans son bureau qu'elle n'avait jamais cessé de penser à ses yeux fous, à sa bouche qui crachait des insultes, à son départ fortuit. Elle ne voulait pas revivre ce genre d'altercations qui l'avaient conduite au fond de l'abîme. Sale et froid.

Elle se posta devant l'arrêt de l'autobus 15, puis s'avança si près pour y grimper que le chauffeur craignit de la happer et fit une loupe pour l'éviter. Assise proche de la porte arrière, elle engonça la tête dans son col et retrouva la paix. Une dame, qui se trouvait presque toujours dans le même bus, vint s'asseoir près d'elle.

– Vous avez eu une grosse journée, glissa-t-elle.

– Plutôt, oui.

– Vous avez un bel ensemble, il est magnifique.

– Je l'ai cousu moi-même. Je l'aime beaucoup.

– Tiens, il commence à pleuvoir. Vous avez l'air énervée sans bon sens, aujourd'hui.

– Vous trouvez ?

– Oui, je trouve.

– Il y a une voiture qui me suit toujours, ça me rend nerveuse.

– Sainte bénite ! Vous avez pas lu *La Patrie* ? Y'ont trouvé une femme assassinée par un gars, comme ça, qui la suivait comme un lion court après sa proie. Vous avez bien raison de prendre ça au sérieux. Avertissez la police. Ou demandez à votre mari de venir avec vous.

– C'est justement mon mari.

– Votre mari vous fait de la misère ? Faut pas laisser aller les choses.

Elle se leva. Le chauffeur venait de crier le nom de son arrêt.

– Faites attention à vous, mame Chose. Moi, c'est Odile Bellavance. On est dans le *Directory*. Bertrand Bellavance. Juste au cas où.

– Merci. Bonne soirée.

Émilia se retourna pour voir sortir madame Bellavance et aperçut la voiture noire qui attendait derrière l'autobus. Quand l'autobus avança, la voiture noire fit de même. Il ne restait que trois arrêts avant d'arriver. Si c'était Louis, il allait descendre, lui attraper les deux bras, lui parler fort, peut-être même la forcer à le suivre quelque part, peut-être dans un endroit éloigné, une cachette sombre où personne ne pourrait la retrouver. Elle revit sa vie en accéléré, regretta d'avoir pris l'autobus toute seule. Tremblante, elle remonta vers le chauffeur et lui demanda de la faire descendre tout de suite, prétextant un gros mal de cœur. Le conducteur la fixa étrangement.

– Vous êtes sûre que ça va aller, vous ?

– Je veux descendre ici... s'il vous plaît.

L'autobus s'immobilisa devant le regard curieux des autres passagers. Émilia descendit et, avant même que Louis – elle était persuadée que c'était lui – ne s'en aperçoive, elle s'était cachée derrière un bosquet de chèvrefeuilles. La voiture noire suivit l'autobus. Émilia attendit cinq minutes pour qu'enfin un taxi l'aperçoive, s'arrête puis l'embarque.

Quand le taxi la descendit au coin de chez elle, Mark revenait de chez A&P, les bras chargés de victuailles.

– Madame devient *fancy,* dit-il. L'autobus ne lui suffit plus, elle prend le taxi.

– J'avais trop hâte de te voir. Je suis partie vite à matin.

– Je voulais faire des spaghettis pour le souper. Tu vas pouvoir m'aider pour la sauce. T'as eu trois appels aujourd'hui, mon amour.

– De qui ?

– Je sais pas. Il n'a pas dit son nom. Il a demandé après toi puis, quand j'ai demandé de la part de qui, il a fermé la ligne.

Émilia devint très nerveuse. Devait-elle parler de ses soupçons à Mark ?

Il avait l'air tellement soulagé de savoir que Louis allait disparaître, qu'il avait entouré Émilia de toute son attention après l'affaire du règlement de compte, persuadé que sa blonde n'allait pas retourner auprès de ce maudit fasciste.

· · ·

Le lendemain, au travail, le téléphone sonna trois fois pour mademoiselle Émilia.

La jeune réceptionniste n'arriva jamais à connaître le nom de cet homme qui appelait, même si elle déployait tout son arsenal de politesse. Un fournisseur ? Un jeune qui n'avait pas réussi à obtenir le poste de mannequin qu'Émilia avait annoncé dans le magazine *Jovette* ? Un malfaisant ? Odette Lafleur, croyant que l'appel de l'homme était important puisqu'il avait téléphoné trois fois, lui donna le numéro de téléphone personnel d'Émilia puisque, ce jour-là, elle avait pris son congé mensuel. Quand elle apprit la licence que s'était accordée Odette Lafleur, Émilia fut très fâchée, mais ne fit pas ce qu'elle crut devoir faire d'abord : la flanquer à la porte. Après en avoir discuté avec Rosette, celle-ci lui dit qu'il ne fallait pas tenir compte de ce plaisantin. Émilia se mit à trembler.

– Mais voyons, Émilia ! Qu'est-ce qui te prend ?

– J'ai peur que ce soit Louis. Je ne veux plus le voir. Il me fait peur, tu peux pas savoir !

– D'abord, es-tu certaine que c'est lui ? Tu lui as rien fait, pourtant.

– Justement.

– Comment ça ? Tu as toujours été très correcte avec lui.

– J'ai refusé d'aller le voir à l'hôpital. En plus, mon grand patron est juif. Ça doit le mortifier.

– Tu n'as aucun patron, tu sauras. T'as la moitié de la business.

– Pas encore.

– C'est comme si c'était fait. Dans les papiers, t'es kif-kif.

– Il le sait pas, lui.

– On va se fier à Odette Lafleur pour tout lui raconter, conclut Rosette en s'esclaffant.

Tout le reste de la semaine, Émilia eut beau terminer son quart de travail plus tôt ou plus tard, sortir par la porte de l'arrière-boutique, exiger qu'on ne lui remette plus les messages de l'homme à la voix étrange, rien n'y fit : Louis était toujours aux aguets. Ce soir-là, elle se cacha derrière un camion de livraison de lait avec Rosette et elles purent enfin affirmer que c'était la tête de Louis Turgeon qui apparaissait dans la fenêtre de la portière. Lui ne les vit pas. Rosette sortit le petit carnet qu'elle gardait toujours dans son sac à main et inscrivit le numéro de la plaque d'immatriculation de la voiture noire.

Samuel avait un ami policier à Montréal. Il lui téléphona et lui demanda s'il pouvait intervenir pour que le gars de la voiture noire cesse de harceler sa partenaire en affaires qui souffrait d'une profonde détresse. Voulant rendre service, l'agent Robert Cadorette trifouilla dans les dossiers accessibles à la police de Montréal et, après avoir identifié Louis Turgeon, le somma de laisser Émilia tranquille tout en ignorant qu'elle était sa femme légitime.

Cela eut pour effet d'augmenter la fureur de Louis. Il avait perdu sa femme, son logis et sa santé. Les coups et blessures qu'on lui avait administrés, en plus de l'avoir projeté dans un état presque végétatif durant plusieurs mois, l'avaient rendu très colérique. Il avait battu un infirmier de l'hôpital et avait été déclaré innocent pour cause d'affection mentale due à un grave accident. Il vivait de nouveau chez sa mère qui sanglotait à cœur de jour et demandait à Dieu ce qu'elle avait fait de grave pour mériter une telle vieillesse.

...

C'était le 2 août. Une journée chaude sans être cuisante comme l'avait été le mois de juillet. Émilia et Mark dormaient lorsque la sonnerie du téléphone les fit s'éveiller en sursaut. Mark répondit et écouta ce qu'une voix féminine lui racontait. Il jetait souvent des regards du côté d'Émilia qui s'inquiéta.

– C'est mon père? chuchota-t-elle, la main tendue pour attraper le combiné.

Mark continuait à écouter en lui faisant signe d'attendre, puis il lui passa la main dans les cheveux comme lorsqu'on veut calmer un enfant tout en lui disant qu'on l'aime.

– Bien sûr qu'elle est à côté de moi... Elle est réveillée... Bon, d'accord, je vais le lui dire. Si je peux faire quelque chose... Oui, nous serons là. Merci, Samuel.

– Il est arrivé quelque chose à Rosette? s'écria Émilia en joignant les mains comme pour une prière. Dismoi, Mark! Qui c'était? Qu'est-ce qui se passe?

– Un voisin a téléphoné chez Rosette. La maison de Drummond est en feu. L'incendie est impossible à maîtriser. Les pompiers ont fait sortir tous les locataires des environs. Rosette est effondrée, tu comprends.

– Le feu...

– Ils ne savent pas trop ce qui s'est passé. Il y aura une enquête. Samuel a trouvé un bidon d'huile à chauffage dans l'arrière-boutique. Les rideaux auraient brûlé par le bas.

– Le feu a tout détruit...

– Ils connaissent ça, les enquêteurs...

– ... mon rêve, hoquetait-elle.

Mark s'approcha d'Émilia et la prit contre sa poitrine. Elle ne pleurait pas, étant complètement figée.

– Le feu a peut-être interrompu ton rêve, mon amour, mais il peut reprendre quand tout aura été reconstruit. Vous avez de bonnes assurances, non ? Samuel est un excellent homme d'affaires. Il a dû tout prévoir. Je vais aller vous aider, t'as pas à avoir peur, mon Émilia.

– Non, je sais que c'est fini, sanglotait-elle.

Émilia songeait aux menaces de Louis. Au harcèlement dont il entourait sa femme, des idées noires qui assombrissaient sa vie. Les enquêteurs allaient sûrement l'interroger et elle allait leur parler de la violence de Louis Turgeon. Peut-être qu'ainsi, il disparaîtrait définitivement de sa vie.

– J'aimerais y aller. Tout de suite, Mark. Je veux aller voir la maison.

– Habille-toi, je vais appeler un taxi. Es-tu prête à ce que tu vas voir ? Tu sais, la maison de mes grands-parents à Sheffield a brûlé quand j'étais petit gars. Grandma ne s'en est jamais remise. Elle est morte de chagrin. Ils ont perdu tous les souvenirs, les lettres, les vieux meubles. Ils ont perdu la preuve de leur présence à ce siècle. Je me rappelle combien j'ai été triste de la voir pleurer. Ils sont demeurés plus de cinquante ans dans leur maison avant de la voir s'envoler en fumée. Grandpa disait...

– Arrête, Mark! Je suis assez énervée comme ça. Passe-moi mes souliers noirs dessous le lit.

– Je vais y aller avec toi.

– Tu peux te rendormir si tu veux.

– Je tiens à y aller avec toi, insista Mark.

– Alors, dépêche-toi. Je vais t'attendre sur le pas de la porte.

Émilia s'habilla rapidement, puis sortit et respira l'air frais de la nuit. Le silence dont s'était enveloppée la ville lui pesait lourd et lui faisait peur. Elle croisa sa veste de soie sur sa poitrine et choisit d'inspecter les alentours, au cas où. Elle aurait aimé dès cet instant que Louis Turgeon se montre la figure pour qu'elle puisse lui crier qu'elle savait que c'était lui. Un taxi passa devant elle sans même ralentir. Puis un chien. Il s'assit devant elle et se gratta le cou avec sa patte arrière, se releva, fit quelques pas vers un poteau de téléphone, leva la patte pas plus de deux secondes, puis tourna au coin de la rue et disparut.

Au moment où Mark la rejoignit, fermant la porte avec force, une voiture noire se montra tous phares allumés au coin de la rue où s'était engagé le chien. Émilia se raidit. Elle courut vers le véhicule en tenant toujours sa petite veste. Elle était certaine de voir Louis, qui eut pour Émilia un sourire ironique lui glaçant le cœur. Elle lui montra le poing.

– Mon maudit, toi! Pourquoi t'as fait ça? hurlait-elle.

– Arrête de crier, tu vas réveiller toute la rue, lui dit Mark en courant derrière elle. Émilia, qu'est-ce qui se passe ?

Louis s'immobilisa, puis décrivant un virage en U, s'enfuit vers la rue Sherbrooke.

– C'est Louis, il est revenu. Il ne lâche pas de me suivre partout.

– Lui, qui ?

– J'ai dit Lou-is.

– Ton mari ?

– Oui, je t'en ai pas parlé, mais il me suit partout depuis des semaines. Je suis sûre qu'il a mis le feu. Il faut le dire à la police, Mark.

Le taxi que Mark avait appelé venait d'arriver. Émilia et Mark furent sur Drummond au bout d'une dizaine de minutes. Rosette et Samuel étaient déjà sur les lieux. Trois camions à incendie et une dizaine de pompiers tentaient d'empêcher les alentours de brûler. Des locataires, dans les bras les uns des autres, certains en pyjama, fixaient l'épaisse fumée qui témoignait de l'incendie qui avait fait disparaître les deux tiers de la maison. On ne pouvait lire que le mot ROSE sur l'affiche qui avait brûlé au passage. Émilia le remarqua. Et crut que c'était là un triste présage. Si Louis Turgeon s'était véritablement vengé de sa femme en mettant le feu à la maison de couture, ses relations d'affaires allaient certes partir, elles aussi, en fumée.

Quand Rosette et Samuel virent Mark et Émilia descendre du taxi, ils se précipitèrent vers eux et les pressèrent contre leur poitrine. Rosette avait pleuré, mais avait maintenant les yeux secs, tandis que Samuel démontrait une nervosité embarrassante, pliant et dépliant les doigts à un rythme plutôt rapide et en toussotant nerveusement.

– Ma chérie, on va s'en sortir. Ne t'en fais pas. J'avais amené les bons de commande chez moi, figure-toi donc! Un pressentiment, comme ça. Je voulais vérifier la quantité de matériel que nous avons acheté chez Marshall's. J'ai tous nos bons de commande à la maison, Émilia!

– C'est extraordinaire. Paraît que vous avez découvert un bidon d'huile à chauffage dans l'arrière-boutique?

– Le maudit... il a démanché la porte avec une crowbar. Il aurait versé du mazout tout le long des fenêtres. J'espère qu'ils vont trouver c'est qui et qu'ils vont le mettre en prison.

– Ils vont le trouver, glissa Émilia sur la fin d'un souffle.

– Je vais prier pour ça.

Puis se tournant vers Mark et Samuel qui discutaient comme deux spécialistes des incendies criminels, Rosette ajouta:

– Voulez-vous venir à la maison? Il est presque cinq heures. Je vais vous faire des œufs et du jambon.

– On va retourner chez nous, dit Mark. Émilia est très fatiguée.

– Très fatiguée, oui, murmura Émilia, le regard dans la brume.

...

Le policier vaquait à des paperasseries administratives en tirant la langue. De temps à autre, il se tournait vers un camarade en uniforme pour lui soutirer un renseignement, un détail, un souvenir. Quand Émilia vint se placer devant le comptoir, il tarda quelques secondes avant de lever la tête vers elle comme s'il était agacé de se laisser distraire par une inconnue. Elle crut entendre quelque chose comme: «Bon, qu'est-ce qu'elle veut celle-là, encore?»

Elle toussa derrière son poing refermé, puis lui dit:

– Bonjour, monsieur l'agent. Je voudrais témoigner...

– Dans quelle affaire? demanda le policier avec le ton traînard de celui qui en entend trop.

– Dans l'incendie de la rue Drummond qui a eu lieu la nuit dernière. La maison de couture Rosette et Émilia. J'ai des choses à dire.

– Vous désirez faire un témoignage officiel? En somme, vous savez des choses à ce propos?

– Oui.

Le policier ouvrit le tiroir de droite de son pupitre, prit une chemise, en tira un formulaire, referma le dossier puis le tiroir, releva sa manche de chemise, enclencha la feuille derrière le cylindre et avança le bouton d'interlignes, prêt à écrire.

– Déclinez vos nom, prénom, adresse, téléphone, lentement s'il vous plaît.

Émilia s'exécuta en articulant.

– Maintenant, racontez-moi ce que vous savez.

L'homme posa ses bras croisés sur son abdomen et écouta.

– Vous n'écrivez pas ? lui demanda-t-elle.

– Je vais vous écouter d'abord. Huit fois sur dix, les témoignages n'en sont pas. Ils sont des impressions, des accusations sans preuve, des résultats de rêves ou de trucs divinatoires. Alors, je vous écoute d'abord, j'écrirai ensuite.

Émilia raconta son histoire depuis son mariage. Le policier devenait de plus en plus intéressé par son récit. Il quitta le fond de son fauteuil pour s'avancer vers Émilia et posa son menton dans ses paumes pour mieux écouter. La voix de la femme qu'il avait devant lui chantait doucement. Émilia termina par ses soupçons sur le coupable de cet incendie. Louis Turgeon allait payer pour sa malveillance.

· · ·

Le soir, lorsqu'ils furent attablés autour d'un plat de macaroni du dimanche, Émilia semblait tellement soulagée que Mark le remarqua. Elle ne parlait plus que d'avenir, de maison de couture, de nouvelles étoffes qui leur avaient été présentées à Rosette et à elle, et de projets. Elle parlait aussi d'un appartement plus vaste pour recevoir des clientes chez elle. Mark ne semblait pas y croire. Il souriait seulement parce que sa blonde était épanouie. Cela aurait pu être tellement pire.

– As-tu des nouvelles de l'enquête ? lui demanda-t-il pour briser le silence.

– Pas encore. La police est sur la piste de Louis.

Elle toussota nerveusement en s'essuyant les commissures des lèvres.

– Tu es sûre que c'est lui qui a mis le feu ? Tu le crois capable d'avoir fait ça ?

– Tu parles... oui. Je l'ai fait savoir à la police.

Mark ne savait plus quoi dire. Il était interloqué, muet de surprise. Mais surtout, il était jaloux. Jaloux de cet homme qui était entre lui et celle qu'il aimait. Il espérait que Louis Turgeon disparaisse, une fois pour toutes.

– Tu as bien fait. Si c'est lui qui a mis le feu à votre maison de couture, ont doit le mettre en prison. Sinon...

– Sinon ?

– Sinon, je vais m'en occuper ! conclut Mark en serrant les dents et les poings.

Mark n'était pas du type belliqueux. Dans l'armée, on lui avait confié des tâches administratives, car il était méticuleux, ordonné et trop pacifique. Mark ne s'était jamais battu contre l'ennemi et il était apprécié de ses supérieurs. Depuis que sa femme était morte, il s'était juré de ne plus jamais regarder la mort en face. Son amour pour Émilia le rendait possessif, et il était prêt à tout pour la garder auprès de lui. Sa jalousie le faisait agir comme un gamin qui ne veut pas prêter sa petite voiture. Il entourait Émilia de tous ses égards, la comblait de cadeaux et de surprises, lui préparait des bains au sel d'Epson pour soulager ses maux de pieds et de dos, repassait ses tailleurs et ses chemisiers pour qu'elle soit toujours bien mise pour aller travailler.

Mark n'était pas jaloux du milieu de travail de sa blonde puisqu'elle créait pour les femmes uniquement. Mais il y avait Louis Turgeon. Mark avait senti sa rage monter comme une colonne de fumée. Il ne permettrait pas qu'un homme, fût-il son mari, veuille faire du mal à Émilia.

– Mark, tu me fais peur. Tu ne vois pas ta figure!

– Personne ne te fera de mal, mon amour. Si la police n'intervient pas...

– La police a pris ma déposition. Mais je n'ai pas de preuve à fournir, moi. Je pense que c'est Louis, parce qu'il était sur les lieux avec sa face de malade. Il va y avoir une enquête. Ce sera pas la première fois que la police aura affaire à lui. Calme-toi, Mark. C'est toi que j'aime, tu le sais.

Mark retrouva sa quiétude. Il minaudait, tournait autour d'Émilia, paradait comme un mannequin, question de la faire rire.

– Mark! Je viens d'avoir une idée.

– C'est quoi?

– Un défilé. Je vais organiser un grand défilé pour le printemps prochain. Au Ritz Carlton, monsieur. Rien de moins. *The* Ritz. On va leur en faire voir de toutes les couleurs aux Desmarais, aux Bernier et aux autres. Je vais aller chercher mes mannequins parmi les actrices, Janine Sutto, les sœurs Giroux, madame Riddez. Ce sera nouveau et on aura un gros succès. Je vais en parler à Rosette. Y'a rien comme un bon feu pour redonner le feu sacré, mon amour!

Mark était subjugué. Émilia ne cesserait jamais de l'étonner. Elle délaissait les scènes d'un drame pour aussitôt se projeter sur la plate-forme d'un défilé de mode. Rien de moins.

Chapitre vingt-troisième

La nouvelle de la mort du père Michel fit rapidement le tour du village. Tout le monde le connaissait. Tout le monde l'avait aperçu, un jour ou l'autre, s'adonner à la cueillette de spécimens de plantes, jaser avec les villageois, marcher avec une femme – ce qui lui avait valu de nombreuses critiques acerbes.

C'est Clara Bemmans qui vint, un matin, apprendre à Donatienne que son ancien amant était décédé à l'hôpital. Le lendemain, le club des Jeunes Naturalistes d'Oka vint déposer des bouquets de fleurs sauvages sur le pas de la porte de l'abbaye ; quelques dames patronnesses s'entassèrent devant le portail de fer forgé pour le repos de son âme, et quelques Filles d'Isabelle, qui avaient eu vent des relations du père Michel et de la Sorcière de la côte des Sulpiciens, refusèrent de prier pour son âme.

Joseph, qui avait été au centre des premières rencontres de Michel et de sa mère, éprouva beaucoup de tristesse quand il apprit qu'il était mort sans même l'avoir revu et sans avoir pu discuter avec lui, lui expliquer, lui dire qu'il avait été son *meilleur père*. En effet, 'pour rire, Joseph avait pris l'habitude d'appeler Michel : *le père*. C'était alors une demi-vérité. Et cela les faisait rigoler.

. . .

Donatienne décida d'étouffer ses remords dans le travail. Son voyage à Rockport avec Mary Eagan avait été des plus profitables pour les deux femmes. Leurs cahiers furent vite remplis de notes, de tableaux et de statistiques, dûment traduits en français par Mary.

Et Donatienne avait vu la mer.

Ah, la mer dont elle avait entendu parler dans les livres et dans les conversations des femmes de Lachine qui avaient, elles, les moyens de voyager. Elle connaissait les océans, cependant : l'Atlantique, plus près de nous, le Pacifique qui séparait le Canada du bout du monde, la Méditerranée qui baignait les pays européens. Elle savait aussi que le fleuve Saint-Laurent, qui jouxtait le lac Saint-Louis, se remplissait d'eau salée dans le Bas du Fleuve. Mais jamais n'avait-elle pu imaginer aussi beau que la mer qui venait ourler ses dentelles sur le sable du Massachusetts ; que ces milliers d'oiseaux blancs qui tournoyaient en raillant au-dessus de sa tête, que le sable pâle était si doux, que l'eau salée, si froide, fouettait la peau avec autant de vigueur. Elle se rappellerait longtemps des ateliers exigeants alors qu'ils étaient une vingtaine d'étudiants entassés dans une salle de classe improvisée, tous ayant hâte de s'ébrouer dans les vagues. Mary s'absentait souvent pour aller se baigner quand, par hasard, un autre étudiant, capable de traduire en français, prenait les notes de cours à sa place. Elle avait rencontré un type, un Louisianais, qui avait la réputation de guérir les malades en leur faisant ingurgiter des ampoules entières de sang de génisse enceinte et des feuilles de cipres. Mary le trouvait gentil. Il s'appelait Maurice de Bouerres et il était joli garçon, nageur expérimenté et adepte de l'imaginaire. Donatienne les voyait rigoler alors que Maurice imaginait la mer remplie de crocodiles, et les tuait tous en faisant mine de leur sauter dessus avec un poignard acéré. Il y avait si longtemps que Mary ne s'était pas autant amusée.

Donatienne avait acquis un nombre impressionnant de notions botaniques, et avait échangé des informations avec les autres *natural healers*, ceux qui ramenaient leurs congénères à la santé par les plantes, et qui prêchaient aussi la prévention par l'utilisation dans leur alimentation des centaines de végétaux à leur portée : l'ail des bois, le gingembre et le ginseng sauvages, les aiguilles du sapin et de l'épinette prises en tisane, les petits fruits qui vous remettaient l'estomac d'aplomb et vivifiaient le sang, le prêle, la salpêtre, le pissenlit, le cresson des ruisseaux et, surtout, le chou qui servait à toutes les sauces. Elle avait noté des adresses pour échanger des semences et s'était abonnée à deux mensuels. Elle détenait désormais une attestation officielle qu'elle allait installer dans ses offices.

Ce voyage aux États-Unis s'était révélé un événement inoubliable pour les deux amies. Elles s'étaient rapprochées davantage et avaient profité de leurs fins de semaine pour aller visiter les endroits les plus distrayants, les musées maritimes avec leurs monstres marins, les maisons des artisans qui les recevaient avec tous les égards, surtout parce qu'elles étaient des Canadiennes.

Donatienne avait l'impression de découvrir le monde. Elle se frappait toutefois à un mur : elle n'arrivait pas à comprendre l'anglais malgré les enseignements de Mary.

• • •

De retour à Oka, Donatienne dut se mettre rapidement à l'ouvrage. Cécile avait installé, sur les murs de la boutique, des affiches annonçant l'absence de madame Crevier pour une période de trois semaines.

Le premier lundi matin d'octobre, une file de plus de vingt personnes attendaient devant la boutique que les portes ouvrent. Joseph, venu à la rescousse de sa mère, distribuait des numéros pour éviter *que les autres passent devant les uns*, comme il disait. Beaucoup de femmes, puisque celles-ci prenaient davantage soin d'elles-mêmes. On raconta même à Donatienne que le médecin du village, nouvellement installé, faisait entièrement déshabiller les femmes, même pour un mal d'orteil. Madame Soulières, la femme d'un des vétérinaires de l'École d'agriculture, n'aimait pas qu'un médecin lui *farfouille dans les entrailles* et avouait préférer Donatienne parce qu'elle pouvait lui parler franchement de ses douleurs menstruelles plutôt que d'expliquer cela à un beau docteur qu'elle ne connaissait pas, et surtout, de s'exhiber nue devant lui.

Sur vingt malades, il y avait toujours la moitié des femmes qui consultaient pour des maux de ventre dus à leur condition de femme et les autres consultaient pour des problèmes de digestion ou encore pour des éruptions cutanées d'origines inconnues. Donatienne était passée maître dans l'art de guérir les ampoules sévères, les squames farineuses et les dermatoses à l'aide de cataplasmes de son cru, et misait davantage sur les algues marines rapportées humides du bord de la mer et que lui avait recommandées le professeur Shallot.

· · ·

Quand midi sonna au clocher de l'abbaye, il ne restait plus à l'herboristerie qu'un homme qui, bizarrement, ne semblait pas pressé d'être vu. Il avait apporté son journal, s'était assis sur une des chaises de la salle d'attente et, après avoir examiné tous les récipients, fioles, et flacons exposés sur les tablettes d'une armoire, après avoir lu toutes les affiches et s'être assoupi quelques minutes, il parut surpris que madame Crevier lui lance son numéro comme à la salle paroissiale quand on faisait tirer la cagnotte de la tombola.

Donatienne n'avait jamais vu cet homme.

– Vous venez d'où ? s'enquit-elle.

– D'icitte ! Je suis né à Saint-André, mais on est déménagés à Oka paroisse en 1923. Les Marinier sont nombreux par icitte. Cléophas, par exemple, y'en a rien qu'un, pis c'est moi.

– Vous venez pourquoi, monsieur Marinier ?

– J'ai ben du mal à respirer. J'ai toutes les ouïes enflammées, on dirait. Pis chaque fois que je mange, une heure après, les tripes me crillent sans bon sens !

– Je vois. Qu'est-ce que vous mangez ?

– Je mange pas grand-chose. Du porc frais, du jambon, de la m'lasse, des galettes, des patates, d'la soupe aux pois...

– Des fruits ?

– J'aime pas les fruits.

– Des légumes ?

– Je vous l'ai dit, je mange des patates, pis des p'tits pois dans la soupe.

Donatienne connaissait le menu parfois très pauvre et peu varié de certains habitants du village. Ils étaient nombreux ceux qui se nourrissaient comme Cléophas Marinier. Elle soupira à la surprise de son client, elle dit :

– Je peux vous aider si vous commencez par manger comme il faut. Moins de viande, plus de légumes et des fruits quand il y en a. Vous devez au moins manger des pommes ?

– On donnait ça aux cochons quand j'étais petit. Les pommes me sûrissent l'estomac. J'arrête pas de roter, quand j'en mange.

Donatienne avait l'impression tout à coup d'avoir affaire à un joueur de tours tellement l'homme ressemblait à une caricature. Ce Cléophas avait une personnalité nettement exagérée et elle n'arrivait pas à croire qu'il existait encore des gens aussi bornés. La mauvaise santé de cet homme était le résultat d'une malnutrition illogique. Les terres d'Oka offraient une qualité exceptionnelle pour la culture, les fruits et les légumes ne manquaient pas. Où ce diable d'homme avait-il été élevé? Il consultait pour des problèmes pulmonaires, mais tout le reste était à requinquer. Sa peau était grise comme celle d'une souris, et elle lui aurait donné soixante-dix ans.

– Vous avez quel âge, Cléophas? lui demanda-t-elle.

– J'ai quarante-cinq ans ben sonnés depuis une semaine! lança-t-il avec fierté. Je dois être ben malade. Mon père est mort à quarante-trois ans.

Donatienne ne prit aucune chance.

– Qu'est-ce qu'il dit, votre docteur?

– Ah... euh... mon docteur... euh... je n'ai pas vu de docteur depuis un boutte.

– Vous devriez. Vous êtes comme un vieux tracteur. Faudrait tout vous démonter, vous nettoyer et vous remonter. Mais je vais essayer de vous aider. Si vous me promettez de changer votre manière de manger. Je vais vous faire une liste des aliments que vous devrez acheter. Pis je vais vous préparer du jus d'herbe à boire tous les matins. Ça n'a pas de bon sens d'avoir le teint aussi gris que ça, Cléophas. Vous reviendrez me voir dans un mois, on verra si vos problèmes de poumons vont avoir diminué. Vous comprenez, même si vous mettez une belle *clotche* neuve sur votre vieux tracteur, il marchera pas mieux.

Elle se leva, ouvrit la glacière et en ressortit deux bouteilles remplies d'un liquide verdâtre, plutôt glauque, et les tendit à monsieur Marinier qui faillit s'évanouir.

– On dirait du jus de spitoune ! Vous voulez pas que j'boive ça ?

– C'est écrit sur l'étiquette : persil, carottes, pommes, cresson, herbe de blé et pissenlit. Vous boirez un demi-verre tous les matins. Ça va vous remonter. Vous viendrez vous en chercher, j'en ai d'autres. C'est une piasse par bouteille.

– Deux piasses pour du crachat de chiqueux de tabac ? C'est cher !

– Cléophas, ça prend deux heures pour faire ce jus-là. Et il va vous redonner de l'allant. Je vous charge rien pour la consultation.

– Merci ben. Je reviens vous voir dans un mois.

– Oubliez pas les légumes et les fruits, en plus.

– Ah, en plus ?

– Oui, en plus. Bonne journée.

• • •

Un mois après la visite de Cléophas Marinier, deux hommes soigneusement vêtus et aux manières distinguées se présentèrent à la boutique Donatoka, en furetant comme deux belettes, les moustaches au vent et les yeux rapetissés par la curiosité. L'un d'eux saisit une bouteille de *La cuvée du givre d'automne* en lisant l'étiquette avec grand intérêt. Il saisit ensuite une bouteille de *La petite Marguerite* et lut à voix haute : *Le cidre de nos Troupes*. Puis il se mit à rire.

– C'est fait ici, dit-il à son collègue.

Il restait trois patientes à voir avant que Donatienne n'accorde de l'attention aux deux hommes. Sur sa liste de la journée, il y avait, en matinée, le nom de Cléophas Marinier qu'elle attendait avec anxiété. S'il avait suivi ses instructions, il était probable que l'homme aurait un meilleur visage et qu'elle pourrait s'attaquer à ses problèmes pulmonaires, dus à plusieurs facteurs, mais surtout à une mauvaise alimentation et probablement à un manque de propreté.

Quand elle eut terminé avec sa dernière cliente, qui consultait parce que son bébé avait des coliques après chaque allaitement, celle-ci repartit avec une fiole *d'anethum graveolens* pour l'enfant et un sachet de graines de coriandre écrasées pour la mère, à boire en tisane. Donatienne lui garantit que la coriandre allait se retrouver dans son lait et que l'enfant serait soulagé de ses coliques.

Donatienne aurait normalement fermé sa boutique jusqu'à une heure, mais elle se tourna vers les deux hommes en leur demandant s'ils avaient un rendez-vous, connaissant très bien la réponse.

– Madame Crevier, je suis le docteur Théberge, et mon collègue est le docteur Martin. Nous sommes enquêteurs pour la Corporation professionnelle des médecins du Québec.

Le plancher se déroba sous les pieds de Donatienne. Elle avait encadré son beau diplôme obtenu aux États-Unis, elle ne demandait rien pour les consultations, elle savait qu'elle ne faisait que du bien aux gens qui venaient la consulter, et si c'était pour des maux importants, elle leur conseillait d'aller voir leur docteur. Il y avait le nouveau médecin d'Oka, mais Donatienne ne le connaissait pas encore.

– Vous attendiez monsieur Marinier, n'est-ce pas?

– Monsieur Cléophas Marinier? ajouta le docteur Théberge.

– Il devait venir me voir, oui. Que lui est-il arrivé? demanda Donatienne avec anxiété.

Elle se doutait bien que quelque chose était arrivé puisque deux inspecteurs étaient chez elle, la mine patibulaire et la voix profonde. Deux médecins moustachus qui, en réalité, auraient pu passer pour des frères jumeaux tant leurs manières et leurs petites bouches en cul-de-poule lui semblaient théâtrales. Deux médecins à la retraite, probablement, qui travaillaient pour une corporation professionnelle visant à retirer du circuit toutes les personnes de bonne foi qui aidaient les citoyens à guérir selon des méthodes à l'opposé de cette science qui oubliait la prévention. Aux États-Unis, on lui avait répété que le premier médecin d'une personne était elle-même. *The first doctor is yourself.*

– Monsieur Marinier ne viendra pas.

– Et vous n'auriez pas aimé qu'il revienne non plus, dit le docteur Martin en riant. Cléophas Marinier est mort, madame Crevier.

– Madame la guérisseuse! ajouta le docteur Théberge.

Donatienne était dans tous ses états. Le monde n'avait jamais tourné dans le sens qu'elle voulait. L'enquête

sur la mort d'Ubald Lachance, les longs mois d'interne-
ment à la prison de Kingston, la police militaire qui ne
cessait de la harceler pour mettre la main sur Joseph,
voilà qu'elle allait encore devoir s'expliquer devant deux
inspecteurs de la Corporation professionnelle des médecins. Quoi qu'elle choisisse de faire, elle allait toujours
se faire remarquer. Les femmes qui avaient de l'aplomb
et un peu d'originalité semblaient toutes être la cible
des hommes jaloux, envieux, engoncés dans leurs vieilles
façons de faire.

– Je n'ai jamais chargé pour aider les gens à se guérir, docteur!

– Mais vous avouez faire de la médecine...

– ... j'utilise les plantes du bon Dieu pour aider les
gens à améliorer leur santé. Monsieur Marinier m'a dit
qu'il avait des problèmes de poumons. Je lui ai conseillé
d'aller voir son docteur. Je lui ai seulement parlé de
mieux se nourrir. Est-ce si mal de recommander à un
homme de quarante-cinq ans, gris comme une route
de gravier, de manger des fruits et des légumes?

– Vous lui avez vendu une potion magique, alors
que le médecin du village lui a trouvé un cancer des
poumons.

– Ce n'était pas une potion magique.

– Qu'était-ce alors?

– Un jus de verdure pour lui replacer la digestion.
Personne ne meurt d'avoir bu – elle alla chercher une
bouteille et lut l'étiquette – du jus de persil, de carottes, de
pommes, de cresson, d'herbe de blé et de pissenlit. Pas
de sel, pas de sucre. Je lui ai aussi ordonné de manger

des fruits et des légumes. Cet homme ne mangeait que des patates et des pois dans sa soupe. Le reste de son alimentation ne l'a sûrement pas aidé. Il est mort. Eh bien, voilà une autre preuve, messieurs, que la bonne santé passe par la nature et que si on la néglige, elle s'arrange pour nous rappeler qu'elle est essentielle.

– Vous vous prenez pour un docteur, madame Crevier ?

– Peu importe ce que je vous dirai, je ne travaille pas comme l'enseigne la médecine de l'université. J'ai étudié les plantes, j'ai suivi des cours aux États-Unis, j'ai suivi les enseignements des meilleurs herboristes, et je n'ai jamais demandé un sou à ceux qui sont venus librement me consulter. Alors que vous, les médecins, vous demandez jusqu'à cinq piastres pour renvoyer les patients chez eux avec des pilules chimiques sans vous occuper de leur bonheur, de leur alimentation, de leur anxiété. Vous voyez la maladie toute seule, sans vous intéresser au malade en entier. Moi, je le vois entièrement. Je n'ai jamais dit à un patient de ne pas écouter son médecin, tandis que vous...

– Vous n'avez pas les études universitaires...

– Non, je suis allée à l'école jusqu'en septième. Je me suis occupée de ma sœur malade et de ma mère. J'ai suivi une sage-femme de Lachine qui m'a tout montré. J'ai mis une centaine de bébés au monde. La seule fois que j'en ai perdu un, c'est un médecin qui était au chevet de la mère. Un médecin qui avait fait ses études à l'université !

– Ce sont ces médecins que la loi reconnaît, madame Crevier. Pas les charlatans comme vous! répliqua le docteur Martin.

– Je n'ai rien inventé, moi. J'ai prolongé la manière de soigner des Indiens, et celle de nos ancêtres. N'oubliez pas que toutes vos pilules sont fabriquées avec des plantes avant de leur ajouter du chimique. Moi, j'ai étudié les plantes et leur immense pouvoir, et...

– Et vous avez tué Cléophas Marinier. Il a bu votre bouillie de sorcière, et il n'a pas pris les médicaments que lui a prescrits son médecin. Si ça ne relève pas du charlatanisme, je me demande bien ce que c'est!

– On ne meurt pas de boire le jus des plantes, mais on meurt d'avoir mal mangé toute sa vie, d'avoir fumé...

– Le tabac est une plante, que je sache! cria le docteur Théberge, en mettant la main sur son paquet de cigarettes dans sa poche de redingote.

– Cléophas Marinier était condamné par votre médecine. Il avait un cancer des poumons. Jamais je ne suis intervenue pour cette maladie. Je lui ai suggéré de commencer à nettoyer son tube digestif avant quoi que ce soit. Cet homme avait confiance en moi, oui, et il a attendu longtemps pour que je le voie. Il serait mort sans ma bouillie de sorcière, comme vous le dites, sans son docteur et sans toutes vos pilules. En fait, il était déjà mort quand je l'ai rencontré. Je n'ai rien à voir dans tout ça.

Donatienne était au bout de son argumentation. Elle avait coupé le bec aux deux envoyés de la Corporation professionnelle des médecins du Québec qui quittèrent en lui laissant un message :

– Nous allons maintenant voir avec la famille Marinier, puis nous porterons notre enquête au bureau d'évaluation médicale de la CPMQ et nous vous aviserons.

Les docteurs Martin et Théberge allaient quitter Donatienne, moins convaincus qu'ils ne l'étaient à leur arrivée. Cette femme au caractère bouillant leur avait donné une leçon au sujet de la pratique de la médecine. Le docteur Théberge était le plus secoué des deux.

– Je peux avoir une bouteille de ce... ce jus de plantes que vous nous présentiez tantôt ?

Donatienne se rendit à la glacière et offrit deux bouteilles de son mélange aux docteurs.

– Tenez, chacun une. Attention, faut le boire dès la pleine lune qui est dans trois jours, la tête en bas, sinon, vous pourriez vous changer en loup-garou !

Les médecins ne se regardèrent pas. Ils s'engouffrèrent dans leur voiture. Donatienne crut entendre :

– Docteur, se pourrait-il qu'on se soit trompés ?

• • •

L'affaire Cléophas Marinier parut dans les quotidiens, mais n'eut pas l'effet escompté par la Corporation des médecins. Quelques jours après les funérailles de Cléophas, la file était si longue qu'il fallut avertir la moitié des malades de revenir un autre jour. Une rumeur monta, alors que chacun cherchait à faire la preuve que son cas était plus grave que celui de l'autre, que celui-ci venait de beaucoup plus loin ou que celle-ci était l'amie de la guérisseuse et qu'elle avait davantage le droit de passer avant tout le monde.

Donatienne voyait au moins quarante malades par jour, secondée par Mary qui faisait aussi l'interprète lorsque cela s'avérait indispensable. Le coffre se remplissait de nouveau et la famille Crevier put s'acheter un beau réfrigérateur qui venait directement de Toronto.

Un matin, le facteur vint porter à Donatienne une missive enregistrée en provenance du Collège des médecins. Elle se filtra une tisane de menthe poivrée avant d'ouvrir l'enveloppe de papier Velin. La lettre, signée par le docteur Eugène Martin, disait essentiellement que Donatienne Crevier pouvait continuer son travail auprès des gens venus la consulter, à la condition de ne jamais demander de contribution pour ses conseils, et d'inciter ses malades d'aller d'abord consulter leur médecin. Il s'excusait, au nom de ses collègues et en son nom personnel, de l'avoir accusée de pratiquer illégalement la médecine. Et, écrite à l'encre verte, cette note qui disait : « Vous devriez demander un brevet pour votre jus vert. Ne me suis jamais si bien senti après avoir avalé votre décoction. E. Martin, m.d. »

Donatienne se mit à rire et rejoignit Mary pour le souper.

Susanna s'habituait aux règlements du Couvent de Saint-Benoît et Mary lui faisait parvenir, dès que Blaise, Pierrot ou Joseph avaient besoin de se rendre dans le village voisin, des boîtes contenant un collier de noyaux de prunes sculptés de la main de Joseph, des savonnettes à base d'huile et de violettes, des dentifrices aux herbes diverses ou des capteurs de rêves fabriqués par les Mohawks.

La petite s'appliquait et elle ne pensait désormais plus qu'à profiter de sa prochaine sortie qui aurait lieu en décembre, juste à temps pour la Noël.

. . .

Un soir de novembre, Donatienne éprouva un grand malaise qui la tenaillait dans le ventre, près de l'aine droite. Croyant à une appendicite, elle fit téléphoner Rosalie chez le docteur Marineau, pour demander un rendez-vous. Joseph emmena sa mère chez le médecin.

Elle entra dans son cabinet et s'installa sur la table d'examen. Après avoir répondu à une série de questions sur les événements précédant la douleur cuisante, le médecin posa ses cinq doigts et appuya assez fortement sur le côté de son ventre après lui avoir demandé de relever son jupon.

Pendant qu'il installait son stéthoscope, Donatienne examina le docteur Marineau. Un homme au visage placide, sourcils embroussaillés, lèvres bien dessinées, barbiche blanche, un sourire qui faisait tomber dans les pommes.

Il lui demandait d'arrêter de respirer et elle contractait son abdomen comme, lorsque petite fille, elle jouait à la morte avec ses cousines. Il appuyait sur l'appendice et Donatienne s'efforçait de ne pas réagir avec trop d'intensité. Il l'aida à s'asseoir et les bretelles de son jupon noir glissèrent sur ses bras sans qu'elle ne tente de les retenir. Cet homme était beau et un peu plus âgé qu'elle l'avait cru. On lui avait donc menti en lui parlant d'un tout jeune médecin. Ou on lui avait seulement parlé d'un nouveau médecin et elle avait cru, sans trop y réfléchir, qu'il était débutant dans la pratique de la médecine.

– Que mangez-vous ? lui demanda-t-il.

Elle se mit à rire en pensant à Cléophas Marinier.

– Je mange de tout. Légumes, fruits, et même du poisson quand mes hommes vont à la pêche, bien entendu.

– Vous avez quel âge ?

– Euh... à peine soixante ans, baragouina-t-elle.

– Mon Dieu, je vous en aurais donné quinze de moins. Vous semblez en bonne forme. Vous fumez ?

– Non, je déteste le tabac sous toutes ses formes.

– Vous... vous êtes mariée ?

– Non. Je vis avec ma famille et des amis. C'est nous qui fabriquons le cidre *La Cuvée du givre*...

– ...*d'automne* et *La petite Marguerite*. J'en sers à chaque fois que je reçois des amis.

– Vous aimez Oka ?

– J'ai eu mon bureau à Montréal pendant plus de vingt-cinq ans. Quand je l'ai quitté, j'aurais aimé m'installer dans Charlevoix, mais on m'a dit qu'ici, on n'avait plus de médecin depuis deux ans. On m'a dit qu'il y avait vous-même, mais que vous ne soignez que les cas légers, disons.

Le docteur Marineau se mit à rire très fort, déployant une belle dentition aussi blanche que celle d'un enfant. Donatienne sentit monter en elle une fièvre inopinée, qui la saisit du centre de son ventre jusqu'à la racine de ses cheveux. Ce type l'avait ensorcelée, vite, si vite!

Le médecin conclut en une inflammation de la trompe de Fallope et suggéra qu'elle se purge à l'aide de ses propres herbes, puis qu'elle applique un linge très froid sur la région endolorie.

– Ménopause? suggéra-t-il, embarrassé.

– Depuis six ans.

– Autres problèmes féminins? Durcissement des seins, maux de dos, saignements inattendus?

– Rien de tout ça, docteur.

– Vous pouvez prendre de l'aspirine, si vous avez mal. Mais je me fie à vous pour soigner la douleur. Si ça ne vous quitte pas d'ici une semaine, je vous enverrai au docteur Lampron, un chirurgien de mes amis.

– Pour une opération? dit-elle avec de la peur dans les yeux.

– Non, non, non. Vous ne seriez pas capable de vous relever toute seule, si vous aviez une salpingite. Allez chez vous et allongez-vous quelques jours. On va voir.

– Merci, docteur Marineau, murmura-t-elle.

• • •

Quand elle s'assit près de Joseph dans la voiture, il la trouva tellement ahurie qu'il crut un instant que le nouveau docteur lui avait diagnostiqué un cancer ou une autre maladie mortelle. Il éprouva une telle angoisse de perdre sa mère, qu'il ne parla pas de tout le trajet du retour.

– J'ai l'impression d'avoir rencontré le bon Dieu, dit-elle en sortant de l'automobile.

– Quoi, m'man?

– Le bon Dieu m'est apparu. Ce docteur Marineau... il est... il est...

Joseph venait enfin de comprendre ce qui tenaillait sa mère. La lueur de joie qui éclairait son visage était la même que lorsqu'elle était tombée en amour avec le père Michel. Et avant, avec Bill Tiwasha. Joseph reconnaissait ses yeux qui ne regardaient plus la vie de la même manière, ses mains qui ne touchaient plus qu'avec grâce, son visage qui resplendissait.

– Ah, non! Ça ne va pas recommencer!

Chapitre vingt-quatrième

Louis Turgeon fut arrêté au début de l'année 1948, après un jeu du chat et de la souris avec la police de Montréal. Il avait fui Montréal et s'était réfugié au chalet des Moquin, à Sainte-Agathe, mais une petite cousine, jadis éconduite par lui, le livra aux autorités. Un policier, tellement chétif qu'il ressemblait à un enfant qui jouait au gendarme, avec son gilet trop grand et son morion lui retombant sur les yeux, vint pour qu'Émilia complète le témoignage qu'elle avait déjà fait au poste de police. Cette fois, elle ne lésina sur aucun détail. Elle exposa la violence qui veillait chez Louis, sa mère qui était une espèce de vieille folle déçue par ce fils qui *haïssait les autres races,* et termina en survolant leur si brève vie de couple. Louis fut de nouveau interrogé et ne nia rien. Il avoua s'être servi d'un réservoir de mazout – ajouta même que c'était fou ce que le prix de ce combustible était à la hausse – pour s'assurer que l'incendie allait valoir la peine, puis il avoua avoir voulu punir sa femme qui travaillait avec un couple de Juifs. Le policier qui écrivit la déposition de Louis ajouta dans le coin gauche de son rapport : « Monsieur troublé, ne sait pas trop ce qu'il dit. »

Louis prit la direction de la prison, et le policier dit à Émilia que son mari, en plus de sa pyromanie appliquée, avait aussi commencé à rassembler des jeunes hommes autour d'une cellule haineuse visant tous les anglophones du Québec, qu'ils fussent nés à Montréal ou ailleurs, afin de les éliminer, les moyens d'y parvenir étant restés assez vagues. Maurice Duplessis parla même à l'Assemblée nationale de ce *petit faflin* qui, à lui tout seul, mettait la province dans de mauvais draps et traita *Monsieur* Turgeon de danger public qu'il fallait éliminer au plus pressé.

Émilia ne revit pas Louis et n'eut jamais la chance d'entendre quelque explication que ce soit au sujet de ses agissements. Elle ne sut pas ce qui avait pu déclencher l'attitude agressive de son conjoint envers elle, alors qu'il disait quelques semaines auparavant qu'il l'aimait comme un fou. Cette histoire était classée et elle décida de ne plus jamais laisser sa frêle existence être assombrie par un homme. Elle décida plutôt de se lancer corps et âme dans l'aventure des défilés de mode et de la création dont elle se sentait investie depuis qu'elle avait raccommodé la robe élimée de Mademoiselle Marguerite, sa poupée, le jour de la mort de sa maman en 1910.

• • •

Émilia et Rosette venaient de terminer les derniers préparatifs pour le plus audacieux défilé de mode que Montréal n'avait jamais connu, espéraient-elles.

Un nouveau créateur de mode s'était fait remarquer par le milieu. Il s'agissait d'un certain Christian

Dior, qui avait créé le New Look et qui fut rapidement imité par les maisons de couture de Paris, de New York et de Montréal. Rosette et Émilia, haute couture ne fit pas exception. Au contraire.

Émilia était particulièrement rusée. Elle assistait à des défilés au théâtre Saint-Denis, au neuvième étage d'Eaton ou au Ritz Carlton, et apportait avec elle un petit cahier à dessins. Dès qu'elle voyait une tenue excentrique ou qui s'inspirait du New Look de Dior ou du génie de Pierre Balmain ou d'Hubert de Givenchy, elle s'empressait de dessiner le modèle, parfois même en s'enfermant dans les somptueuses salles de toilette pour ne pas en oublier les moindres traits et ne pas se faire surprendre.

Elle se sentait libre et Mark la laissait y aller seule, ou avec Gérard de Vaudreuil qui ne représentait pas, aux yeux de son amoureux, un danger pour Émilia. Avant de présenter son défilé, Rosette et Émilia haute couture voulait faire le plein d'idées, de formes, de teintes, d'originalité, et Rosette confia cet aspect à Émilia qui se faisait un grand plaisir de créer des modèles, à partir de tout ce qu'elle voyait dans les magazines de mode parisienne. Selon les directives de Mademoiselle Émilia, les patronnières s'astreignaient à dessiner et à découper les modèles sur du papier oignon, et Émilia elle-même taillait les différentes pièces de la robe ou du tailleur dans des étoffes finement choisies, puis les épinglait sur un mannequin de bois emprunté à la maison Pompadour. On alla même jusqu'à embaucher des mannequins en chair et en os, que l'on disait d'une patience d'ange. Les jeunes filles recevaient un dollar de plus l'heure que chez les compétiteurs montréalais pour demeurer plantées devant mademoiselle Émilia, qui suait, le galon autour du cou et les épingles dans le coin de la bouche. Les jeunes mannequins devaient demeurer immobiles, sans pouvoir se gratter ni étouffer un bâillement derrière leur poing. Si cela se présentait, Émilia criait alors : on bouge pas ! Et le mannequin soupirait en transportant son poids d'un pied sur l'autre.

Celle que préférait Émilia s'appelait Mariette Laprise. Entre elle et la jeune fille naquit très rapidement une amitié qui allait au-delà de la stricte relation patronne-employée. Cette grande fille, qui n'était pas aussi squelettique que les autres, affichait ses formes généreuses avec fierté, soulevant la poitrine et bombant les fesses. Elle possédait un caractère aussi impétueux que possible, réclamant des moments de repos dès qu'elle en sentait le besoin, ce qui déplaisait à monsieur Gérard qui était agacé par l'idée que Mariette pourrait bien fomenter la venue d'un syndicat dans l'atelier.

– Ou bedon vous m'endurez de même, ou bedon vous vous passez de moi ! avait-elle dit d'emblée à sa patronne.

Mais Mariette était une fille joyeuse, drôle, fort sympathique et tout le monde à l'atelier l'aimait malgré sa propension à imposer ses désirs farfelus.

Émilia se voyait en tête d'affiche dans les magazines de mode à travers le monde. Mais dès qu'elle avait une pensée pour Mark et qu'elle le comparaît à Samuel Wildman, elle admettait illico qu'il n'était pas l'homme de la situation. L'armée avait brûlé son sens des affaires et sa créativité. Il était d'une extrême gentillesse avec elle, attentionné comme pas un, mais Samuel, lui, déployait une fougue et une énergie incomparables. Jamais n'avait-il été question entre Émilia et Mark de banque, d'économies et d'argent. Chacun dépensait selon son bon vouloir. Un des nombreux vases Val Saint-Lambert servait à y déposer quelques billets pour les achats urgents, mais Émilia ne connaissait pas la capacité de Mark pour les acquisitions. Le couple ne possédait toujours pas de voiture. Mark préférait les taxis. Émilia croyait qu'une voiture lui était devenue indispensable et se dit qu'elle n'allait pas attendre que Mark décide de s'en procurer une.

Quand elle exposa cette idée à Samuel, ce dernier la ramena à la dure réalité en lui affirmant qu'elle devait demander la permission de Louis pour acheter une automobile.

– Mais qu'est-ce que tu me racontes là? Louis est en prison.

– Tu dois divorcer, ma chérie, ajouta Rosette en riant. Après, tu seras libre pour vrai. Ça nous arrangerait aussi pour le partage des avoirs et des dépenses, que tu sois divorcée. Pense à ton Mark, il serait heureux si tu pouvais redevenir mademoiselle Émilia!

– S'il faut que je divorce, je divorcerai. Et j'aurai ma voiture, décida Émilia. C'est pas à 42 ans que je vais m'empêcher de faire ce qui me plaît, bon!

• • •

Ce soir-là, le téléphone sonna et Josaphat larmoyait en balbutiant. Délima venait de mourir.

– Qu'est-ce qui est arrivé, papa? Arrêtez de vous ronger les sangs de même.

– Je le sais pas. L'ambulance s'en vient la chercher. Elle se peignait les cheveux sur le bord du lit, pis elle est tombée, raide morte.

– Voulez-vous que j'y aille, popa?

– Non, ma grande. C'est pas nécessaire. Je vais m'occuper de tout avec ta sœur Gertrude. Tu vas venir au salon, par exemple?

Émilia ne sut pas répondre immédiatement. L'idée que Délima ne soit plus entre elle et son père lui faisait presque plaisir, débarrassés qu'ils étaient de cette bouffonne à talons hauts qui avait mis une distance entre Josaphat et ses deux premiers enfants, qu'ils fussent les neveux de Délima ou non. Cette femme, qui parlait comme une corneille, et qui avait fait fuir tous les amis de Josaphat, venait de libérer Émilia.

– Popa, j'espère que vous en ferez pas une dépression. Depuis le temps qu'on s'entend pas, elle et moi. Ça va être dur de pleurer sur son cercueil. Pis vous...

– Qu'est-ce que j'ai fait, moi?

– Vous l'avez trichée durant plusieurs années. Allez pas dire le contraire.

– J'étais revenu. Je faisais de mon mieux pour me faire pardonner. C'est du passé, ça va rester du passé! Tes frères et tes sœurs du deuxième lit, ils vont sûrement avoir ben de la peine, eux autres.

Émilia réfléchit de nouveau.

– Vous êtes certain que vous voulez pas que j'y aille?

– Viens juste au salon un soir, ça va être correct.

Émilia ferma le combiné et ressentit tout à coup une grande lassitude. Elle ne croyait pas que la mort de sa belle-mère allait les rapprocher, son père et elle. Tant de choses avaient changé depuis son enfance à Lachine. Sa relation avec Josaphat s'était rompue le jour du départ de Donatienne pour de bon. Souvent, elle se demandait ce que sa matante devenait, où elle vivait, si elle était encore de ce monde. Elle ferma les yeux et se rappela l'odeur du lac Saint-Louis, les effluves sucrés des haies de chèvrefeuilles devant la galerie, la main de *matante* qui lui tressait les cheveux, et l'odeur de l'eau de Javel, âcre et persistante, qui résistait sur ses mains et celle, plutôt agréable, de l'eau de Floride qu'elle dispensait sur les vêtements de Victor. Comme Émilia était heureuse, alors. Quand elle songea au départ de Donatienne, causé par l'arrivée de cette maudite Délima couinant comme une jeune truie, riant comme un moulin à laver, étourdissant Josaphat qui ne lui avait jamais appartenu tout à fait, elle décida de ne pas se rendre au salon funéraire. Puis elle rit en se disant qu'en n'allant pas aux funérailles, qu'en divorçant de son mari, qu'en achetant une voiture, elle devenait la rebelle que Donatienne lui avait enseigné à être. Comme elle serait fière d'elle, sa chère *matante*!

• • •

419

Trois jours plus tard, Marcel et Thérèse téléphonèrent à Émilia pour l'enguirlander.

– Tu as fait de la peine à notre père, Émilia Trudel! Que t'aimes pas notre mère, c'est ton affaire. Mais que tu ne sois pas avec nous autres pour soutenir notre père, c'est un vrai scandale! T'as jamais été notre sœur, en fait. T'as jamais voulu nous considérer. Jamais de nouvelles de toi. T'as toujours plus aimé les étrangers. C'étaient eux, ta vraie famille. T'as pas de cœur, Émilia!

Pas de cœur, pensait-elle. Pas de cœur! La famille de Délima était devenue une bande d'ignares qui n'évoluaient pas. Qui ne connaissaient ni la mode ni la musique ni le bon parler français. Elle-même avait tant travaillé pour devenir ce qu'elle était devenue: une femme élégante qui s'efforçait d'entrer dans la grande société par la porte de devant! Une femme moderne qui suivait l'évolution de la société canadienne-française, et qui parfois même, la devançait. Émilia préférait choisir ses amis qu'être obligée d'endurer cette famille qu'on lui avait imposée. Si papa avait gardé Donatienne, la vie aurait été autrement, songea-t-elle.

Elle téléphona à Mariette Laprise pour un essayage urgent. Elle venait d'avoir une idée lumineuse. Elle donna rendez-vous au jeune mannequin à six heures, ce soir-là. Temps double. Mark se plaignit un tantinet du départ fortuit de son Émilia alors qu'il manquait sa présence de plus en plus. Il sentait qu'elle s'éloignait de lui, que leurs folles soirées n'étaient plus que des souvenirs. Il se passait quelque chose et il n'osait pas chercher à savoir.

...

Quand Mariette Laprise entra dans la maison de haute couture, Émilia, qui l'attendait depuis quelques minutes seulement, l'accueillit avec enthousiasme. Elle avait tiré, des rouleaux d'étoffes volumineux, un satin grège et du tulle pervenche.

– Les robes de mariées ne seront plus blanches à partir d'astheure, ma Mariette. Les filles d'aujourd'hui ne sont plus les modèles immaculés des années vingt, je vais te dire. J'ai pensé à un nouveau modèle. Regarde ça.

Elle plaça une photographie devant les yeux de Mariette.

– C'est de Givenchy. Mais voici ce que moi, je vais en faire.

Elle exhiba une page de son cahier à dessins et le flanqua devant le visage ébahi de son mannequin.

– C'est trop beau! murmura Mariette.

La robe était de couleur beige tirant sur le gris argenté. Le corsage portait une trentaine de plis qui venaient se rejoindre à la taille, d'où prenaient naissance des plis plus larges d'une étoffe plus foncée, dont l'intérieur de chacun était fait d'une fine dentelle bleue tirant sur le violet. Au bas de la jupe, trois surpiqûres donnaient plus de fermeté à la tenue. Sous les surpiqûres, une rangée de tulle formait une sorte de crinoline et dépassait subtilement en frôlant les chevilles de la mariée. Les manches étaient inexistantes, mais une petite marquise venait reposer sur le bras avec délicatesse. Le décolleté ne cherchait pas à camoufler quoi que ce soit. Émilia avait ajouté un châle de soie bleue et grège qui conférait à la robe l'aspect d'un papillon, ainsi qu'un bibi de même couleur surmonté d'une délicate voilette. Une splendeur, selon Mariette.

– Maudit que tu as du talent, Émilia! Incroyable!

– Je veux la créer direct sur toi. J'ai demandé à Gérard de venir vers huit heures pour les photos.

– Les photos?

– Je veux l'envoyer à Paris. On sait jamais.

– Moi...? Ta robe... à Paris?

Émilia se mit au travail et au bout de deux heures, la robe qu'elle intitula *Oui, je le veux*! prit forme. Quand Gérard de Vaudreuil entra, portant son gros Kodak et tout son attirail, il faillit tomber à la renverse. Il ne faisait aucun doute que cette magnifique robe de mariée allait connaître une popularité mondiale! Mariette prit un air de grande fierté pour les nombreux clichés qui en furent tirés. *Oui, je le veux*! était le début d'une nouvelle vie pour tous les trois.

• • •

Émilia choisit une magnifique Oldsmobile Futuramic de l'année. Entièrement automatique, lui avait dit le vendeur. Il avait aussi parlé d'élégance en lui présentant cette voiture à conduite automatique, aux vitres qui descendaient en pesant sur un bouton. Il ajouta que GM avait songé davantage aux conductrices en créant ce modèle enviable.

Quand Mark aperçut la voiture, il n'en revint pas. Émilia avait finalement rencontré Louis Turgeon pour obtenir sa signature ? Cette idée lui fit de la peine.

– Ouais, une maudite belle voiture, madame Turgeon ! lui dit-il avec ironie.

– C'est popa qui a signé pour moi. Louis n'a rien à voir là-dedans ! expliqua-t-elle avec fierté. T'aurais dû voir le monde de l'atelier quand ils ont vu mon Oldsmobile de l'année !

– Depuis quand tu conduis ?

– C'est Gérard qui la conduit pour le moment. Il va me montrer à chauffer et je vais aller chercher mon permis de conduire. Je vais rembourser popa...

– ... papa, qu'on dit.

– Je vais rembourser mon père deux fois par année. Il est tellement fier de sa fille. On s'en va faire une balade cet après-midi. Tu viens avec nous ?

– Où allez-vous ?

– Du côté d'Oka. Il paraît que Gaby Bernier tient un petit restaurant sur le bord du lac. Ça me tente d'aller voir ce que ça a l'air. On va s'arrêter à La Trappe. J'ai connu un moine quand j'étais dans l'armée. Je pourrais aller lui faire une petite visite.

– Les moines sont renfermés pour prier. Tu risques pas de pouvoir le rencontrer.

– On sait jamais. Tu viens ?

Mark sourit. Il était fier de voir son Émilia aussi comblée.

Vous pourrez lire la suite
de cette passionnante histoire
dans le tome 3 de *La Couturière* :
La persistance du romarin

CET OUVRAGE,
COMPOSÉ EN KEPLER 13,5 PTS,
A ÉTÉ ACHEVÉ D'IMPRIMER À CAP-SAINT-IGNACE,
SUR LES PRESSES DE MARQUIS IMPRIMEUR,
EN AOÛT DEUX MILLE NEUF.